CLEDDYF LLYM DAUFINIOG

HEFYD GAN ELGAN PHILIP DAVIES

Rhwng y Cŵn a'r Brain

Rhyw Chwarae Plant

Fel y Dur

ELGAN PHILIP DAVIES

CLEDDYF LLYM DAUFINIOG

Cymdeithas Lyfrau Ceredigion Gyf
2003

Cyhoeddwyd gan Gymdeithas Lyfrau Ceredigion Gyf.,
Blwch Post 21, Yr Hen Gwfaint, Ffordd Llanbadarn,
Aberystwyth, Ceredigion SY23 1EY.
Argraffiad cyntaf: Tachwedd 2003
ISBN 1-902416-91-0

Cefnogwyd y gyfrol gan Gynllun A, Cyngor Llyfrau Cymru.
Diolchir i Adrannau Cyngor Llyfrau Cymru am bob cymorth.
Argraffwyd gan Creative Print and Design Cymru, Glynebwy NP23 5SD

Er cof am fy Nhad

Dydd Llun 1 Tachwedd
09:13 – 10:58

Wrth iddo gyrraedd crib y rhiw dallwyd ef gan yr haul. Nid oedd y golau'n arbennig o lachar ond ar ôl diwrnodau o grymu dan awyr oedd yn llwythog gan gymylau glaw, roedd gyrru i mewn i'r haul yn gwbl annisgwyl. Cododd Gareth Lloyd ei droed yn reddfol oddi ar y sbardun a gadael i'r car lithro ymlaen dan ei bwysau ei hun. Edrychodd i'r chwith a gweld y cymylau'n cronni eto yn y pellter, ond yma ar y ffordd gul rhwng y dref a phentref Gors-ddu roedd yna ychydig o ysbaid rhag y stormydd gaeafol.

Yr hydref gwlypaf ers hanner canrif oedd barn y gwybodusion, ac er nad oedd y rhanbarth hon o ofalaeth Heddlu Dyfed-Powys wedi dioddef cynddrwg â rhannau eraill o'r wlad, roedd y tywydd wedi bod yn ddigon o rwystr i bawb yn gyffredinol ac i'r heddlu yn arbennig, a oedd yn dal i ymchwilio i lofruddiaeth Lisa Thomas. Roedd dros bythefnos wedi mynd heibio ers i'w chorff gael ei ddarganfod; pythefnos o weithio shifftiau dwbl i holi, cofnodi, chwynnu ac ail-greu amgylchiadau'r noson olaf y gwelwyd Lisa'n fyw. Ond y cyfan yn ofer. Nid oedd yr heddlu fymryn yn agosach at ddal y llofrudd nawr nag yr oeddent y diwrnod y darganfuwyd ei chorff.

Y Rhingyll Gareth Lloyd oedd cydlynydd yr

ymchwiliadau, ac ato ef y byddai ei bennaeth, y Prif Arolygydd Clem Owen, yn troi am gyngor ynghylch pa drywydd i'w ddilyn nesaf, ond erbyn hyn roedd Gareth yn brin iawn o awgrymiadau. Am yr wythnos diwethaf bu'r gwaith o gynnal profion DNA ar yn agos i bum cant a hanner o ddynion yn ddigon i gadw ei bennaeth oddi ar ei war. Ond gwyddai Gareth na fyddai hynny'n ei gadw'n dawel am hir. A gan fod meistr ar Meistr Mostyn, gwyddai hefyd fod yr Uwch-Arolygydd David Peters yn pwyso ar ei bennaeth, a dyn a ŵyr pwy oedd yn pwyso arno ef o uchelfannau cyfraith a threfn.

Ymfalchïai Gareth yn ei drylwyredd a chredai ei fod wedi llywio'r ymchwiliad orau y gallai, ond hyd yn hyn nid oedd ei ymdrechion wedi dwyn ffrwyth. Roedd canlyniadau'r profion cyntaf wedi dechrau cyrraedd o'r Gwasanaeth Gwyddoniaeth Fforensig, a phob un yn negyddol. Roedd llawer mwy i ddod, a dynion eraill i'w profi, ond roedd Gareth yn dechrau ofni na fyddai llofrudd Lisa Thomas yn eu plith; os felly, fe fyddai'n rhaid iddyn nhw daflu'r rhwyd yn ehangach, ond i ba gyfeiriad, dyna'r cwestiwn, ac ar hyn o bryd nid oedd ganddo'r syniad lleiaf beth oedd yr ateb.

Gwelodd Gareth yr hen stand laeth garreg ar ymyl y ffordd a chofiodd gyfarwyddyd y Rhingyll Berwyn Jenkins i droi i'r dde cyn ei chyrraedd. Arafodd a throi trwyn y car. Culhaodd y ffordd a dechrau dringo ar unwaith, a newidiodd Gareth i gêr is gan yrru'n ofalus dros y carped o ddail gwlyb.

Gyrrodd ymlaen am yn agos i filltir arall gan ddechrau edifarhau gwirfoddoli i ateb yr alwad. Ar wahân i anogaeth Berwyn Jenkins i ymchwilio i'r mater, cyfle i ddianc o'r swyddfa am ychydig oedd ei unig gymhelliad, ond erbyn hyn pigai ei gydwybod am iddo redeg ar ôl rhywbeth a fyddai'n ddim byd mwy na direidi plant, a llofrudd Lisa Thomas yn dal a'i draed yn rhydd. Ond ni allai droi yn ei ôl nawr, yn enwedig a'r lôn mor gul; ymlaen oedd yr unig ffordd oedd yn agored iddo.

Hanner milltir yn ddiweddarach cyrhaeddodd ben ei daith – neu o leiaf cymal olaf ei daith. Yng nghysgod y coed, rhyw ganllath i fyny ar hyd llwybr troed a heb yr un adeilad arall yn agos iddo, safai capel Penuel. Roedd Focus glas wedi'i barcio yn ymyl y llwybr a llywiodd Gareth ei gar y tu ôl iddo. Dringodd allan a gwisgo'i got i'w amddiffyn rhag yr awel fain cyn dechrau cerdded tuag at y capel.

Adeilad oeraidd a digon digroeso'r olwg oedd Penuel; adeilad sgwâr o gerrig diaddurn, ffenestri hirgul a rhimyn o wydr lliw tywyll o'u cwmpas dan do serth o lechi llwyd. Tynnodd Gareth ei got yn dynnach amdano. Cydiodd yng nghlicied ddur y drws derw trwchus a'i gwasgu. Agorodd y drws brin tair modfedd cyn crafu yn erbyn y rhiniog a gwrthod symud ymhellach.

'Arhoswch funud!' galwodd rhywun o'r tu mewn.

Clywodd Gareth sŵn traed yn cerdded yn gyflym ar draws y llawr carreg ac yna teimlodd ei faich yn ysgafnhau wrth i'r drws gael ei dynnu ar agor led y pen. Camodd i mewn i'r capel. O'i flaen safai dyn tal, cydnerth, yn ei dridegau cynnar, a chanddo fop o wallt du blêr. Y tu ôl i'r sbectol gron gwelai Gareth lygaid gwyrddlas, a chysgod direidus yn llechu yn eu corneli.

'Mae'n ddrwg gen i,' meddai'r dyn. 'Ar y tywydd gwlyb mae'r bai, a'r ffaith nad yw'n cael ei agor hanner digon aml.'

'Diolch,' meddai Gareth, a oedd yn hen gyfarwydd â drysau ystyfnig yng ngorsaf newydd yr heddlu. 'Y Parch. Jonathan Williams?'

'Ie,' atebodd y dyn, gan dynnu ei faneg ac estyn ei law. 'A chi yw?'

'Sarjant Gareth Lloyd.'

'Diolch i chi am ddod, sarjant. Mae'n dipyn o daith ar y gorau, a fydden i ddim wedi galw amdanoch chi oni bai am . . . wel . . . ddifrifoldeb posib y sefyllfa.'

'Na, ma'n siŵr,' meddai Gareth, gan edrych o'i gwmpas a dal i feddwl nad oedd y cyfan yn ddim byd mwy na drygioni plant. 'Dwi'n deall fod rhywun wedi torri mewn.'

'Do, neithiwr, fwy na thebyg,' meddai'r gweinidog, gan roi ei ysgwydd yn erbyn y drws i'w gau.

'Ond ddethon nhw ddim drwy'r drws,' mentrodd Gareth.

Gwenodd Jonathan Williams wrth iddo wthio'r drws dan wichian yn ôl i'w le. 'Naddo, drwy un o'r ffenestri cefn.'

Edrychodd Gareth i gyfeiriad y ffenestri a sylwi am y tro cyntaf ar belydrau cryf yr haul yn llifo drwy'r ymylon amryliw gan orchuddio llawr a muriau'r adeilad bychan â môr o liwiau coch, melyn a glas. Rhoddai'r lliwiau gynhesrwydd rhyfedd i'r ystafell; rhywbeth na fyddai Gareth wedi ei ddisgwyl o'r olwg oer a dilewyrch oedd ar yr adeilad o'r tu allan.

'Un cwrel . . . cymerwch ofal,' meddai'r gweinidog, wrth i Gareth ei ddilyn. 'Dwi'n credu mai pentagram yw hwnna ar y llawr.'

'Beth?' meddai Gareth, a oedd ar fin codi ei droed i syllu ar wadn ei esgid.

'Y cynllun yna.'

Edrychodd Gareth ar y llawr o gwmpas ei draed a gweld ôl ysgafn amlinelliad o rywbeth ar y cerrig llwyd. Bu'n rhaid iddo symud ychydig a gadael i belydrau'r haul daro'r llun cyn iddo weld mai seren bum braich â chylch o'i hamgylch ydoedd. Cofiodd i Berwyn Jenkins ddweud bod pwy bynnag a dorrodd i mewn i'r capel wedi achosi difrod i'r adeilad; ond sloganau, olion parti, neu fandaliaeth ddireswm roedd Gareth wedi ei ddisgwyl, nid hyn. A beth bynnag, edrychai fel petai'r sawl a wnaeth y llun wedi ceisio'i lanhau. Camodd yn ofalus heibio'r cynllun at y ffenest gefn.

'Dim ond un cwrel sydd wedi ei dorri, ond roedd hynny'n ddigon iddyn nhw allu agor y ffenest a dringo i mewn,' meddai Jonathan Williams.

Craffodd Gareth ar y cwrel bychan gwydr coch a'r hen fachyn ffenest haearn oddi tano a chytuno â dehongliad y gweinidog. Roedd y crafiadau a'r ôl pridd ar y wal o dan y ffenest hefyd yn cadarnhau mai dyna sut y cawsant fynediad i'r capel. Trodd Gareth ac edrych ar y ffenestri eraill ym mhen blaen yr adeilad.

'Ond pam dewis dod mewn drwy un o'r ffenestri cefn?' gofynnodd Gareth, yn fwy iddo'i hun nag i'r gweinidog.

'A'r capel mewn lle mor anghysbell, chi'n feddwl?'

'Ie. Bydde'r cefn mewn tywyllwch ac i ffwrdd o'r ffordd fawr, ond gan fod y capel ymhell o bobman fe allen nhw fod wedi parcio car ar y ffordd o fla'n yr adeilad a defnyddio'i ole i weld beth o'n nhw'n 'i neud.'

'Os mai mewn car ddaethon nhw.'

Nodiodd Gareth. 'Odych chi'n ame mai rhywun lleol nath hyn? Bydde hynny'n un esboniad; rhywun o'dd yn gyfarwydd â'r adeilad. Ie, digon posib. Pa mor bell y'n ni o Gors-ddu?'

'Rhyw ddwy filltir a hanner.'

'Tipyn o ffordd i rywun gerdded, ac ystyried y tywydd ry'n ni wedi'i ga'l yn ddiweddar.'

'Dim ond os mai ar hyd y ffordd fawr ddaethon nhw.'

Safodd Gareth ar flaenau ei draed a syllu allan drwy'r twll yn y ffenest. 'Be sy tu ôl i'r adeilad?'

'Rhyw ddeg troedfedd o dir agored cyn y clawdd terfyn, ac yna coedwig a llwybr cyhoeddus.'

'Ma' 'na lwybr?'

'Oes, yn arwain drwy'r goedwig.'

'Pa mor fawr yw'r goedwig?'

Siglodd Jonathan Williams ei ben. 'Mae hi'n reit fawr; sawl erw, mae'n siŵr. Mae'n ymestyn lan i'r bryn ac i lawr ar yr ochr draw iddo.'

'O ble ma'r llwybr yn dod?'

'Mae'r ardal a'r goedwig yn glytwaith o lwybrau, a nifer ohonyn nhw'n croesi'i gilydd wrth arwain o fferm i fferm ac o bentref Gors-ddu hefyd. Fe allech chi ddweud eu bod nhw i gyd yn arwain at y capel.'

'Ac fe alle'r bobol dorrodd mewn fod wedi dod y ffordd honno?'

'Yn ddigon hawdd. Mae e *yn* llwybr cyhoeddus.'

'Ond wedyn, lleol neu beidio, pam fydden nhw'n dod i rywle anghysbell ac oer fel hyn?' gofynnodd Gareth, gan ddechrau cerdded o gwmpas yr adeilad. 'Wela i ddim canie cwrw, sigaréts, nac ôl caru chwaith. Dyna beth y'ch chi'n tueddu'i weld mewn adeilade sy ddim yn ca'l 'u defnyddio. Ond yn yr haf fel arfer; amser hyn o'r flwyddyn ma' pawb yn chwilio am ychydig o gynhesrwydd. A dyw'r difrodi ddim hyd yn o'd yn ddifrodi mewn gwirionedd, yw e? Pam dod 'ma?'

Trodd Jonathan Williams i edrych ar y llawr a dilynodd Gareth ei edrychiad.

'I neud hwnna?' meddai Gareth, gan gerdded at y cynllun ar y llawr. 'I gynnal seremoni ocwlt?'

'Mae'n bosibilrwydd.'

Ochneidiodd Gareth.

'Dwi ddim yn siŵr, cofiwch,' cyfaddefodd y gweinidog, 'ond yn anffodus nid dyma'r peth anarferol cynta i ddigwydd yma, ac mae rhai o'r aelodau'n gofidio beth allai ddigwydd nesa.'

'Ac ry'ch chi'n meddwl bod 'da'r ffaith 'i bod hi'n noson Calan Gaea neithiwr rwbeth i' neud â hyn?'

'Fel dwedais i, mae'n bosibilrwydd.'

'Wel . . . ' ac ochneidiodd Gareth unwaith eto.

Ychydig iawn a wyddai am y gelfyddyd ddu, ac fe ddôi'r wybodaeth brin oedd ganddo amdani o ffilmiau yn bennaf, ynghyd â'r erthyglau lliwgar, dros-ben-llestri hynny a ymddangosai mewn papurau newydd o bryd i'w gilydd. Roedd yr ychydig achosion o ddifrodi cerrig beddau ac addoldai roedd ef wedi ymchwilio iddynt wedi cael eu cyflawni gan blant a phobl ifanc dan ddylanwad diod neu gyffuriau. A gan nad oedd ef wedi dod ar draws yr un wrach na dewin yn ystod ei flynyddoedd gyda Heddlu Dyfed-Powys, roedd yn amheus o gymhellion unrhyw un a geisiai roi'r bai am ymddygiad pobl ar ddylanwadau goruwchnaturiol.

Fe gâi Berwyn Jenkins hi pan ddychwelai i'r orsaf. Pam na allai fod wedi anfon un o'r heddweision oedd ar ddyletswydd allan yno? Roedd y Cwnstabl Scott Parry yn yr orsaf pan adawodd, yn edrych fel petai arno angen rhywbeth i'w wneud. Ond yna dechreuodd wawrio ar Gareth pam roedd y rhingyll wedi gofyn iddo ef ymateb i'r alwad; roedd wedi bod yn gyfle llawer rhy dda i'w golli i dynnu'i goes. Gallai Gareth ddychmygu Berwyn Jenkins yr eiliad honno'n dweud wrth bawb ei fod allan yn ymlid ysbrydion. Roedd ysgrifennu'r adroddiad yn mynd i fod yn gryn her, a rhagwelai y byddai Berwyn yn cael tipyn o hwyl yn ei ddarllen. Ond roedd y cyfan yn dechrau mynd y tu hwnt i dynnu coes ac fe roddai Gareth unrhyw beth i gael y sgwrs yn ôl ar dir a oedd yn dipyn sicrach ac o fewn cylch ei brofiad. Yn anffodus nid oedd yn ymddangos fel petai hynny'n mynd i ddigwydd.

'Felly chi'n meddwl bod rhywun wedi torri mewn i gynnal defod ocwlt ar noson Calan Gaea?'

'Mae'n edrych felly. Efallai nad yw'r pentagram ynddo'i hun yn llawer o ddifrod, ond mae'n sicr yn arwydd o'r hyn a *allai* fod wedi digwydd yma neithiwr. Hynny a'r gwaed.'

'Gwa'd?'

'Dyna beth yw hwn, dwi'n meddwl?'

Dilynodd Gareth y gweinidog at y pulpud ym mhen blaen yr adeilad a gweld am y tro cyntaf y staen brown tywyll ar y llawr. Plygodd a chyffwrdd ag ymyl y staen â bys bach ei law dde. Roedd yn sych.

'Mae gwaed yn ceulo'n gyflym,' meddai Jonathan Williams.

'Odi,' cytunodd Gareth gan geisio cofio a oedd hi'n bosibl gwahaniaethu rhwng gwaed dyn a gwaed anifail. Roedd pethau'n bendant yn mynd y tu hwnt i dynnu coes nawr. 'Iawn, daw rhywun mas i gymryd sampl o hwn nes mla'n ac i dynnu llunie o'r ffenest a'r pentagram. Felly peidiwch gadel i neb dacluso na glanhau'r lle nes i ni roi caniatâd.'

'Wrth gwrs.'

'Pwy dda'th o hyd i hyn i gyd?' gofynnodd Gareth.

'Megan Griffiths, un o'n haelodau.'

'A beth o'dd hi'n neud 'ma?'

'Hi sy'n gofalu am yr adeilad.'

'Odi e'n dal i ga'l 'i ddefnyddio?'

'Ddim yn rheolaidd. Un gwasanaeth y mis yn ystod yr haf a chwrdd diolchgarwch yn yr hydref, dyna i gyd.'

'A pryd o'dd y tro dwetha iddo ga'l 'i ddefnyddio?'

'Rhyw dair wythnos yn ôl ar gyfer y cwrdd diolchgarwch.'

'Ac ro'dd popeth yn iawn bryd 'ny?'

'Oedd.'

'Odi Megan Griffiths yn byw'n agos?'

'Ar fferm, rhyw ddwy filltir i ffwrdd. Ydych chi am ei holi?'

Nodiodd Gareth. Pam ar y ddaear roedd yn rhaid iddo fod mor drylwyr?

Tynnodd yr Arolygydd Ken Roberts ei dei yn dynn a throi coler ei grys gwyn i lawr drosti. Edrychodd arno'i hun yn y drych gan ystwytho cyhyrau ei wddf a thynnu a gwthio cwlwm y dei fymryn i'r naill ochr a'r llall nes ei fod yn gwbl fodlon arni. Byddai wedi hoffi gwisgo iwnifform y bore hwnnw, ond ac yntau'n aelod o'r CID roedd y pleser hwnnw wedi ei wahardd iddo. Ta waeth, fe wnâi'n siŵr y byddai pawb yn sylwi arno ac yn gwybod ei fod wedi dychwelyd i'w waith.

Roedd y pedwar mis ers i'r Parchedig Emrys Morgan ei gyhuddo o ymosod ar ei fab Daniel tra oedd yn ei holi yng ngorsaf yr heddlu, wedi bod yn amser hir iawn. Celwyddgi diegwyddor oedd Daniel Morgan ac roedd Ken Roberts wedi gobeithio bod pawb arall wedi sylweddoli hynny hefyd, ond gwyn y gwêl, ac yn achos Emrys Morgan roedd e'n gwbl ddall i ddiffygion ei fab. Ond yn waeth na hynny, roedd wedi llwyddo i chwythu digon o lwch i lygaid digon o bobl i'w dallu hwythau hefyd.

Gwastraff amser a gwastraff arian fu'r misoedd o gicio'i sodlau. Doedd dim tystiolaeth i gefnogi'r cyhuddiad – neu o leiaf dim y byddai'r panel ymchwilio'n cael ei ddwylo arni – ac roedd Ken Roberts wedi bod yn ffyddiog o'r dechrau mai ei gael yn ddieuog fyddai canlyniad yr archwiliad. Gwyddai fod yn rhaid mynd drwy'r broses, os mai dim ond am resymau gwleidyddol.

Ers sawl blwyddyn bellach cafwyd un achos ar ôl y llall o heddweision rhyw sir neu'i gilydd yn cael eu dyfarnu'n euog o wyrdroi cwrs cyfiawnder, a doedd dim disgwyl i gynghorwyr Dyfed-Powys ymwrthod â'r cyfle i ddangos bod ganddynt hwythau asgwrn cefn, hyd yn oed os nad oedd rhyw lawer o ruddin iddo.

Roedd y cyfan yn wleidyddol erbyn hyn, a phob gwleidydd a allai glymu ei garrai drosto'i hun yn meddwl fod ganddo'r hawl i wthio'i drwyn diferol i mewn i bopeth. A phwy oedd yn gorfod clirio'r llanast cynyddol roedd y gwleidyddion hyn yn ei greu o un pen y wlad i'r llall? Do's dim rhaid gofyn, o's e, meddyliodd Ken Roberts. Fi a 'nhebyg. Ac odyn ni'n ca'l diolch am neud y gwaith carthu? Hy!

Pe bai'n cael ei amser drosodd eto, efallai y dewisai

wleidyddiaeth fel gyrfa. Doedd dim dwywaith nad dyna'r yrfa orau i'w dilyn y dyddiau hyn: arian mawr am wneud dim byd ond malu awyr a chofio pa gelwydd ddwedoch chi ddoe, ac ar ôl gwneud cawlach o bopeth, rhoi'r bai ar rywun arall ac ymddeol ar bensiwn sicr. Yn bendant fe allai ef wneud gwell sioe o bethau na rhai o'r creaduriaid anobeithiol yna yng Nghaerfyrddin a Chaerdydd.

Trodd i ffwrdd o'r drych, tynnu siaced ei siwt dros ei ysgwyddau, a dechrau chwarae â'i dei unwaith eto.

Ond na, plismon oedd Ken Roberts. A hyd yn oed os nad oedd plismona yn ei waed, roedd blynyddoedd o ddysgu ei grefft yn golygu ei bod yn ail natur iddo erbyn hyn. Gwyddai nad oedd e'n un o'r plismyn mwyaf poblogaidd yn Nyfed na Phowys, ond nid oedd hynny'n ei boeni. Hyd yn oed pan oedd yng nghanol yr helynt ac yn gwybod bod yr ailadrodd diddiwedd o'r hanes ar dudalennau'r *Dyfed Leader* wedi bod yn fêl ar fysedd sawl un o'i gyd-weithwyr, nid oedd Ken Roberts wedi amau am eiliad beth fyddai canlyniad yr archwiliad.

Ddim am eiliad.

Ac fe allai darllenwyr y *Dyfed Leader*, ynghyd â swyddogion Awdurdod Cwynion yr Heddlu, ddyfalu cymaint ag y dymunen nhw ynghylch yr hyn a ddigwyddodd rhyngddo ef a Daniel Morgan yn yr ystafell gyfweld. Roedd ef wedi cael ei glirio o unrhyw gamymddygiad, ac ni allai neb newid canlyniad yr ymchwiliad.

Dim ond un peth arall oedd cyn sicred â hynny; bod rhywun yn mynd i deimlo blaen esgid Ken Roberts am y cyfan roedd ef wedi ei ddioddef dros y pedwar mis diwethaf.

*

'Gynnar 'to, Eifion?' meddai'r Ditectif Gwnstabl Wyn Collins pan gerddodd i mewn i'r ystafell CID a gweld y Ditectif Gwnstabl Eifion Rowlands yn pori drwy'r adroddiadau a'r negeseuon fu'n cronni dros nos yng ngorsaf yr heddlu. 'Beth yw'r gêm? Trio dal llygad Clem Owen?'

'Hy! Ti'n meddwl bod hynny'n werth rhwbeth?' gofynnodd Eifion heb godi ei ben o'r pentwr papurau.

'Ma' gair da gan y bòs wastad yn werth rhwbeth.'

'Ti'n meddwl bod rhywun yn mynd i gymryd sylw o Clem Owen nawr?' Tynnodd Eifion ar ei sigarét.

'Ma' Ken Roberts wedi ca'l y gole gwyrdd. Dim byd i'w ateb a dim adlewyrchiad drwg ar Clem na ni.'

'Hy! Do'dd 'dag e ddim byd i' neud â fi, beth bynnag.'

'Na, ma' 'da ti'r ddawn o gadw'n ddigon pell o bopeth, on'd o's e.'

Trodd Eifion i edrych ar ei gyd-weithiwr. 'Be ti'n feddwl?'

'Dim byd,' meddai Wyn Collins, gan godi ei ddwylo'n amddiffynnol a throi at ei waith.

'Na, dere mla'n; ma'n ddigon hawdd neud sylwade dan din a wedyn rhedeg fel cachgi pan ma' rhywun yn dy herio di.'

'Paid bod mor groendene.'

'Croendene! Hy! Ti'n meddwl y gallen ni fyw 'da chi i gyd 'sen i'n groendene?' A gwasgodd hanner modfedd olaf ei sigarét i'r blwch llwch gydag awch.

'Beth?' Tro Wyn Collins oedd hi i fynnu eglurhad nawr.

'Yr holl . . . ' dechreuodd Eifion, yn barod i roi gwerth ei arian iddo, ond torrodd sŵn y ffôn ar ei draws.

'Helô, DC Collins,' meddai Wyn, gan droi ei gefn ar Eifion.

Syllodd Eifion yn galed ar gefn Collins gan ddisgwyl iddo roi'r ffôn i lawr fel y gallai barhau â'i ymosodiad. Ond pan ddaeth yn amlwg nad oedd yr alwad yn mynd i ddod i ben yn fuan, trodd ei sylw yn ôl at yr adroddiadau yn ei law.

Roedd wedi eu darllen yn frysiog cyn i Wyn Collins ymddangos, ei lygaid yn sganio'r tudalennau am un enw cyfarwydd, ond nid oedd wedi ei weld. Roedd wedi ymlacio fymryn ac anadlu ychydig yn esmwythach wedyn, ond gwyddai y byddai'n rhaid iddo astudio'r papurau'n fanylach, rhag ofn.

Bu Eifion yn dilyn yr un ddefod foreol am union bythefnos, ac am bob munud o'r pythefnos hwnnw bu'n edliw iddo'i hun y llanast difrifol roedd wedi ei dynnu am ei ben. Gallai olrhain y cyfan yn ôl i lofruddiaeth Lisa Thomas. Nid bod ganddo ef unrhyw beth i'w wneud â'i llofruddiaeth – ar wahân i'r ffaith ei fod yn gwybod pwy oedd y llofrudd ac nad oedd wedi gwneud dim i'w ddwyn i gyfraith.

Yn ystod yr haf bu Lisa Thomas yn gweithio ym maes carafannau Marine Coast, ac roedd Richie Ryan, y perchennog, yn benderfynol na châi'r cysylltiad hwnnw daflu cysgod dros ei fusnes. Trwy ystryw y dylai Eifion fod wedi ei ragweld, llwyddodd Ryan i ddal yr heddwas mewn magl gan sicrhau na fyddai'n datgelu mai un o'i weithwyr, Brian Pressman, oedd y llofrudd. Ond cyn i Eifion gael cyfle i'w holi ynglŷn a llofruddiaeth Lisa, roedd Ryan wedi trefnu bod Pressman yn ddigon pell o'r dref ac o afael . . .

Brian!

Cyflymodd curiad calon Eifion wrth iddo ddarllen am warant heb fechnïaeth roedd llysoedd Glannau Merswy wedi ei chyhoeddi yn erbyn rhywun o'r enw Brian Morgan, dyn oedd wedi methu ymddangos yn y llys am yr eildro i ateb cyhuddiad o daro rhywun tra oedd yn gyrru dan ddylanwad a heb drwydded ddilys. Ni wyddai Heddlu Glannau Merswy o ble yng Nghymru yr hanai Brian Morgan, ond roeddent yn siŵr fod ganddo gysylltiadau Cymreig.

Daliodd Eifion ei anadl. Ai Brian Pressman oedd hwn? Mae'n haws newid cyfenw nag enw bedydd, meddyliodd, ond oni fyddai rhyw ddogfennau swyddogol gan Pressman o'i gyfnod yn Marine Coast, a'i enw iawn arnynt? Ond beth oedd ei enw iawn? Efallai mai Pressman oedd yr enw ffug ac mai Morgan oedd ei gyfenw cywir. O leiaf roedd y dyn wedi diflannu, ac os câi ei ddal, nid oedd y cyhuddiadau yn ei erbyn yn rhai digon difrifol i dynnu sylw heddluoedd eraill – oni bai ei fod yn cyffesu i gant a mil o achosion eraill, gan gynnwys llofruddiaeth.

Yn boenus o araf darllenodd Eifion weddill yr adroddiadau: ffenestri dau gar wedi eu torri yn un o strydoedd tawelaf y dref; dau berson wedi eu harestio yn y Llew Du a 40 gram o ganabis yn eu meddiant; Heddlu Gogledd Cymru yn chwilio am dri dyn a dorrodd i mewn i swyddfa bost ym Mhorthmadog, efallai'n gyrru Sierra du neu las tywyll; dwsin o ladradau o fusnesau a thai o bob cwr o'r wlad, a'r un nifer o achosion o geir wedi eu dwyn; cant a mil o fân droseddau Calan Gaeaf; pedwar bag llaw a chot ledr wedi eu dwyn o ddawns Calan Gaeaf yn y clwb pêl-droed; achos arall – y pedwerydd yn ystod y tair wythnos diwethaf – o ddwyn offer gardd o dai allan yn y dref; a thri adroddiad gwahanol o gathod wedi diflannu dros nos . . . Cathod coll! On'd yw rhai pobl yn byw bywydau trist!

Taflodd y pentwr papur yn ôl ar y bwrdd a cherdded at y peiriant coffi.

Bore arall wedi ei oroesi. Weithiau, yn yr oriau mân, ac yntau'n gwbl effro ac yn ailymweld â chorwg ei dwpdra, dyheai am gael dweud y cyfan wrth Clem Owen; cyffesu ei ffolineb heb falio dim am y canlyniadau. Ond yna, pan ddôi'r dydd, byddai ofn a chywilydd yn drech nag ef, a gwyddai na fyddai byth yn medru dweud gair wrth neb. Yn sicr ni allai ddweud wrth ei gyd-weithwyr a oedd wrthi bob awr o'r dydd a'r nos yn crafu am bob tamaid o wybodaeth am lofruddiaeth Lisa Thomas ac yntau'n gwybod, ac wedi gwybod ers amser, ers pythefnos gron, gyfan, pwy oedd y llofrudd.

Ond os oedd colli cyfle i roi cic yn nannedd cyd-weithwyr a phenaethiaid fu'n ddirmygus ohono fel ditectif yn ergyd galed i Eifion, roedd bygythiad parhaol Richie Ryan yn llawer mwy o ergyd. Roedd y fagl roedd perchennog gwersyll Marine Coast wedi ei gosod ar ei gyfer yn rhywbeth y byddai plentyn ysgol wedi ei ragweld. Ond nid ef. Na, nid Eifion Rowlands. Roedd ei falchder a'i feddwl mawr ohono ef ei hun wedi ei ddallu i'r perygl nes iddo deimlo'r plwc ar y llinyn a gweld mai Ryan ac nid ef oedd yn rheoli. Gallai ei gicio'i hun am fod mor naïf â meddwl bod modd iddo gael y gorau ar rywun fel Richie Ryan.

A nawr, ac yntau'n gorwedd yn ddiymadferth yng nghledr ei law, roedd y perygl y byddai Ryan yn dod ar ei ôl i ofyn am 'gymwynas fach' yn tyfu'n fwy bob dydd. Drwy drugaredd nid oedd wedi gwneud hynny eto, ond gwyddai Eifion ym mêr ei esgyrn mai mater o amser yn unig ydoedd. Beth arall mae dyn yn mynd i'w wneud â phlismon llywaeth?

Cymerodd ddracht arall o'r coffi chwerw a throi at ei ddesg. Rhoddodd y cwpan plastig i lawr ar ben pentwr o bapur, a'r eiliad y gollyngodd ef o'i law dymchwelodd gan arllwys ei gynnwys ar draws y ffeiliau a'r adroddiadau.

'Uffach!' Gwthiodd ei gadair yn glir o'r llifeiriant cyn iddo olchi ar draws ei drowsus.

'Da iawn, Eifion!' galwodd Wyn Collins. 'Buddugoliaeth arall i flerwch.'

'Stwffia hi!' galwodd Eifion yn ôl, gan gydio yn ei facyn poced a dechrau sychu'r coffi. Cydiodd yn y ffeiliau gwlypaf a'u dal hyd braich er mwyn i'r coffi ddiferu i'r llawr.

'Be sy 'di digwydd i ti, Eifion?' gofynnodd Wyn, a thinc gofidus yn ei lais. 'Ti mewn gwa'th cyflwr na'r bois DSS 'na sy'n aros yn y Weatherby.'

'Meindia dy blydi fusnes!'

'Dim ond dangos diddordeb, 'na i gyd.'

Trodd Eifion i wynebu ei gyd-weithiwr. 'Pwy ofynnodd i ti, e? Pwy ofynnodd i ti?'

'Iawn,' meddai Wyn, gan godi o'i gadair ac anelu am y drws. 'Rhyngddot ti a dy fusnes, ond ti'n gwbod yn iawn be wedodd Clem Owen wrthot ti echdoe.'

'Ie, wel, do's dim tamed mwy o blydi clem 'da fe na sy 'da ti, ac ma' fe'n gwbod beth all e'i neud â'i blydi . . . ' Ond roedd yn siarad ag ef ei hun – ac roedd hynny'n un yn ormod i Eifion Rowlands y bore hwnnw. Lluchiodd y ffeiliau ar draws yr ystafell a chicio'i gadair i'w dilyn.

'Ffŵl! Ffŵl! Blydi, blydi ffŵl!' bytheiriodd, a rhedodd llifeiriant o regfeydd yn rhwydd dros ei wefusau wrth iddo felltithio pawb a phopeth – ond neb yn fwy nag ef ei hun. A gyda'r rhegfeydd llifodd y dicter a'r hunandosturi allan ohono gan ei adael yn sefyll ar ganol yr ystafell yn hollol ddiymadferth, a darnau ei fywyd yn gorwedd yn gymysg â'r papurau o gwmpas ei draed.

Syllodd Gareth yn ddi-weld drwy ffenest ochr car Jonathan Williams, ei feddwl yn ceisio rhoi trefn ar yr hyn oedd wedi digwydd yng nghapel Penuel. Derbyniodd Gareth gynnig y gweinidog i adael ei gar wrth y capel a theithio gydag ef i weld Megan Griffiths, ac wrth i'r gweinidog wau ei ffordd drwy'r perfedd mochyn o ffyrdd cul a throellog, barnai Gareth ei fod, am unwaith, wedi dewis yn ddoeth.

Y dewis annoeth oedd mynd i'r capel o'i wirfodd yn y lle cyntaf, oherwydd roedd achos syml o fandaliaeth mewn perygl o droi'n gymhleth iawn. Sgwrsiai Jonathan Williams yn hwyliog am y gymdogaeth o gwmpas capel Penuel a phentref Gors-ddu, a phetai Gareth wedi gallu canolbwyntio arno fe fyddai wedi cael digon o wybodaeth cefndir i lenwi adroddiad cyfan. Ond pethau eraill, llai ffeithiol, mwy haniaethol, ac yn llawer mwy anodd eu trafod oedd ar ei feddwl ef.

Ni wyddai sut i dderbyn awgrym y gweinidog mai rhywrai'n cynnal seremoni Calan Gaeaf oedd yn gyfrifol am dorri i mewn i'r capel. Roedd yn barod i gyfaddef na wyddai ddigon am bethau felly i gynnal sgwrs, heb sôn am ddal ei ochr mewn dadl, ac efallai mai dyna pam y teimlai reidrwydd i ddilyn y trywydd – rhag ofn nad ei chael hi'n anodd i gredu oedd ef, ond ei fod yn amharod i gredu.

Cyn gadael yr orsaf y bore hwnnw roedd y Rhingyll Berwyn Jenkins wedi bod wrthi'n rhestru'r holl gwynion oedd wedi cyrraedd y swyddfa'r noson cynt. Soniodd am amryw droseddau, mawr a mân, a gyflawnwyd yn enw hwyl ddiniwed noson Calan Gaeaf. Bu sawl achos o dân gwyllt yn cael eu taflu i mewn i erddi pobl, at blant eraill ac at unrhyw gi neu gath oedd wedi bod mor ffôl â mentro allan. Roedd digon o wyau a blawd wedi cael eu taflu at dai a siopau i gadw Dudley mor hapus â hwch mewn hufen am flwyddyn gyfan; llwyni wedi eu dadwreiddio; biniau sbwriel wedi eu dymchwel, a photeli llaeth wedi eu chwalu ar draws sawl stryd. Os mai *trick or treat* oedd y gri i fod, mewn oes lle'r oedd *treats* yn bethau digon cyffredin i blant, roedd sawl un wedi penderfynu eu hepgor a mynd yn syth am y *trick*. Ond eto . . .

'. . . cymuned glòs iawn ar un adeg, ond mae'n dadfeilio'n gyflym nawr, yn anffodus. Mae'n siŵr eich bod chi'n gweld digon o dystiolaeth o hynny yn eich gwaith chithau hefyd?'

Tawelodd y gweinidog, a phan nad ymatebodd Gareth, trodd i edrych ar ei gydymaith, a dyna pryd y sylweddolodd Gareth ei fod wedi cael ei ddal yn hel meddyliau. Hanner trodd yn ei sedd ond anwybyddodd gwestiwn Jonathan Williams a gofyn ei gwestiwn ei hun. 'Dy'ch chi ddim wir yn credu fod hyn yn rhwbeth mwy na chware plant – tipyn dros ben llestri, dwi'n cyfadde, ond eto chware plant?'

Oedodd Jonathan Williams am rai eiliadau cyn ymateb.

'Falle'ch bod chi'n iawn, falle mai plant sy'n credu bod Calan Gaeaf yn rhoi rhwydd hynt iddyn nhw achosi pob math o ddifrod sy'n gyfrifol am y cyfan. Ond fel plismon sy'n gyfarwydd â gweld hwyl yn mynd dros ben llestri ac yn troi'n ddrygioni bwriadol, beth y'ch chi'n feddwl?'

Unwaith eto anwybyddodd Gareth gwestiwn y gweinidog. 'Ond ry'ch chi'n meddwl 'i fod e'n wa'th na drygioni bwriadol, yn wa'th na fandaliaeth hyd yn o'd, on'd y'ch chi?'

Trodd Jonathan Williams ei ben am eiliad i edrych ar Gareth. 'Fe allai fod, dyna dwi'n ei ddweud. Dwi'n gwybod mai'r syniad cyffredin am Galan Gaeaf yw mai gŵyl ddiniwed i blant yw hi; cyfle iddyn nhw wisgo i fyny a mynd o gwmpas y tai i gael arian neu roddion – rhywbeth tebyg i hela calennig – ac ar un lefel mae hynny'n ddigon gwir. Ond mae yna lefel arall, un sy'n gallu bod yn frawychus ac yn beryglus dros ben.'

'Sy'n ymwneud â'r ocwlt?'

'Ie.'

'Ond plant . . . ?'

'Na, ddim plant, pobl hŷn, pobl gyfrifol, pobl sy'n dewis y ffordd honno o fyw.'

Siglodd Gareth ei ben. Doedd hyn yn ddim byd mwy na'r storïau roedd ef wedi eu darllen yn y papurau newydd; erthyglau a fyddai fel arfer yn cael eu hatgyfnerthu gan luniau o bobl yn dawnsio'n noeth o gwmpas coelcerth. A faint o wirionedd oedd yn hynny i gyd? Actorion neu fyfyrwyr oedden nhw fwy na thebyg, a oedd yn barod i wneud ffyliaid ohonynt eu hunain am ychydig o arian poced.

'Ond dyw hynny'n ddim byd mwy na storïe papur newydd.'

'Dwi'n ofni ei fod e. I rai pobl, nid creaduriaid ffantasi mewn chwedloniaeth neu storïau arswyd yw'r ysbrydion a'r bwganod maen nhw'n sôn amdanyn nhw; iddyn nhw maen nhw'n fodau real ac mae rhai'n eu haddoli nhw.'

'Addoli?'

'Naill ai fel pwerau goruwchnaturiol sy'n rheoli eu bywydau, neu bwerau y gallan nhw eu hunain eu rheoli a'u defnyddio.'

Siglodd Gareth ei ben eto. 'Ond pwy? Pwy fydde'n neud 'ny?'

'Rhai pobl sy'n eu galw'u hunain yn baganiaid.'

'Ac ry'ch chi'n credu y bydden nhw'n ymosod ar gapel?'

'Falle, dan yr amgylchiadau iawn. Y rhai sy'n ystyried bod Cristnogaeth yn elyniaethus i'w crefydd. Maen nhw'n credu mai parhad o hen grefydd gyn-Gristnogol yw paganiaeth, ac oni bai am ddyfodiad Cristnogaeth i wledydd Prydain fe fydden ni i gyd yn dal i fyw mewn paradwys berffaith.'

'Ac ma'r amgylchiade'n iawn ar noson Calan Gaea, yn fwy nag ar unrhyw adeg arall?'

'Mae hi'n cael ei hystyried yn un o'r gwyliau pwysicaf yn y calendr paganaidd. *Samhain* yw eu henw nhw arni.'

'A chi'n meddwl mai paganiaid o'dd yn gyfrifol am yr ymosodiad ar y capel?'

'Mae'r dystiolaeth yn awgrymu hynny, dyna dwi'n ei ddweud.'

'Ie,' meddai Gareth yn dawel, rhag i'w lais fradychu'r amheuaeth a'r dryswch a deimlai ynglŷn â'r holl beth. 'Dwi'n gweld.'

Edrychodd Jonathan Williams arno a hanner gwenu.

'Ydych chi? Y cyfan dwi'n ei ofyn yw i chi gadw meddwl agored am yr ymosodiad ar Penuel. Efallai mai fandaliaid oedd yn gyfrifol; mae gennych chi fwy o brofiad o hynny nag sydd gen i, ac os rhywbeth mi fyddai'n well gen i gredu mai fandaliaid oedd yn gyfrifol. Ond mae'n bosibl, o ystyried yr hyn welson ni yn y capel, mai rhywrai eraill fu wrthi.'

'Felly ry'ch chi'n fodlon derbyn y posibilrwydd mai fandaliaeth neu syniad rhywun o hwyl o'dd y cyfan,' meddai Gareth, gan grafangu am rywfaint o dir sicrach.

'O, ydw, ond os mai gwaed yw'r staen ar y llawr . . . '

Ie, meddyliodd Gareth. Efallai bod y cyfan yn haeddu ystyriaeth bellach.

Trodd Jonathan Williams y Focus oddi ar y ffordd fawr a'i lywio ar hyd lôn gul ac iddi wyneb o darmac llyfn, ac ôl gofal ar y cloddiau bob ochr iddi. Ymhen rhyw ganllath, wrth i'r car agosáu at grib y rhiw, gwelodd Gareth adeiladau fferm Gwernfynydd yn codi o'r tu cefn i'r bryn. Fe ddylai'r llwybr trwsiadus fod wedi dweud wrtho mai fferm gymen oedd hon, ond gan mai dilewyrch ac anniben fu ei brofiad cyfyngedig o ffermydd yr ardal hyd yma, fe'i synnwyd gan daclusrwydd y clos.

Roedd y cyfan yn lân a thaclus, ac yn brawf bod perchnogion Gwernfynydd o ddifrif ynglŷn ag arallgyfeirio. Gyferbyn â'r tŷ fferm roedd rhes o dai allan carreg a addaswyd yn bedwar tŷ gwyliau, eu drysau a'u ffenestri pren tywyll yn disgleirio yng ngolau'r haul. O'u blaen roedd borderi blodau twt, ac er mai dim ond llwyni gwyrdd bychain a brigau noeth planhigion oedd i'w gweld yno ar hyn o bryd, gallai Gareth yn hawdd eu dychmygu'n llawn blodau yn ystod y tymor ymwelwyr.

Wrth dalcen y tŷ gorweddai ci defaid, ei ben i fyny a'i glustiau wedi codi, ond ni ddangosai fwy o ddiddordeb na hynny yn y ddau ymwelydd wrth iddynt gamu o'r car.

'Helô, bachan,' cyfarchodd Jonathan Williams y ci, gan ymestyn ei law wrth iddo gerdded heibio ar ei ffordd at ddrws y cefn. Dilynodd Gareth, ychydig yn fwy petrusgar, heb ei gyfarch na chynnig ei law iddo.

Curodd y gweinidog ar y drws, a chyn i Gareth droi ei sylw yn llwyr oddi wrth y ci, roedd Megan Griffiths wedi ei agor.

'Mr Williams! Dewch i mewn,' meddai'n groesawgar ffwdanus, gan daflu edrychiad yr un mor groesawgar i gyfeiriad Gareth wrth iddo groesi'r rhiniog.

'Dewch drwodd i'r gegin, ma'n gynhesach fan'ny; dwi ddim wedi cynnau tân yn y parlwr 'to.' A hysiwyd y ddau drwodd i'r gegin gynnes lle'r oedd yna bentwr o ddillad ar hanner eu smwddio ar ganol y llawr.

'Peidiwch edrych ar reina,' meddai Megan Griffiths, gan gyfeirio'r ddau at soffa o dan y ffenest fawr. 'Steddwch! Steddwch! Gymrwch chi rwbeth i' yfed?'

'Dim diolch,' meddai Jonathan Williams. 'Ond falle byddai Sarjant Lloyd . . . '

'Na, dwi'n iawn, diolch.'

Ond er gwaethaf protestiadau'r ddau roedd y wraig wedi gwthio'r tegell mawr yn ôl i ganol y Rayburn.

'Sarjant, wedoch chi?' gofynnodd Megan Griffiths wrth estyn am gwpanau a soseri.

'Ie,' atebodd Jonathan Williams. 'Mae Sarjant Lloyd am gael gair gyda chi ynglŷn â Penuel.'

'Ddylen i fod wedi rhoi gwbod i chi ynghynt; falle na fydde hyn wedi digwydd wedyn,' meddai Megan Griffiths, gan dynnu tuniau a phacedi allan o'r cypyrddau.

'Chi dda'th o hyd i'r difrod?' gofynnodd Gareth.

'Ie, bore 'ma pan es i draw yno.'

'Odych chi'n mynd i'r capel bob dydd?'

'Nagw, ddim bob dydd.'

'Ond fe ethoch chi yno'r bore 'ma. Pam?'

'Am fod pethe ddim wedi bod yn iawn 'na ers amser. Dyna beth ro'n i'n 'i feddwl pan wedes i y dylen i fod wedi roi gwbod i chi'n gynt,' meddai, gan gario hambwrdd gorlawn i'r bwrdd o flaen y soffa.

'Beth y'ch chi'n feddwl wrth ddweud fod pethe ddim wedi bod yn iawn?'

'Olion pobol, olion mynd a dod.'

'O gwmpas y capel?'

'Ie, a'r llwybr tu ôl iddo fe. Ma' 'na lwybr cyhoeddus wedi bod 'na erio'd, byth ers codi Penuel, er mwyn i drigolion ochor arall y bryn allu dod i'r capel. Ond do'dd neb wedi'i ddefnyddio fe ers amser maith. Mewn ceir ma' pobol wedi bod yn dod i'r oedfaon ers blynydde.'

Poerodd y tegell ar y tân a throdd Megan Griffiths yn ôl at y Rayburn.

'Felly ro'dd y llwybr wedi cau?'

'Wedi hen gau, yn llawn tyfiant o bob math,' meddai'r wraig, gan arllwys y dŵr berwedig i'r tebot.

'Ond ma' fe ar agor nawr?' gofynnodd Gareth, gan edrych ar Jonathan Williams. Nid oedd ef wedi dweud wrtho mai newydd ei agor oedd y llwybr. Daliodd y gweinidog edrychiad Gareth a gadael i Megan Griffiths ateb y cwestiwn.

'Odi.'

'Pryd agorwyd e?'

'Rywbryd yn ystod y flwyddyn dwetha,' meddai'r ofalwraig, gan osod cwpanau o flaen y ddau. 'Helpwch 'ych hunen i'r lla'th a'r siwgwr.'

'Odych chi'n gwbod pwy agorodd e?'

'Ma' rhai'n gweud mai'r Cyngor neu Gymdeithas y

Cerddwyr o'dd yn gyfrifol am y gwaith, ond dy'n ni ddim wedi clywed dim byd swyddogol ynglŷn â'r peth.' Arllwysodd baned iddi hi ei hun ac eistedd wrth ymyl y bwrdd mawr yng nghanol yr ystafell.

'Ond pwy nath y gwaith os nad o'dd e'n swyddogol?'

'Gwedwch chi wrtha i,' meddai Megan Griffiths, gan yfed ychydig o'i the. 'Ma'n bosib mai rhai o'r bobol sy wedi dod i fyw yn yr ardal yn ystod y blynydde dwetha nath e. Peidiwch gofyn i fi pwy y'n nhw; dwi ddim yn nabod 'u hanner nhw. Ry'n ni wedi trio dod i' nabod nhw, ac i fod yn deg, ma' ambell un wedi neud ymdrech i ddod yn rhan o'r gymdeithas, ond ar y cyfan cadw iddyn nhw'u hunen ma'n nhw.'

'Ac ry'ch chi'n ame mai nhw ddifrododd gapel Penuel?'

'O, nadw, nadw. Dwi ddim yn gweud 'ny o gwbwl,' pwysleisiodd Megan Griffiths, yn amlwg am osgoi cyhuddo neb ar gam. 'Gweud odw i fod y gymdeithas wedi newid ac mai pobol o'r tu fas sy'n byw yn y rhan fwya o'r ffermydd o'n cwmpas ni erbyn hyn, ac ma'r un peth yn wir am Gors-ddu hefyd. Ma'n nhw'n prynu popeth, hen furddunnod hyd yn o'd, llefydd na fydde pobol leol yn breuddwydio byw ynddyn nhw. A dy'n ni ddim yn gwbod pwy y'n nhw, o ble ma'n nhw'n dod, na beth ma'n nhw'n neud 'ma, a gan nad y'n ni'n 'u nabod nhw, dy'n ni ddim yn gwbod beth ma'n nhw'n debygol o'i neud chwaith.'

Nodiodd Gareth yn dawel. Roedd yn amlwg fod gan Megan Griffiths bryderon am ddyfodol ei hardal a'i bod yn ddigon parod i'w lleisio.

'A ddim hwn yw'r digwyddiad cynta yn y capel, nage?'

'Nage.'

'Beth o'dd y lleill?'

'Dim byd difrifol, pethe annifyr yn fwy na dim byd.'

'Er enghraifft?'

'Gadel pethe wrth ddrws y capel.'

'Shwd fath o bethe?'

'Tusw o flode gwyllt wedi'u plethu'n gylch neu'n groes, tegane bach wedi'u naddu o bren, adar a llygod marw a'u hadenydd a'u coese wedi'u clymu â llinyn wedi'i blethu o wair. Ac ma' un o'n cymdogion yn gweud iddo fe weld gole 'na hefyd, ond dwi ddim wedi gweld gole 'na'n hunan.'

'Ond chi dda'th o hyd i'r pethe adawyd wrth y drws?'

'Ie.'

'Odych chi wedi'u cadw nhw?'

'Nadw,' meddai Megan Griffiths. 'Dy'ch chi ddim yn gwbod ar gyfer pa bwrpas gethon nhw'u neud.'

Rhagor o seremonïau'r tywyllwch ac ofergoeliaeth, meddyliodd Gareth, gan ddrachtio'i de. Trodd i edrych ar Jonathan Williams, ond ni ddywedodd hwnnw air. Roedd yn amlwg am adael iddo ef ddod i'w gasgliadau ei hun. Ac i wneud hynny fe fyddai'n rhaid iddo ddilyn pob trywydd.

'Felly fe dafloch chi'r cyfan?'

'Naddo, ddim y cyfan.'

'O?'

Cododd Megan Griffiths ac agor drâr un o'r cypyrddau. Tynnod fwclis ar ffurf cloch arian fechan yn crogi wrth ruban porffor allan ohono.

'Un bore pan es i draw i Penuel ro'dd hon wedi'i chlymu wrth ddolen y drws.'

'Ga i'i gweld hi?' gofynnodd Gareth.

Estynnodd Megan Griffiths y gloch iddo. Disgleiriodd a thinciodd y gloch wrth iddi droi ar y ruban. Roedd hi tua maint gwniadur ac o wneuthuriad cain dros ben, a chanddi gynllun cywrain o ysgythriadau cymhleth o'i chwmpas.

'Dyna'r peth cynta i fi ddod ar 'i draws,' meddai Megan Griffiths. 'Petai hi wedi ca'l 'i rhoi yno ar ôl cyrff yr anifeiliaid, dwi ddim yn credu y bydden i wedi'i chadw.'

'Beth yw'r cynllun sy arni?' gofynnodd Jonathan Williams, gan bwyso ymlaen er mwyn gweld yn well.

'Dim syniad,' meddai Megan Griffiths.

'Dy'ch chi ddim wedi'i gweld hi o'r bla'n?' gofynnodd Gareth i'r gweinidog.

'Nadw. Mae Megan wedi sôn wrtha i amdani, ond doeddwn i ddim wedi meddwl fod yna reswm i mi ei gweld hi, tan nawr.'

Astudiodd Gareth y gloch am rai eiliadau cyn ei hestyn i'r gweinidog.

'Odi'r cynllun yn golygu rhwbeth i chi?' gofynnodd Gareth iddo.

Siglodd Jonathan Williams ei ben a rhoi'r gloch yn ôl i Gareth. 'Fe allai fod yn rhywbeth Celtaidd, ond mae cymaint o addurniadau Celtaidd i'w cael nawr, does wybod a ydyn nhw'n golygu rhywbeth ai peidio. Dwi'n credu eu bod nhw'n gwerthu pethau tebyg yn Rites, y siop 'na yng nghanol y dre.'

'Ers i'r llwybr ga'l 'i ailagor y gadawyd hon yn y capel?' gofynnodd Gareth i Megan Griffiths.

'Ie, rhyw dri mis 'nôl.'

'Ga i 'i chadw hi am ychydig?'

'Â chroeso.'

'Pryd o'dd y tro dwetha i chi fod yn y capel cyn heddi?' gofynnodd Gareth iddi, gan roi'r gloch yn ei boced.

'Echdoe, dydd Sadwrn.'

'Ac ro'dd popeth yn iawn bryd 'ny?'

'O'dd.'

'Faint o'r gloch o'ch chi 'na ddydd Sadwrn?'

'Yn gynnar yn y prynhawn, rhwng dau a thri.'

'Felly rhwbryd rhwng prynhawn dydd Sadwrn a bore heddi y gwnaed y difrod?'

'Ie.'

'O'ch chi yno'n gynnar heddi?'

'Tua deg o'r gloch.'

'Ac o'dd gweld y difrod yn 'ych synnu?'

'O'dd, wrth gwrs, ond wedyn o ystyried popeth falle ddylen i ddim synnu.'

'O'ch chi wedi ofni bydde rhwbeth fel hyn yn digwydd?'

'Na, ond o gofio'r pethe erill, ro'n i'n ofni y galle rhwbeth mwy difrifol ddigwydd rwbryd.'

'Ac am 'i bod hi'n noson Calan Gaea neithiwr?'

'Ie, falle, ond do's dim ise esgus gŵyl ar ddyn i neud drygioni.'

'Na,' meddai Gareth, gan daro'i lyfr nodiadau â'i feiro a'i gau. Fe wyddai'n iawn fod pob diwrnod yn ddiwrnod gŵyl i rai.

Arllwysodd Carol Bennett y dŵr poeth ar ben y gronynnau brown a throi'r gymysgedd yn araf. Hwn oedd ei thrydydd cwpaned o goffi – dim llaeth, dim siwgr – y bore hwnnw. Gwyddai nad oedd yfed cymaint o gaffein yn gynnar yn y dydd yn llesol iddi, ond roedd hi wedi hen roi'r gorau i boeni am yr hyn oedd yn llesol iddi; dim ond pethau drwg oedd yn digwydd iddi'r dyddiau hyn.

Cerddodd yn ôl i'r ystafell fyw lle'r oedd y teledu a'r

radio ymlaen, ond roedd sain y naill wedi ei diffodd yn llwyr a'r llall yn rhy isel iddi glywed y drafodaeth. Eisteddodd yn y gadair freichiau fawr a thynnu ei choesau i fyny oddi tani gan fagu'r cwpan cynnes.

Ar y teledu roedd merch yn dangos y graith roedd llawdriniaeth, a ddylai fod wedi bod yn un syml, wedi ei gadael ar ei hwyneb, a heb feddwl cododd Carol ei llaw i deimlo'i boch. Roedd yr anafiadau roedd wedi eu dioddef dan ddwylo'r stelciwr fu'n poeni Susan Richards wedi gwella erbyn hyn; y cleisiau a'r sgathriadau wedi clirio a'i hasennau'n gyfan unwaith eto. Dymunai pawb yn dda iddi. Dywedai pawb eu bod yn edrych ymlaen at ei gweld pan fyddai'n barod i ddychwelyd i'r gwaith.

Roedd hi *yn* barod i ddychwelyd. Yn fwy na pharod. Ond amheuai nad oedd y geiriau caredig yn ddim mwy na geiriau gwag, ac nad oedd neb, mewn gwirionedd, yn awyddus i'w gweld yn ôl yn y swyddfa.

Ddeufis yn gynharach roedd hi wedi gorffen – wedi *dewis* gorffen – y sesiynau cynghori roedd ei phenaethiaid yn Heddlu Dyfed-Powys wedi eu trefnu ar ei chyfer er mwyn ei chynorthwyo i ddygymod â'i methiant – yn nhyb Carol ei hun – i achub Judith Watkins rhag boddi. Yr ymdeimlad hwnnw o fethiant oedd wedi ei gwneud hi'n benderfynol na fyddai'n gadael Susan Richards ar drugaredd y stelciwr. Llwyddodd Carol i'w hachub a dal y dyn, ac am ei thrafferthion, yn ogystal â'r anafiadau, fe dderbyniodd Carol ganmoliaeth. Ond yn gymysg â'r ganmoliaeth roedd wedi synhwyro beirniadaeth o du ei chyd-weithwyr:

'Mae'n rhy hunanhyderus.'

'Yn llawer rhy fyrbwyll.'

'Ddim yn poeni am 'i diogelwch.'

'Yn rhuthro i drafferthion yn lle aros am gymorth.'

'Yn 'i gosod 'i hun – a phawb arall – mewn perygl.'

'Am neud enw iddi'i hun.'

'Am brofi'i bod hi cystal ag unrhyw blis*mon*.'

Ac os oedd rhai yn amau ei chymhelliad, roedd eraill yn barod i amau ei chyflwr meddyliol:

'Ma' marwolaeth Judith Watkins yn dal i effeithio arni.'

'Ddyle hi ddim fod wedi rhoi'r gore i'r sesiyne cynghori.'

'Odi e'n wir 'i bod hi mewn helynt gyda rhyw ddyn priod?'

'Beth yw hyn amdani'n cyhuddo Ian James o ymosod arni?'

Ac fe fentrai Carol fod y Rhingyll Ian James ei hun ar flaen y rhes yn rhoi ei farn amdani, yn awyddus i bardduo'i henw cyn y gallai ddwyn cyhuddiad swyddogol yn ei erbyn.

Byddai'r Uwch-Arolygydd David Peters hefyd yn ddigon bodlon gweld y cyhuddiad yn diflannu. Ar ôl yr holl gyhoeddusrwydd roedd yr ymchwiliad i ymddygiad Ken Roberts wedi ei gael, nid oedd yr uwch-arolygydd yn awyddus i'w ranbarth gael mwy o sylw gwael. Doedd dim gwahaniaeth mai Carol oedd y ddioddefwraig; pe bai'n mynnu parhau â'i chŵyn, teimlai'r mwyafrif o'i chyd-weithwyr y byddai'n euog o lusgo enw da Heddlu Dyfed-Powys drwy'r baw er mwyn profi rhyw bwynt benywaidd.

Efallai mai taw piau hi fyddai'r peth doethaf, ond roedd yr olwg siomedig ar wyneb Clem Owen pan ddywedodd wrtho ei bod wedi newid ei meddwl ac wedi penderfynu peidio â dwyn cwyn yn erbyn Ian James yn dal i'w chyhuddo.

A beth am Glyn Stewart, y dyn priod yn ei bywyd? Roedd wedi meddwl y byddai ef yn sicr o fod yn gefn iddi, ond ar wahân i un sgwrs ffôn fer yn dilyn yr ymosodiad, nid oedd wedi clywed gair ganddo. A'r tro nesaf y byddai'n ffonio, mae'n siŵr y byddai ei sgwrs yn llawn o brysurdeb ei fywyd teuluol: busnes ei wraig, gweithgareddau'r plant ar ôl ysgol; mynd â'r ci am dro . . . pa ddisgwyl y byddai amser ganddo i ystyried ei hanghenion hi?

Sut oedd ei bywyd wedi disgyn i'r fath gyflwr truenus? Beth oedd wedi digwydd iddi? Ymhen deuddydd fe fyddai'n dathlu ei phen-blwydd yn ddeg ar hugain, yn ei ddathlu ar ei phen ei hun a dim ond ei chamgymeriadau a'i hunandosturi'n gwmni iddi.

'Amser y mis?' Dyna a ofynnodd Ian James iddi'n wawdlyd ar ôl iddo brofi min ei thafod drannoeth yr ymosodiad. Ai dyna oedd e?

'O leia ma' hynny'n dangos 'mod i'n fyw,' meddai Carol, gan godi i ferwi'r tegell unwaith eto.

Syllodd y Prif Arolygydd Clem Owen yn ddigalon ar yr adroddiadau diweddaraf a berthynai i'r ymchwiliad i lofruddiaeth Lisa Thomas. Doedd dim byd newydd yno. Oedd, roedd Gareth Lloyd yn gwneud ei orau i swnio'n obeithiol y byddai rhyw ddarn o wybodaeth yn dod i'r golwg, neu y byddai rhywun yn cofio iddyn nhw weld rhywbeth pwysig, neu y byddai'r canlyniadau DNA yn eu hachub. Ond nid oedd Clem Owen mor siŵr.

Gwir, fe allai rhyw gysylltiad na wyddai'r heddlu amdano ar hyn o bryd rhwng Lisa ac un o'r dynion fu yn y ddawns yn Marine Coast ddod i'r golau. Ac roedd yr un mor bosibl y byddai rhywun yn dod at yr heddlu gyda thystiolaeth bwysig; roedd hynny wedi digwydd mewn achosion eraill, wythnosau, fisoedd ar ôl y digwyddiad, ond eto, gyda phob dydd a âi heibio, lleihau a wnâi'r posibilrwydd hwnnw.

Na, y profion DNA oedd eu gobaith gorau – eu hunig obaith, efallai – o ddal y llofrudd. Roedd yr Uwch-Arolygydd David Peters eisoes yn pwyso arno i brysuro'r broses a chael y canlyniad cywir – fel petai Clem ei hun yn cynnal yr arbrofion. Gallai ddeall gofid ei bennaeth, yn enwedig gan fod y gost o gynnal y profion DNA yn unig yn agosáu'n gyflym at £30,000, a dim byd i'w ddangos am yr arian.

Caeodd y ffeil a'i rhoi naill ochr. Cydiodd mewn ffeil arall a'i hagor, ond ar ôl darllen ychydig baragraffau dechreuodd ebychu'n anghrediniol.

'Tân gwyllt! . . . Blawd! . . . Wyau! . . . Uffach, beth ar y . . . Cathod coll! Beth uffach dwi ise'i wbod am gathod coll?'

Taflodd y ffeil i lawr yn ddirmygus. Roedd pethau'n mynd o ddrwg i waeth. Ai dyma oedd plismona bellach? Canolbwyntio ar ryw fanion dibwys fel hyn tra bod gwir droseddau naill ai'n cael eu hanwybyddu am eu bod yn rhy anodd i'w datrys, neu'n cael eu gadael i farw'n dawel cyn cyrraedd y llys am ei bod hi bron yn amhosibl cael dedfryd o euog bellach, ac roedd y rhwystredigaeth o weld troseddwyr yn codi dau fys ar bawb yn dechrau mynd yn fwrn. Mae'r byd mewn twll dwfn iawn os yw'r llaw uchaf gyda'r euog.

Neu ai dyna ei lefel ef bellach? Efallai nad oedd yn gymwys i wneud dim byd mwy nag ymchwilio i fân droseddau dibwys. Gwyddai mai dyna farn sawl un o'i gyd-weithwyr yn Heddlu Dyfed-Powys, ac roedd yr hen jôc am 'dim clem' yr oedd wedi llwyddo i gael gwared ohoni dros y blynyddoedd i'w chlywed unwaith eto yn ffreutur sawl gorsaf.

Edrychodd ar ei oriawr. Roedd hi bron yn amser i Ken Roberts gyfarfod â David Peters; efallai y byddai pethau'n newid unwaith y byddai'n ôl yn y rhengoedd. Ond wedyn, gyda Ken y dechreuodd yr holl helynt diweddar yma.

Gwthiodd ei gadair yn ôl a chodi o'r tu ôl i'r ddesg oedd yn orlwythog gan ffeiliau. Beth ddigwyddodd i'r swyddfa ddi-bapur, meddyliodd, wrth iddo ystyried y domen anniben o'i flaen. Ai twyll a gor-optimistiaeth oedd y cyfan, fel pob rhagolwg a phroffwydoliaeth arall am ddyfodol llewyrchus a blynyddoedd diddiwedd o amser hamdden?

Yn ystod y misoedd diwethaf bu Clem Owen yn ystyried tybed a oedd hi'n amser iddo ymddeol. Roedd bron â chwblhau'r blynyddoedd angenrheidiol o wasanaeth ac roedd Llinos ei wraig yn sôn fwyfwy am dreulio amser yn ymweld â'i theulu gwasgaredig cyn y byddai'n rhy hwyr. Ond gyda'r holl ansicrwydd diweddar ynghylch pensiynau, nid oedd Clem mor siŵr a fyddai'n gall iddo roi'r gorau iddi. Ar y llaw arall, waeth iddo gyfaddef, nid oedd ganddo'r un awch am y gwaith erbyn hyn. Ac nid oedd adroddiadau am gathod coll yn gwneud dim i'w ysbrydoli.

Cerddodd at y drws a'i agor. Efallai byddai toriad, paned a sgwrs am ddim byd o bwys yn y ffreutur yn help. Ond yr eiliad y camodd allan o'r ystafell gwyddai nad oedd ei hwyl yn mynd i wella dim.

Yn cerdded tuag ato ar hyd y coridor roedd y Rhingyll Ian James, cydwybod cyfrifiadurol yr orsaf, a'r diawl bach a ymosododd ar Carol Bennett bymtheng niwrnod ynghynt. Roedd Clem Owen wedi cadw allan o ffordd y rhingyll gymaint ag y gallai ers hynny rhag ofn iddo ddweud, a gwneud, rhywbeth y byddai'n edifar amdano. Roedd yn dal i obeithio y byddai Carol yn newid ei meddwl ac yn dwyn cwyn yn erbyn James, ond tan hynny . . .

'Syr!' galwodd Ian James pan welodd y prif arolygydd yn bwrw'n ôl am ei ystafell.

Arhosodd Clem Owen a throi i wynebu'r rhingyll.

'Gethoch chi'n e-bost i?'

'E-bost?' gofynnodd Owen.

'Yr un yn gofyn am 'ych sylwade ar fenter gyfrifiadurol y prif gwnstabl.'

'Paid siarad dwli, nei di. Ti'n gwbod yn iawn beth dwi'n feddwl am dy degane di.'

'Peidiwch gweud 'ych bod chi'n dal ddim yn defnyddio'r cyfrifiadur?' meddai James, gan wenu'n nawddoglyd. 'Drychwch, ma'n ddigon rhwydd; fe ddangosa i chi,' a dechreuodd gerdded heibio i'r prif arolygydd ac i mewn i'r ystafell.

Cydiodd Clem Owen ym mraich y rhingyll. 'Ble ti'n meddwl ti'n mynd?'

'I ddangos . . . '

'Dwyt ti ddim yn mynd i ddangos dim i fi, James. Paid meddwl dy fod ti'n gallu cario mla'n fel'se dim byd wedi digwydd.'

Tynnodd James ei fraich yn rhydd o afael Clem Owen a'i wynebu.

'Do's 'da fi ddim syniad am beth y'ch chi'n sôn, *chief inspector*.'

'Gad dy gelwydd, ti'n gwbod yn iawn am be dwi'n sôn.'

'Nadw,' meddai Ian James yn heriol. 'Ond os gwedwch chi wrtha i, alla i neud rhwbeth amdano fe, syr.'

Syllodd Owen yn fud arno.

'Na? Dim byd i' weud, syr? Ond os y'ch chi am i fi edrych ar 'ych cyfrifiadur . . . '

'Alli di stwffio dy gyfrifiadur lle nad yw'r rhew yn gafel.'

'Nid dyna'r agwedd ma'r prif gwnstabl am 'i gweld, syr, ac ma' fe'n disgwl i fi roi ymateb pawb, y cefnogol a'r gwrthwynebus, yn fy adroddiad. A fyddech chi ddim yn disgwl i fi weud *celwydd* wrth y prif gwnstabl, fyddech chi, *syr*?'

Camodd Ian James i ffwrdd o'r drws. 'Unrhyw bryd y byddwch chi am gamu i'r unfed ganrif ar hugain ac yn penderfynu defnyddio'ch cyfrifiadur, neu'n teimlo awydd i drafod rhwbeth arall, unrhyw beth, chi'n gwbod ble i ga'l gafel arna i.'

Syllodd Clem Owen ar y rhingyll yn cerdded yn ôl ar hyd y coridor. Mae'r byd mewn uffach o dwll dwfn os yw'r llaw uchaf gyda'r euog.

Dydd Llun 1 Tachwedd
11:00 – 13:40

Camodd yr Uwch-Arolygydd David Peters tuag at Ken Roberts ac estyn ei law iddo.

'Croeso 'nôl, Ken.'

'Diolch, syr.'

'Steddwch.'

Ufuddhaodd yr arolygydd a disgwyl i'w bennaeth ddychwelyd i'w le y tu ôl i'r ddesg a oedd, fel arfer, yn ddrych o daclusrwydd. Doedd arni ddim pentyrrau blêr o bapur, dim ond un ffeil las, ac nid oedd angen i Ken Roberts feddwl yn hir cyn dyfalu beth oedd cynnwys honno.

'Ma'n dda'ch ca'l chi 'nôl, a cha'l diwedd i'r holl helynt yna hefyd, ma'n rhaid dweud.'

'Diolch, syr.'

'Do'dd 'da fi ddim amheuaeth, ddim am eiliad, nad dyna fydde'r canlyniad. Dwi'n gwbod bod y broses wedi cymryd amser, ond ma' hynny'n anorfod weithie; petai'r pethe hyn yn ca'l 'u rhuthro fe fydde rhywrai'n siŵr o'n cyhuddo o geisio cuddio rhwbeth.'

'Posib iawn, syr.' Nid oedd Ken Roberts am wastraffu ei anadl yn diolch i'r uwch-arolygydd am ei bleidlais o hyder ynddo. Gwyddai fod gan Peters resymau personol hefyd dros fod yn ddiolchgar am ganlyniad ffafriol i'r ymchwiliad. Petai ef wedi ei gael yn euog o ymosod ar Daniel Morgan, fe fyddai rhywun yn siŵr o holi ynghylch yr holl achosion eraill roedd ef wedi bod yn gysylltiedig â nhw dros y blynyddoedd. Fyddai yna ddim byd i atal unrhyw un a deimlai ei fod wedi cael cam rhag crafu hen grach a dwyn cwynion eraill yn ei erbyn, gan daflu rhagor o gyhoeddusrwydd gwael i gyfeiriad rhanbarth David Peters. Beth bynnag roedd pobl yn ei feddwl am uchel swyddogion, doedden nhw ddim yn hollol dwp.

'Ma'n siŵr 'ych bod chi'n falch o ga'l dychwelyd i'r gwaith,' meddai'r uwch-arolygydd, gan barhau yn yr un cywair.

'Odw, yn falch iawn.' Roedd Ken Roberts yn ddigon parod i ddioddef y mân siarad sut-aeth-y-gwyliau petai hynny'n golygu prysuro'r cyfweliad at ei derfyn.

'Ac yn barod i ailgydio mewn pethe.'

'Odw.'

'A dianc rhag yr holl jobsys bach 'na ro'dd Angela wedi'u paratoi ar 'ych cyfer.'

Ond digon yw digon, meddyliodd Ken Roberts, gan ymatal rhag porthi ei bennaeth.

Synhwyrodd David Peters y newid a diflannodd ei wên. Anesmwythodd yn ei gadair ledr goch a'i dynnu ei hun i fyny gan bwyso ymlaen dros y ddesg. Dyma ni, meddyliodd Ken Roberts, glo mân y ffeil las.

'Dwi'n gobeithio nad y'ch chi'n teimlo'n rhwystredig oherwydd yr holl broses fu'n rhaid i chi fynd drwyddi?'

'Ddim o gwbwl. Ma' ca'l 'ych cyhuddo ar gam wedi bod yn rhan o'r gwaith ers amser bellach.'

'Odi, ma' ca'l cwynion di-sail yn 'ych erbyn yn rhwbeth sy'n digwydd yn llawer rhy amal y dyddie 'ma, gwaetha'r modd. Newydd ddechre profi'r hyn ry'n ni wedi bod yn 'i ddiodde ers blynydde ma' athrawon a doctoriaid.'

Nodiodd Ken Roberts i ddangos ei fod yn cytuno â'r dadansoddiad.

'A do's dim argoel fod pethe'n mynd i wella, chwaith. Ac oherwydd hynny, Ken,' a chrychodd yr uwch-arolygydd ei wefusau mewn hanner gwên, 'ma'n bwysicach nawr nag erio'd 'yn bod ni i gyd yn dilyn canllawie'r ddeddf cyfweld pobol sy wedi ca'l 'u harestio, i'r llythyren.'

Unwaith eto ni ddywedodd yr arolygydd air, ac ni nodiodd ei ben y tro hwn, chwaith, dim ond syllu'n ddigyffro ar David Peters.

'Ma'r canllawie'n bodoli cymaint er mwyn 'yn diogelu ni ag i ddiogelu'r sawl sy'n ca'l 'i holi. Dyna pam ma'n bwysig nad y'n ni'n rhoi'n hunain mewn sefyllfa, yn gwbwl ddiniwed falle, a alle arwain at rywun yn dwyn cyhuddiad yn 'yn herbyn.'

Oedodd yr uwch-arolygydd i weld a oedd Ken Roberts am ymateb, ond dal i syllu'n ddigyffro wnaeth yr arolygydd.

'Dyna pam dwi wedi dweud wrth y swyddogion sy yng ngofal y stafelloedd cyfweld a'r celloedd i lynu at y canllawie hynny; yn arbennig i neud yn siŵr nad o's neb yn holi rhywun sy dan amheuaeth ar 'i ben 'i hun, nac yn ca'l 'i adel yn y celloedd ar 'i ben 'i hun gyda charcharor.'

'Ac ma'n siŵr 'ych bod chi wedi dwyn hyn i sylw pawb, syr.'

'Odw, inspector, pawb,' meddai David Peters heb geisio celu'r min yn ei lais. 'Ond dwi'n 'i ddwyn i'ch sylw chi yn bersonol am fod adroddiad Chief Superintendent Stephens ar 'ych ymddygiad yn achos Daniel Morgan yn tanlinellu'r union bwynt hwn ac yn fy ngorchymyn i neud hynny.'

'Dwi'n credu i fi esbonio . . .'

'Dwi ddim am ailagor yr ymchwiliad, Inspector Roberts,' meddai David Peters ar ei draws. 'Ond beth bynnag o'dd y rheswm dros 'ych presenoldeb yn yr ystafell gyfweld, ddylech chi ddim fod wedi bod yno ar 'ych pen 'ych hun. Iawn? Iawn, inspector?' gofynnodd am yr eildro pan na chafodd gadarnhad y tro cyntaf.

'Iawn, syr.'

'O'r gore,' ac ymlaciodd yr uwch-arolygydd rywfaint gan bwyso'n ôl yn ei gadair ledr. 'Nawr, ddyle hyn ddim rhwystro'r broses o gyfweld o gwbwl, nac atal neb rhag gofyn cwestiyne treiddgar; nid dyna'r bwriad. Os rhwbeth, fe ddyle olygu fod yr atebion yn fwy dibynadwy ac yn gwrthsefyll beirniadaeth yn well dan groesholi pan ddaw'r achos i'r llys.'

Syllodd y ddau yn dawel ar ei gilydd am rai eiliadau. Wedi cael ei dawelu unwaith, nid oedd unrhyw awydd ar Ken Roberts i ddweud dim, ac o'r diwedd bu'n rhaid i David Peters dorri'r tawelwch.

'Nid fi sy'n dweud hyn, Ken.' Roedd y llais yn fwynach ac yn llai awdurdodol nawr. 'Adroddiad Chief Superintendent Stephens sy'n 'i ddweud e, ond fel ma'n digwydd dwi'n cytuno ag e, a dyna pam dwi'n mynd i neud yr siŵr bod 'i argymhellion yn mynd i fod yn rhan o'r broses gyfweld o hyn mla'n.'

Oedodd unwaith eto am ymateb, ac unwaith eto chafodd ddim byd ond y syllu digyffro.

'Gair o gyngor, Ken. Derbyniwch y cerydd a dysgwch y wers. Daw pethe i drefn ychydig yn gynt wedyn.'

*

Er bod ffenest y siop yn orlawn o amrywiaeth eang o addurniadau, lluniau, modelau, gwydrau, crochenwaith, dillad, mwclesi a breichledau o sawl gwneuthuriad, gwlad a diwylliant, roedd un peth yn gyffredin iddyn nhw i gyd.

'Nwyddau'r Oes Newydd', meddai Gareth Lloyd wrtho'i hun wrth iddo geisio cloriannu'r gymysgedd o gynlluniau a lliwiau a welai.

Agorodd y drws a chamu i ganol amrywiaeth ehangach o nwyddau, ynghyd ag aroglau sur-felys perlysiau, eneiniau, persawr a phlanhigion. Tynnodd Gareth ei law ar draws ei drwyn ond roedd hi'n amhosibl cael gwared â'r aroglau; glynent wrtho fel gwynt mwg mewn tafarn.

Ym mhen pella'r siop, heibio i raciau o ddillad melfedaidd, roedd y cownter. O'i flaen safai merch mewn ffrog borffor dywyll, ei gwallt hir du, gwyrdd a choch yn llifo'n rhydd i lawr ei chefn ac yn cyrraedd at ei gwasg. Y tu ôl i'r cownter, yn siarad â hi, safai dyn mewn crys llaes a phatrwm o awyr las a chymylau gwyn canol haf arno. Tynnodd Gareth ei got law lwyd yn dynnach amdano, yn ymwybodol ei fod mewn byd dieithr iawn.

Trodd i edrych ar yr arddangosfeydd o'i gwmpas tra oedd yn disgwyl ei dro. Roedd y cyfan yn lliwgar, disglair ac egnïol yng ngoleuadau'r siop, ac yn cynnwys penwisgoedd Indiaid Cochion, modelau o farchogion, dewiniaid a doethion o'r dwyrain yn un gymysgedd amlddiwylliannol. Tyfodd yr ymdeimlad o ddieithrwch ynddo. Pe bai'n Aborigine, yn Indiad neu'n Zwlw, mae'n siŵr y byddai'n teimlo'n ddigon cartrefol, ond fel Cymro cyffredin roedd ar goll yn llwyr. Ac am yr ail, os nad y trydydd tro y diwrnod hwnnw, gallai fod wedi ei gicio'i hun am dderbyn gwahoddiad Berwyn Jenkins i ymweld â chapel Penuel.

Lle cyfleus i barcio gyferbyn â Rites a berswadiodd Gareth i ymweld â'r siop cyn dychwelyd i'r orsaf y prynhawn hwnnw. Yn ystod y daith yn ôl o fferm Gwernfynydd, roedd y Parch. Jonathan Williams wedi pwyso arno i beidio gadael i'r cyfan lithro o'r golwg, ac er gwaetha'r ffaith fod ganddo achosion eraill, mwy difrifol i ymchwilio iddynt, fe gytunodd Gareth i wneud ychydig o ymholiadau, cyn belled â bod amser yn caniatáu.

Edrychodd ar ei oriawr. Tair munud arall, meddai wrtho'i hun, gan grwydro rhwng y raciau o bosteri a llyfrau. Posteri o ferched noeth, tenau ar gefn ceffylau, yn cerdded mewn caeau, ger afonydd, yn yr eira; plant bach a sêr yn eu llygaid, tân yn eu gwallt, neu gyrff o ddŵr; hen wŷr a gwragedd a'u gwenau doeth a diniwed yn meddalu eu hwynebau oedrannus. Doedd dim llawer o ddynion canol oed nac ifanc i'w gweld ymhlith trigolion yr oes newydd hon.

Trodd ei sylw at y silffoedd llyfrau a darganfod cyfrolau a ddatganai'n hyderus fod ganddynt yr ateb i bob problem yn ymwneud â'r meddwl, y corff a'r ysbryd. Tynnodd ei law ar eu hyd a nodi bod yno bopeth y byddai byth arno eisiau ei ddarllen ar sut i ddadansoddi breuddwydion, dweud ffortiwn, rhagweld y dyfodol, darllen dwylo, dehongli'r sêr, a defnyddio'i feddwl i harneisio grym y cread. Ochneidiodd Gareth; weithiau roedd codi'r bore'n ddigon o gamp ynddo'i hun. Ac yna gwelodd fod yno lyfrau hefyd ar rym cwsg a deffro'n gadarnhaol.

Ochneidiodd eto. Munud arall. Cododd ei lygaid a sylwi ar res o gleddyfau'n crogi ar y wal. Cerddodd tuag atynt gan geisio cofio a oedd eu harddangos fel hyn yn groes i'r Ddeddf Arfau Troseddol. Yn sicr roedd hi'n drosedd i gario cyllyll â llafn hirach na thair modfedd mewn lle cyhoeddus, ac roedd llafnau'r cleddyfau hyn yn llawer hirach na hynny.

'Iawn, dydd Iau neu ddydd Gwener,' galwodd y ferch wallt amryliw wrth iddi gerdded at ddrws y siop.

'Alla i ddim addo cyn dydd Gwener,' galwodd y dyn yn y crys glas a gwyn ar ei hôl, a goslef flinedig ei lais yn bradychu ei ddiffyg amynedd.

Cerddodd Gareth at y cownter gan ddymuno holi'r dyn am y cleddyfau, ond gan wybod ar yr un pryd os oedd am gael gwybodaeth am gloch Megan Griffiths, na fyddai'n syniad da iddo godi ei wrychyn drwy fygwth y gyfraith arno.

'Bore da,' cyfarchodd y dyn Gareth, gan ei astudio o'i gorun i'w sawdl, a dod i'r casgliad cyn cyrraedd ei ysgwyddau nad cwsmer arferol mohono.

'Bore da,' meddai Gareth, gan dynnu ei gerdyn gwarant o'i boced. 'Sarjant Gareth Lloyd.'

'Ie?'

'Chwilio am ychydig o wybodaeth ydw i.'

'Wel, sarjant, mae pob math o wybodaeth i'w chael yma. Beth yn union ydych chi eisie gwybod?'

'Ai . . . ?' dechreuodd Gareth, gan dwrio yn ei boced unwaith eto.

'Rhywbeth i'ch helpu gyda straen eich gwaith, falle?' cynigiodd y dyn, gan estyn am fẁg o dan y cownter.

'Na,' meddai Gareth, yn dal i dwrio ac yn gobeithio nad oedd wedi colli'r gloch arian. 'Dim byd fel'ny.'

'Rhywbeth i'ch atal rhag bod mor anghofus?' gofynnodd y siopwr yn ddiniwed, gan yfed allan o'r mẁg.

Cnodd Gareth ei dafod.

'Beth am ganhwyllau persawrus i'w cynnau pan fyddwch chi a'r heddweision eraill yn ymdrochi yn y baddon cymunedol? Na? Cardiau *tarot* i weld a ydych chi'n mynd i gael dyrchafiad? Dydyn nhw ddim yn rhy anodd, alla i'ch sicrhau chi; mae gyda ni set ar gyfer plant ysgol gynradd sy'n mynd i fod yn boblogaidd iawn y Nadolig yma, yn ôl y sôn. Neu os yw hi'n wir wedi mynd yn nos arnoch chi, beth am *ouija board* i ddarganfod ble yn union mae'r cyrff wedi'u claddu?'

Teimlodd Gareth y ruban rhwng ei fysedd.

'Odi hon yn gyfarwydd i chi?' A daliodd y gloch arian i fyny o'i flaen.

'Ydy hi'n canu cloch, chi'n feddwl?' meddai'r dyn, heb arlliw o ddigrifwch yn ei lais nac ar ei wyneb. Rhoddodd y mẁg i lawr ar y cownter, codi'r sbectol a grogai o amgylch ei wddf, ac astudio'r gloch yn fanwl.

'Odych chi'n gwerthu rhai tebyg?'

'Hm, ydw,' ac fe gerddodd y dyn i ben arall y cownter a datgloi cwpwrdd gwydr. Allan ohono fe dynnodd rac fechan oedd yn llawn cadwynau â thlysau arian yn hongian arnynt. Roedd yno groesau traddodiadol, croesau dwbl, croesau ar ffurf dagr, anka, pentagramau, dagrau o risial a chlychau bychain.

Daliodd Gareth gloch Megan Griffiths ar bwys un o'r clychau ar y rac; roeddynt yn efeilliaid.

'*Hey presto!*' ebychodd y dyn, gan wenu'n theatrig. 'Ydy hyn yn golygu 'mod i wedi ennill gwobr fawr?'

'Nagyw.'

'Na, byddai hynny'n ormod i'w ddisgwyl, oni fyddai?'

'Odych chi'n gwbod beth ma'r sgrifen o'i chwmpas yn 'i ddweud?'

Craffodd y dyn ar y gloch, crychu ei drwyn a siglo'i ben.

'Nagw.'

'Unrhyw awgrym?'

'O,' ac fe gaeodd ei lygaid mewn ystum ffug o bendroni. 'Beth am "dacw tada'n gyrru'r moch, mochyn gwyn a mochyn coch", neu "mochyn mawr a mochyn bach, p'un sydd wael a ph'un sydd iach?" Beth yw'ch hoff ymadrodd chi, sarjant? Dwi wastad wedi meddwl bod "iechyd da pob Cymro, twll din pob Sais" yn un da, os braidd yn uchelgeisiol. Beth y'ch chi'n feddwl?' A chododd y mẁg i'w wefusau unwaith eto.

'A'r cynllun uwchben y geirie; unrhyw syniad am ei arwyddocâd?'

'Y cwlwm Celtaidd. Mae rhai'n dweud ei fod yn cynrychioli parhad diderfyn, ac eraill mai cwlwm perthyn yw e, ond pwy a ŵyr, mae'n ddirgelwch a ddiflannodd ddwy fil o flynyddoedd yn ôl. Bellach, mae'n golygu rhywbeth gwahanol i wahanol bobol. Allwch chi wneud ohono beth bynnag y dymunwch, sarjant, dyna mae pawb arall yn ei wneud, beth bynnag.' Tynnodd y siopwr ei sbectol a gadael iddi orffwys ar ei frest.

'Odych chi'n gwerthu llawer o'r mwclesi hyn?'

'Dy'n nhw ddim ymhlith y gwerthwyr gorau, ond maen nhw yn mynd o un o un.'

'Chi'n 'u cadw nhw dan glo. Odyn nhw'n ddrud?'

'Rhwng hanner cant a thrigain punt yr un.'

'Am arian?'

'Aur gwyn. Dwywaith pris arian.'

'A pwy sy'n 'u prynu nhw?'

'Unrhyw un sy'n cymryd ffansi atyn nhw.'

'Merched yn fwy na dynion?'

Nodiodd y dyn. 'Ie, ar y cyfan, ond wedyn gall dynion eu prynu nhw fel anrhegion i'w cariadon, oni allan nhw?'

'*Odyn* nhw'n ca'l 'u prynu fel anrhegion? Fel anrhegion i gofnodi rhwbeth arbennig, dwi'n feddwl.'

'Na, dy'n nhw ddim yn dynodi unrhyw beth arbennig, ond wedyn fe allan nhw gael eu prynu fel anrheg pen-blwydd, llawafael, neu . . .'

'Llawafael?'

'Seremoni debyg i seremoni briodas – ond heb y ficer.'

'Seremoni baganaidd?'

'Ie, sarjant, da iawn, seremoni baganaidd.'

'Dy'ch chi ddim yn cadw cofnodion o pwy sy'n prynu beth, y'ch chi?'

'Cywir.'

'E?'

'Dwi ddim yn cadw cofnodion o pwy sy'n prynu beth.'

'Odych chi'n cofio pwy sy'n prynu beth, 'te?' gofynnodd Gareth yn ddiamynedd.

'A! Mae hynny'n wahanol,' meddai'r dyn, gan wenu ar Gareth a phwyntio ato'n nawddoglyd.

'Wel?'

'Wel beth?'

'Odych chi'n cofio pwy brynodd y gloch 'ma?'

'Pam ydych chi eisie gwybod?'

'Alla i ddim dweud pam, ond fe alle fod o help i ni gyda un o'n hymchwiliade.'

'Ymchwiliad i beth?'

'Alla i ddim dweud.'

'Yna, alla inne ddim ateb eich cwestiwn.'

'Dyw e ddim yn rhy anodd i chi, yw e?'

'Nagyw. Dewis peidio ateb ydw i.'

'Pam? Dyw e ddim yn gwestiwn sensitif a dwi ddim yn credu y byddwch chi'n bradychu neb drwy'i ateb.'

'Na? A sut fedrwch chi wybod hynny heb wybod dymuniadau'r sawl brynodd y fwclis? Efallai nad y'n nhw am i'r heddlu wybod eu busnes.'

'Ond ry'ch *chi* mewn sefyllfa i neud y penderfyniad hynny drostyn nhw, y'ch chi?'

Gwenodd y dyn a phlethu ei freichiau. 'Mater o hawl yw e, sarjant. Dyna pam mai Rites yw enw'r siop. Ac mae gen i'r hawl i wrthod ateb eich cwestiynau, a dwi'n credu 'mod i wedi mwy na chyflawni fy nyletswyddau dinesig. Felly, os nad oes yna unrhyw beth arall . . .'

'O's, ond os nad y'ch chi'n barod i ateb 'y nghwestiyne, yna gwastraffu'n amser fydden i,' a dyna pryd y sylweddolodd Gareth nad oedd yn gwybod enw'r dyn. Ond rhoddodd y gloch yn ôl yn ei boced a throi am ddrws y siop.

Funud yn ddiweddarach, wrth iddo danio peiriant y car, sylweddolodd Gareth, yn ogystal â'i enw, nad oedd wedi gofyn i'r dyn am y cleddyfau chwaith. Am eiliad ystyriodd ddychwelyd i'r siop, ond yna ailystyriodd; nid oedd angen hynny arno. Pe bai'n ymchwilio i achos o lofruddiaeth fyddai dim dewis ganddo, ond doedd gofal Jonathan Williams dros ei gapel ddim yn teilyngu'r un sylw. O leiaf roedd ei gydwybod yn dawel; roedd wedi mynd â'r ymchwiliad un cam ymhellach nag y byddai'r rhelyw o'i gyd-weithwyr wedi gwneud.

Llywiodd y car allan i'r stryd a gyrru am yr orsaf.

*

'O't ti'n disgwl unrhyw beth gwahanol?'

'Nago'n, i weud y gwir, ond hyd yn o'd pan wyt ti'n gwbod dy fod ti'n mynd i ga'l y gansen, ma'n dal i binsio.'

Chwarddodd Clem Owen, gan gofio'r troeon roedd ef wedi teimlo'i min hi yn yr ysgol. 'Wel, ma' fe drosodd nawr, Ken; ma' Peters wedi ca'l dweud 'i ddweud; a ti'n rhydd i gario mla'n 'da dy waith.'

'Odw, diolch byth. Be sy 'da ti ar 'y nghyfer i?'

'Llofruddiaeth Lisa Thomas.'

'Dal yn dywyll, yw hi?'

'Yn dywyll iawn. Gareth Lloyd sy wedi bod wrthi'n cydgordio'r ymchwiliad ac ma' fe wedi neud 'i ore . . .'

'Ma'n siŵr,' meddai Ken Roberts, yn ddirmygus o'i gydweithiwr ifanc. Nid oedd llawer o Gymraeg wedi bod rhwng y ddau ers i Lloyd gael ei drosglwyddo yno o Lanelli ddechrau'r flwyddyn. Ac, yn groes i'r disgwyl efallai, nid oedd y ffaith mai tystiolaeth Gareth Lloyd oedd yn bennaf cyfrifol am glirio enw'r arolygydd o unrhyw gamymddwyn, wedi ei anwylo iddo.

'. . . o dan yr amgylchiade. Ond ti'n gwbod fel ma' hi, shwd ma' pethe'n gallu torri lawr a mynd i unman mewn dim amser. Wel, fel'ny ma' hi 'da achos Lisa Thomas. Ti'n gwbod i ni ail-greu'r noson y diflannodd hi o'r ddawns yn Marine Coast?'

Nodiodd Roberts. 'Gethoch chi unrhyw wybodaeth newydd?'

'Rhywfaint. Pobol o'dd wedi'i gweld hi yn y ddawns yn fwy na dim, ac o ganlyniad ma' 'da ni ddarlun gweddol gyflawn o'i symudiade o'r amser gyrhaeddodd hi'r ddawns tan tua hanner nos.'

'Ai dyna pryd dda'th y ddawns i ben?'

'Nage, tua chwarter i un bore drannoeth, bore dydd Iau.'

'O achos yr ymladd.'

'Ie. A'th pob un adre wedyn, hyd y gwyddon ni, ac o'dd hi'n un o'r gloch y prynhawn hwnnw cyn i'r corff ga'l 'i ddarganfod.'

'Dros ddeuddeg awr yn ddiweddarach.'

'A dros bum milltir i ffwrdd yng Nghoed y Gaer. Ond ddim dyna lle ga'th hi'i lladd, ac yn anffodus dy'n ni'n dal ddim yn gwbod ble'r o'dd hynny. Do's dim dwywaith nad dyna sy'n 'yn dal ni 'nôl. Fel ti'n gwbod, ma' man y drosedd yn hollbwysig i unrhyw ymchwiliad; ma' cymint o olion fan'ny fel arfer, ma'r amser sy'n ca'l 'i dreulio'n 'i archwilio fodfedd wrth fodfedd yn talu ar 'i ganfed maes o law, ond yn achos Lisa Thomas dyw hynny ddim 'da ni, ac ma' pob diwrnod sy'n pasio yn lleihau gwerth yr olion fforensig pan ddown ni o hyd i'r man lle cafodd 'i llofruddio.'

'Os down ni o hyd iddo.'

'Ie, diolch. A dyna dwi ise i ti neud, Ken. Edrych ar bopeth eto, pâr o lygid newydd. Ry'n ni i gyd wedi darllen a chymharu'r adroddiade gymint o weithie erbyn hyn, dy'n nhw'n golygu dim byd i ni.'

'Ac os dwi am holi unrhyw un?'

'Gwna 'ny ar bob cyfri, dim ond i ti gofio peidio'i neud e ar dy ben dy hunan.'

*

Byth ers iddo weld Ken Roberts yn cerdded heibio'r ystafell ar ei ffordd i swyddfa Clem Owen, bu Eifion Rowlands yn hel meddyliau. Er mor gymysg a chymysglyd oedd y rheini, roedd un cwestiwn yn sefyll allan yn ddigon clir: pa effaith fyddai dychweliad yr arolygydd yn ei chael ar achos Lisa Thomas?

Y llofruddiaeth oedd eu prif ymchwiliad, ac er bod dwsinau o achosion llai yn dal i fynnu sylw, mewn gwirionedd roedd bron popeth arall wedi cael ei wthio naill ochr yn ystod y pythefnos diwethaf er mwyn canolbwyntio ar hwnnw. Ond gydag amser, wrth i'r costau gynyddu a'r ymchwiliad ei hun golli momentwm, ac wrth i nifer y troseddau gynyddu, byddai'n rhaid i'r heddlu dorri'n ôl ar nifer y swyddogion y gallent eu neilltuo ar ei gyfer nes o'r diwedd byddai'r ymchwiliad yn peidio bron yn gyfan gwbl. Yn swyddogol fe fyddai'n dal yn agored, ond ysbeidiol iawn fyddai'r sylw a gâi. O safbwynt Eifion Rowlands ni allai'r diwrnod hwnnw ddod eiliad yn rhy gyflym.

Roedd dychweliad Ken Roberts wedi codi amheuon ym meddwl Eifion. Ofnai y byddai Clem Owen yn rhoi un hwb olaf cyn dechrau cwtogi ar yr ymchwiliad, ac mai Ken Roberts fyddai'n arwain yr ymgyrch honno. Os felly, sut byddai ef yn dygymod â'r arolygydd yn chwilio drwy ei adroddiadau â chrib mân? Roedd Eifion wedi llwyddo i atal gweddill ei gyd-weithwyr rhag canolbwyntio gormod ar faes carafannau Marine Coast, ond a fyddai hi mor hawdd dargyfeirio rhywun newydd, rhywun a ddôi at yr achos heb unrhyw ragdybiaethau? Wrth gwrs, dyna'n union a obeithiai Clem Owen, a dyna'r union beth a ofnai Eifion.

Achos mawr arall, meddyliodd, dyna sydd ei eisiau;

byddai hynny'n siŵr o dynnu sylw pawb oddi ar Lisa Thomas. Petai yna lofruddiaeth arall . . .

Canodd y ffôn.

'Ie?'

'Eifion Rowlands?'

'Ie.'

'Chredet ti ddim y trafferth dwi wedi'i ga'l yn trio dod o hyd i ti.'

Richie Ryan!

'O?'

'Ie, sdim rhyfedd bod trosedde ar gynnydd os nad yw hi'n bosib ca'l gafel ar blismon.'

Chwarddodd Ryan am eiliad cyn tawelu, ond nid ymatebodd Eifion; y peth diwethaf roedd am ei ddweud oedd, 'Beth alla i'i neud i ti?'

'Yn enwedig fy hoff blismon.'

Caeodd Eifion ei lygaid. Daliodd ei anadl a theimlo curiad ei galon yn dechrau cyflymu.

'Wyt ti 'na?' gofynnodd Ryan.

'Odw.'

'Dwi ddim wedi dy weld di ers amser.'

'Dwi wedi bod yn brysur.'

'Ry'n ni i gyd yn brysur, Eifion, ond ddyle hynny ddim rhwystro hen ffrindie rhag gweld 'i gilydd. Ddylen nhw gadw mewn cysylltiad. Rhannu atgofion.'

Cadwodd Eifion yn dawel.

'Bydd raid i fi ga'l rhif dy ffôn symudol di. Bydd hynny'n dipyn mwy cyfleus a phreifat na hyn.'

Cnodd Eifion ei dafod.

'Wyt ti'n cofio'r tro ola i ni siarad?' gofynnodd Ryan. 'Noson yr ail-greu yn Marine Coast?'

Cododd Eifion ei law chwith i'w ben.

'Wel, wyt ti?'

'Odw,' llwyddodd i'w ddweud o'r diwedd.

'Ro'n i'n meddwl bod y sgwrs gawson ni'r noson honno wedi bod yn un ddiddorol iawn. Yn un adeiladol iawn. Ti ddim yn cytuno?'

'Beth . . . Pam wyt ti'n ffonio?'

'I ga'l sgwrs . . .'

'Wel dwi'n brysur iawn, dwi ar fy ffordd . . .'

'Ac i weld pryd fydde hi'n gyfleus i ni gwrdd.'

'Dwi'n llawer rhy brysur . . .'

'Ma' dau o'r gloch prynhawn 'ma'n gyfleus i fi.'

'Dyw hi ddim . . .'

'Ti'n gwbod lle dwi'n byw, on'd wyt ti, Eifion? Dwi'n credu i ti fod 'ma unwaith o'r bla'n.'

'Alla i ddim . . .'

'Dau o'r gloch amdani, 'te. Bydda i'n dy ddisgwl di.'

Torrodd Richie Ryan y cysylltiad. Gosododd Eifion y ffôn yn ôl yn ei le. Roedd ei law yn crynu.

'Berwyn!'

Trodd y rhingyll gan syllu o'i gwmpas yn syn, ond goleuodd ei wyneb pan welodd mai Gareth Lloyd oedd yno.

'Shwd wyt ti?'

'Gair bach ynglŷn â chapel Penuel,' meddai Gareth.

Ond yn groes i ddisgwyliadau Gareth, nid chwerthin yn afreolus wnaeth y rhingyll, ond edrych yn bryderus.

'Tynnu 'ngho's i o'ch chi, yntefe?' meddai Gareth.

'Be ti'n feddwl?'

'Gofyn i fi fynd i edrych ar y difrod yn y capel.'

'Ddim o gwbwl. Meddwl bod ise rhywun callach na Scott Parry a'i debyg i fynd i weld y lle o'n i.'

'Chi gymrodd yr alwad?'

'Ie.'

'A Jonathan Williams 'i hunan ffoniodd?'

'Ie, ro'dd yr ofalwraig wedi'i ffonio fe, ac ro'dd e ar 'i ffordd mas i weld y difrod pan ffoniodd e ni. Ond pam ti'n gofyn? Wedes i hyn i gyd wrthot ti pan ofynnes i iti fynd 'na.'

'Jonathan Williams, shwd un yw e?'

'Dwi ddim yn 'i nabod e'n hunan, ond dyn iawn, fel dwi'n deall. Ma' cyfnither i'r wraig yn aelod yn 'i gapel e, ac ma' hi'n meddwl y byd ohono fe. Bob tro ma' hi'n gweld y wraig, ma' hi'n trio'i gore i'w pherswadio i ddod i wrando arno fe.'

'Fydde fe ddim yn tynnu'n co's ni, fydde fe?'

'Paid siarad dwli. Pam ar y ddaear wyt ti'n meddwl y bydde fe ise tynnu'n co's ni?'

'Wel, ma'r cyfan mor anodd i'w gredu.'

'Pam? Beth o'dd 'na?'

'Un ffenest wedi'i thorri a siâp pentagram wedi'i dynnu ar y llawr, ond ar wahân i hynny do'dd dim difrod arall i'w weld o gwbwl.'

'Pentagram?'

'Ie, pentagram. Chi'n gwbod beth yw pentagram?'

'Wrth gwrs 'mod i. Weles i un ar lawr eglwys ryw bymtheg mlynedd 'nôl.'

Syllodd Gareth ar y rhingyll. 'O'ch chi'n gwbod am y pentagram pan ofynnoch chi i fi fynd i'r capel?'

'Nago'n, ond ro'n i'n ofni falle y galle un fod 'na, a nithwr yn . . .'

'Noson Calan Gaea.'

'Ie.'

Siglodd Gareth ei ben, yn fwy mewn syndod nag anghrediniaeth. 'Chi'n cymryd y busnes 'ma o ddifri?'

'Odw. Fel wedes i, ges i brofiad tebyg rai blynydde 'nôl.'

'Ble o'dd hynny?'

'Ochor draw i Gyfyrddin. Ro'dd criw o bobol yn byw 'na a o'dd, yn ôl 'u cyfaddefiad nhw'u hunen, yn addoli'r diafol. Ro'n nhw wedi cynnal seremoni yn yr eglwys leol, ac yn ystod y seremoni honno ro'n nhw wedi halogi'r adeilad drwy dynnu llunie a diagrame ar y walie a'r llawr.'

'Llunie? Ar wahân i'r pentagram, do'dd dim byd arall yn Penuel.'

'Dim byd?'

'Nago'dd, wel, ar wahân i'r staen ar y llawr.'

'Shwd fath o staen?'

'Dwi ddim yn gwbod. Ro'dd Williams yn meddwl y galle fe fod yn wa'd.'

'Ro'dd 'na wa'd ar lawr yr eglwys hefyd.'

'Gwa'd dynol?'

'Nage, anifail. Ond alli di ddim bod yn siŵr dim ond wrth edrych arno fe.'

'Prawf *precipitin*,' meddai Kevin Harry, swyddog man-y-drosedd, gan siglo 'nôl ac ymlaen ar ei sodlau yn hollwybodol. 'Dyna enw'r prawf sy'n gallu gwahaniaethu rhwng gwa'd dyn a gwa'd anifail.'

'Felly ma' hi yn bosib?'

'Dwi newydd weud 'i bod hi.'

'Ti 'di neud y prawf dy hunan?'

'Fi? Ti'n meddwl 'mod i'n un o'r bobol drist 'na mewn cotie gwyn sy'n gwitho mewn labordy yn gwynto cemegolion drwy'r dydd? A paid gofyn shwd ma'r prawf yn gwitho, chwaith; dim ond gwbod 'i fod e, dwi.'

'Ond fe alli di anfon sampl i'r bois yn y cotie gwyn?'

'Gallaf,' meddai Kevin yn araf, yn gyndyn i'w ymrwymo'i hun i orchwyl ychwanegol, na gadael i'w gydweithiwr ei gymryd yn ganiataol. Prin iawn oedd y sgyrsiau cwbl gymdeithasol a gâi, ac nid oedd yn mynd i wneud pethau'n rhy hawdd i Gareth Lloyd drwy gynnig gwneud dim o'i wirfodd. Roedd ganddo fwy na digon o waith yn barod, ac roedd pawb yn gweiddi ar ei ôl e drwy'r amser am ganlyniadau rhyw brofion neu'i gilydd.

Ond roedd Gareth Lloyd wedi dod i adnabod Kevin Harry ac yn gwybod yn iawn fod gan swyddog man-y-drosedd ddychymyg byw a'i fod wastad yn agored i brofiadau newydd.

'Dwi newydd ddod 'nôl o gapel mas ar bwys pentre Gors-ddu lle ro'dd rhywun wedi bod yn cynnal seremoni baganaidd neithiwr.'

'*Black magic*, ti'n feddwl?' gofynnodd Kevin, ychydig yn rhy gyflym, ychydig yn rhy eiddgar i allu cynnal ei osgo ddi-hid.

'O, ie, siâp pentagram wedi'i dynnu ar y llawr a . . .' Oedodd Gareth er mwyn cael yr effaith gywir, '. . . staen eitha awgrymog o fla'n y pulpud.'

'Ie?' meddai swyddog man-y-drosedd yn fyfyriol. 'Gors-ddu, wedest ti?'

*

Ond byrhoedlog iawn fu'r teimlad o fuddugoliaeth; diflannodd yr eiliad y cerddodd Gareth heibio i'r ystafell reoli a gweld yr Arolygydd Ken Roberts yn eistedd y tu ôl un o'r byrddau a phentwr o ffeiliau o'i flaen.

'Syr?'

Cododd yr arolygydd ei ben a syllu ar Gareth. 'Sawl gwaith fuoch chi'n holi trigolion Lôn y Coed?' gofynnodd, gan bwyso'n ôl yn y gadair.

'Beth?'

'Cwestiwn digon hawdd i'w ateb, ddweden i. Sawl gwaith fuoch chi'n holi'r bobol sy'n byw yn Lôn y Coed? Unwaith, dwywaith, sawl gwaith?'

Edrychodd Gareth o gwmpas yr ystafell. Wrth un o'r byrddau eraill, yn teipio ar gyfrifiadur, ac yn gwneud ymdrech galed i beidio â syllu i gyfeiriad y ddau, eisteddai Wyn Collins. Roedd Gareth ar ei ben ei hun. Carthodd ei wddf.

'Ffeilie llofruddiaeth Lisa Thomas yw'r rheina?'

'Ie, 'i chorff hi ga'th 'i ddarganfod yng Nghoed y Gaer, yntefe? Ond yn ôl yr adroddiad fforensig, ddim yng Nghoed y Gaer gafodd hi 'i llofruddio, felly ma'n rhaid bod rhywun wedi'i symud hi i'r goedwig ar ôl 'i llofruddio. Ac ma'n syndod i fi nad o'dd un o'r bobol sy'n byw yn y tai ar hyd y ffordd sy'n arwain at y goedwig wedi gweld dim.'

'Wel, syndod neu beidio, dyna ddwedon nhw, ac ar ôl 'u holi nhw dair gwaith yr un a cha'l yr un ateb bob tro, ma'n rhaid i ni dderbyn na welon nhw ddim byd.'

'A ti'n 'u credu nhw.'

'A dy'ch chi ddim. Heb siarad â nhw, heb hyd yn o'd 'u gweld nhw, ry'ch chi'n siŵr bod un ohonyn nhw, os nad pob un ohonyn nhw, yn gweud celwydd.'

Anwybyddodd Ken Roberts ensyniad Gareth a chodi

tudalen o'r ffeil oedd ar agor o'i flaen. 'Ro'dd rhai ohonyn nhw'n meddwl iddyn nhw glywed sŵn car rywbryd yn ystod yr orie mân, ond do'n nhw ddim yn siŵr os mai ar Lôn y Coed 'i hun neu ar y ffordd fawr o'dd y ceir – ar wahân i Mrs Doreen Moore a gofiodd iddi glywed car yn gyrru heibio'i thŷ rywbryd rhwng hanner awr wedi dau a thri o'r gloch bore dydd Iau.'

'A tacsi'n dod â merch bymtheng mlwydd o'd o'r enw Lowri Davies sy'n byw gyferbyn â thŷ Mrs Moore adre o'r dre o'dd hwnnw.'

'A dyna i gyd; dim byd arall.'

'Dim byd arall. Pam y'ch chi'n darllen . . . ?'

'Dwyt ti ddim yn meddwl 'i bod hi'n rhyfedd na chlywodd neb ddim?'

'Nadw. Os mai dim ond Mrs Moore glywodd y tacsi, ma'n ddigon posib fod car arall wedi pasio'r tai heb i neb 'i glywed.'

'Posib. Ond beth os na phasiodd car arall heibio'r tai? Fydde dim peryg wedyn i rywun 'i glywed e, na fydde?'

Caeodd Gareth ei lygaid a siglo'i ben yn hurt. 'A beth ma' hynny'n 'i feddwl?'

'Wyt ti'n credu mai mewn car y symudwyd corff y ferch i'r goedwig?'

'Dyna'r ffordd fwya tebygol.'

'Ond wyt ti'n credu mai dyna sut y symudwyd 'i chorff i'r goedwig?'

Oedodd Gareth am eiliad gan ochneidio'n dawel iddo'i hun. 'Nadw, ddim erbyn hyn.'

'Aa!' ebychodd Ken Roberts gan eistedd i fyny. 'A pha ffordd arall y gallai fod wedi ca'l 'i gario yno?'

'Ar hyd llwybr yr arfordir. Ma' dros bum milltir o

Marine Coast i Goed y Gaer ar hyd y ffordd fawr, ond llai na dwy ar hyd yr arfordir.'

'Sy'n pasio heibio i Goed y Gaer.'

'Ie, ma' 'na lwybr yn arwain drwy'r goedwig sy'n cysylltu â llwybr yr arfordir.'

'A dyna'r ffordd da'th y llofrudd â hi?'

'Os na dda'th e ar hyd y ffordd, ma'n rhaid mai ar hyd y llwybr dda'th e. Ond os y'ch chi'n meddwl y cewn ni dyst a all ddweud yn wahanol . . .'

'Dwi'n ame'n fawr a gewn ni un.'

'Wel, pam y'ch chi'n gofyn . . . ?'

'Wyt ti wedi bod ar hyd llwybr yr arfordir?'

Ochneidiodd Gareth. 'Do. Fe gerddes i e wthnos dwetha.'

Symudodd yr arolygydd rai o'r ffeiliau mewn ymgais i ddod o hyd i adroddiad Gareth o'i daith. Ond nid oedd yno, ac nid oedd Gareth ar fin dweud wrtho ei fod yn nrâr ei ddesg.

Rhoddodd yr arolygydd y gorau i'w chwilio. 'Faint o amser gymrodd e i ti i gerdded o Marine Coast i Goed y Gaer?'

'Chwarter awr.'

'Faint wyt ti'n credu gymere fe i rywun o'dd yn cario corff?'

'Ma'n dibynnu pwy o'dd yn neud y cario, ond dyw'r amser ddim yn bwysig; ro'dd gydag e, neu nhw, ddeuddeg awr.'

'Ond ro'dd yn rhaid iddo fe fod yn ofalus na welai neb e ar y llwybr.'

'Do'dd dim peryg o hynny yn ystod orie'r nos.'

'Ond alle fe ddibynnu ar hynny?'

'Naw deg naw y cant, ddweden i.'

'Dim ond ti fuodd ar hyd y llwybr?'

'Fi a Kevin Harry.'

'Ddethoch chi o hyd i rwbeth?'

'Digon o bapure losin a chanie cwrw – a baw ci – ond dim byd o'dd â chysylltiad amlwg â'r llofruddiaeth. Casglon ni sawl dwsin o stwmpe sigaréts ac ambell i sigâr a alle fod yn werthfawr o safbwynt DNA.'

'Wyt ti wedi'u cymharu nhw â'r olion DNA ar gorff Lisa?'

'Ry'n ni wedi'u danfon nhw a'r canie cwrw at y Gwasanaeth Fforensig, ond dy'n ni ddim wedi clywed oddi wrthyn nhw 'to.'

Caeodd Ken Roberts y ffeil a chodi o'r gadair. Cododd Wyn Collins ei ben, ond pan welodd yr arolygydd yn dechrau cerdded o gwmpas yr ystafell, trodd ei sylw'n ôl at y cyfrifiadur.

'Beth am y gwersyll carafanne'i hunan? Odych chi wedi bod 'nôl fan'ny ers noson yr ail-greu?'

'Do, i siarad â'r perchennog, ond . . .'

'Beth am chwilio'r carafanne?'

'I beth? Do'dd Lisa Thomas ddim yn aros ar y maes.'

Trodd Ken Roberts i wynebu Gareth. 'Ond fe alle hi fod wedi ca'l 'i lladd yn un ohonyn nhw.'

Ochneidiodd Gareth eto. 'A'th Eifion a'r perchennog o gwmpas y carafanne noson yr ail-greu, ond do'dd dim ôl llofruddiaeth yn un ohonyn nhw.'

'Ond odi Kevin wedi bod drwyddyn nhw?' gofynnodd Roberts, heb geisio guddio'r tinc beirniadol yn ei lais. Roedd yn amlwg yn credu iddo gael gafael ar fan gwan yn y modd roedd Gareth wedi llywio'r ymchwiliad, ac fel y daeargi y'i cymharwyd ag ef gan sawl un, nid oedd am adael llonydd iddo.

‘I beth? Ma’ digon o waith arall ’da fe.’

‘Ond dyna beth *yw* ’i waith e! Beth yw’r pwynt . . . ?’

‘Drychwch,’ meddai Gareth ar ei draws, gan ymdrechu i gadw reolaeth arno’i hun. ‘Dwedodd patholegydd y Swyddfa Gartre y bydde ’na dipyn o ôl ymladd yn y lle y digwyddodd yr ymosodiad, yn ogystal ag ôl gwa’d. A’th Eifion a pherchennog Marine Coast o gwmpas y carafanne ond do’dd dim byd fel’ny i’w weld. ’Sen nhw wedi gweld rhwbeth, neu ’sen nhw wedi ame bod rhwbeth wedi digwydd yn un o’r carafanne, yna fe fydden i wedi gofyn i Kevin ymchwilio ’mhellach.’

Efallai fod Gareth wedi dechrau siarad yn araf a phwyllog, ond erbyn iddo orffen roedd yn ymwybodol bod ei lais yn diasbedain drwy’r ystafell. Roedd Wyn Collins wedi rhoi’r gorau i hyd yn oed esgus teipio.

O’r diwedd tawelodd atsain llais Gareth gan adael iddo ef a Ken Roberts rythu’n dawel er ei gilydd am rai eiliadau. Yr arolygydd oedd y cyntaf i siarad.

‘Ma’ pythefnos wedi pasio ers i Lisa Thomas ga’l ’i llofruddio ac ma’n amlwg – yn amlwg iawn – nad y’n ni gam yn agosach at ddal y llofrudd. Ma’ Chief Inspector Owen wedi gofyn i fi edrych ar yr ymchwiliad i weld be sy wedi mynd o’i le. Nawr, gan mai ti sy wedi bod yn cydgordio’r ymchwiliad hyd yn hyn, dwi’n deall yn iawn dy fod ti o’r farn fod popeth posib wedi ca’l ’i neud a’i fod e wedi ca’l ’i neud yn drylwyr. Wel, dwi ddim wedi ca’l fy mherswadio o hynny eto. O’r ychydig dwi wedi’i ddarllen, galle mwy fod wedi ca’l ’i neud, a’i neud yn wahanol, a dyna fydda i’n ’i ddweud wrth y *chief inspector*. Ac os o’s ’na ffeilie erill ar wahân i’r rhai sy fan hyn, yna dwi am ’u gweld nhw. Nawr!’

Dydd Llun 1 Tachwedd
14:00 – 19:35

Llywiodd Eifion ei gar ar hyd y ffordd gul i gyfeiriad y tŷ to coch. Er bod Coastwinds i'w weld yn glir am filltiroedd ar draws y wlad, nid oedd yn hawdd dod o hyd iddo. Cofiai Eifion yr unig dro arall iddo yrru ar hyd y ffordd hon. Bryd hynny roedd ei berthynas â Richie Ryan yn wahanol, neu o leiaf dyna a gredai ef. Roedd hi'n gynnar yn yr ymchwiliad i lofruddiaeth Lisa Thomas, a'r heddlu'n dal i ymchwilio i'w chefndir i ddarganfod pwy oedd ei ffrindiau, lle'r oedd hi'n gweithio, a sut roedd hi'n treulio'i hamser, gan obeithio y byddai'r atebion i'r cwestiynau hynny'n adeiladu darlun cliriach o fywyd – a marwolaeth – merch ifanc bedair ar hugain oed.

Ac o un i un fe gafwyd atebion; rhai yn cadarnhau gwybodaeth oedd gan yr heddlu eisoes, rhai yn arwain at fwy o gwestiynau, ac eraill yn arwain i nunlle. Ond un ateb a ddaeth fel ergyd i Eifion oedd y ffaith fod Lisa Thomas wedi bod yn gweithio ym maes carafannau Marine Coast yn ystod misoedd yr haf. Bu Eifion yn y maes carafannau sawl gwaith yn holi Ryan am ddigwyddiadau noson y llofruddiaeth, yn ogystal â'i gynghori ynglŷn â diogelwch y gwersyll, ond nid oedd y perchennog wedi crybwyll unwaith fod Lisa wedi bod yn gweithio yno. Ac ymgais i gael esboniad am yr amryfusedd hwnnw oedd wedi arwain Eifion i Coastwinds gyntaf.

Fel ffŵl roedd wedi derbyn esboniad Ryan nad oedd e'n cofio Lisa Thomas ac nad oedd disgwyl iddo gofio pob un o'r staff rhan-amser a thymor byr a weithiai iddo yn ystod y tymor ymwelwyr. Fe ddylai'r profiad hwnnw fod wedi ei rybuddio nad oedd Ryan yn berson y dylai ymddiried ynddo, ond y gwir amdani oedd ei fod wedi clywed yr hyn roedd am ei glywed, ac o ganlyniad wedi'i gael ei hun mewn dyfroedd dyfnion iawn.

Parciodd Eifion ei gar yn ymyl BMW glas tywyll Ryan a cherdded i fyny'r llwybr briciau coch at y tŷ.

'Eifion,' meddai Ryan, gan wenu'n gyfeillgar pan atebodd y drws. 'Dere mewn.'

Camodd Eifion i mewn i'r cyntedd gwyn eang.

'Dere drwyddo, dwi yn y stydi,' meddai, fel pe bai Eifion yn gyfarwydd â phob twll a chornel o'r tŷ. 'Gymeri di rwbeth i'w yfed?' a chwifiodd Ryan ei fraich at gwpwrdd a oedd yn drwm gan boteli.

'Na.'

'Stedda. Sigâr, 'te?' gan estyn blwch arian tuag ato.

'Na.' Roedd Eifion wedi'i wneud ei hun yn llawer rhy gyfforddus ar ei ymweliad cyntaf. Efallai ei bod hi braidd yn hwyr iddo ymwrthod â themtasiynau Ryan nawr, ond roedd yn benderfynol o beidio â gwaethygu'r sefyllfa.

'Shwd wyt ti'n cadw?' gofynnodd Ryan, gan gynnau sigâr iddo'i hun.

'Dwi wedi bod yn well.'

'Gwylie,' meddai Ryan gan chwythu mwg o gornel ei geg. 'Ma' angen gwylie ar bawb amser hyn o'r flwyddyn. Tywyllu'n gynnar, y tywydd yn ddiflas, sdim rhyfedd bod cymint o bobol yn diodde anhwylder a salwch . . .'

'Beth wyt ti moyn?' gofynnodd Eifion yn swta ar ei

draws. Gwyliau oedd y peth diwethaf roedd ef am ei drafod; awch am arian i gael gwyliau i'w wraig a'i blentyn oedd wedi ei arwain i mewn i'r fagl, ac roedd yn amau'n fawr ai gwyliau roedd Ryan ei hun am ei drafod hefyd.

'Wel,' meddai Ryan, heb ddangos unrhyw letchwithdod gyda diffyg hwyl Eifion. 'Gan dy fod mor awyddus i fynd lawr at y glo mân, fe weda i wrthot ti. Ma' 'da fi ffrindie sy'n chwilio am ychydig o wybodaeth. Gwybodaeth ma'n nhw'n . . .'

Cododd Eifion. 'Dwi ddim ise clywed hyn.'

'Paid â gwylltio. Gwranda ar be sy 'da fi i' weud.'

'Na! Dwi wedi bod yn ddigon o ffŵl yn barod, a dwi ddim yn bwriadu neud pethe'n wa'th.'

'Dwi ddim yn gofyn i ti neud dim byd; dim ond ca'l gafel ar ychydig o wybodaeth, 'na i gyd.'

'Ma' hynny'n ddigon,' meddai Eifion gan gerdded am y drws.

'Do's dim rhaid i ti *neud* dim.'

Agorodd Eifion y drws.

'Eifion!' galwodd Ryan ar ei ôl, ei lais yn galetach a heb arlliw o'r hwyl a'r cyfeillgarwch blaenorol. 'Paid gweud dy fod ti wedi anghofio am y fideo.'

Arhosodd Eifion. 'Na, dwi ddim wedi anghofio amdano.'

'A'r hyn sy arno fe? Llunie ohonot ti'n derbyn arian am gadw'n dawel ynglŷn â llofrudd Lisa Thomas?'

Trodd Eifion i wynebu Richie Ryan. 'Ddim dyna be sy arno fe. Arian gynigest ti i fi am dy gynghori di ynglŷn â diogelwch y maes carafanne o'dd e; ro'dd cymryd hwnnw'n ddigon drwg, ond fydden i byth wedi cymryd arian i gadw'n dawel am lofruddiaeth.'

'Ond pwy sy'n mynd i dy gredu di, e?'

Allai Eifion ddim ateb, gan ei fod yn gwybod yr ateb. Neb.

'Yn enwedig gan fod cymint o amser wedi pasio ers i Lisa ga'l 'i lladd. Beth wyt ti'n meddwl bydde ymateb Chief Inspector Owen petaet ti'n dweud wrtho fe nawr dy fod ti'n gwbod pwy lofruddiodd hi? Na, Eifion, dwi ddim yn credu bod 'da ti ryw lawer o ddewis.'

Suddodd ysgwyddau'r heddwas.

Meddalodd llais Richie Ryan. 'Dere, stedda a gwranda ar be sy 'da fi i' weud.'

Doedd Ryan ddim wedi symud o'i gadair; eisteddai yno'n amyneddgar a chwarae'r sigâr rhwng ei fysedd gan ddisgwyl i Eifion ufuddhau, a dim ond pan oedd hwnnw'n eistedd unwaith eto yr aeth yn ei flaen.

'Fel ro'n i'n gweud, ma' 'da fi ffrindie sy'n berchen clwb, a ma'n nhw'n poeni 'u bod nhw'n mynd i ga'l bai ar gam. Er gwaetha pob ymdrech i gadw cyffurie mas o'r clwb, ma' rhywun neu rywrai'n 'u gwerthu nhw yno. Bob tro ma'r perchnogion yn dal rhywun a chyffurie arnyn nhw ma'n nhw'n 'u taflu nhw mas, ond am bob un ma'n nhw'n 'i ddal, ma' dau neu dri yn cymryd 'i le.'

Tynnodd Ryan yn galed ar ei sigâr a sicrhau ei bod yn llosgi'n iawn cyn mynd ymlaen.

'Un noson ryw wthnos 'nôl sylweddolodd un o weithwyr y clwb bod sawl plismon yn cymysgu 'da'r cwsmeriaid, a dim ond un rheswm alle fod am 'ny: rhaid 'u bod nhw'n paratoi ar gyfer ymgyrch. Ti'n gwbod pa mor anodd yw hi i ddadle dy fod ti'n ddiniwed pan fydd rhywun yn neud rhwbeth reit o dan dy drwyn, a dyna sy'n poeni fy ffrindie.'

'Gwed wrthyn nhw i roi'r gore i'r busnes, 'te,' cynghorodd Eifion yn ddifeddwl.

'Allan nhw ddim neud 'ny, ma'r clwb yn neud arian fel whare. Na, ma'n nhw ise cadw'r busnes ac aros ar delere da 'da'r heddlu.'

'Be ti'n disgwl i fi 'i neud? Do's 'da fi ddim byd i' neud â chyffurie.'

'Dwi'n gwbod 'ny. Dwi'n gwbod 'ny'n iawn, ond ma'n siŵr dy fod ti'n nabod un neu ddau o'r . . .'

'Na!' meddai Eifion.

Gwenodd Richie Ryan a siglo'i ben. 'Paid â gweud "na" o hyd, Eifion. Ffafr i ffrind, 'na i gyd dwi'n gofyn. Dim ond ise gwbod a yw llygid y South Wales Drug Squad ar glwb o'r enw Rise Seven Five, 'na i gyd. Nawr dyw hwnna ddim yn ormod i'w ofyn, yw e? Yw e?'

'Gareth, alla i ga'l gair 'da ti?'

Cododd Gareth ei ben o'r papurau a disgwyl i'r Prif Arolygydd Clem Owen ddweud beth oedd ar ei feddwl. Ond pan gerddodd ei bennaeth allan o'r ystafell bu'n rhaid iddo ef ei ddilyn.

'Ca'r drws,' meddai Clem ar ôl i'r ddau gyrraedd ei swyddfa ef. 'Unrhyw ddatblygiade 'da'r ymchwiliad?'

Doedd dim rhaid i Gareth ofyn pa ymchwiliad. Doedd dim ond un.

'Dal i ddisgwl am y canlyniade DNA.'

'Dim byd arall? Dim gwybodaeth bellach oddi wrth y cyhoedd?'

'Dy'n ni ddim wedi ca'l rhyw lawer o'r cyfeiriad hwnnw o gwbwl.'

'Beth am y bobol fu yn y ddawns?'

'Ro'dd sawl un yn cofio gweld Lisa yno, ond neb yn 'i chofio hi'n gadel. Ry'n ni wedi holi'r dynion fu'n dawnsio 'da hi, neu o leia'r rhai sy wedi cyfadde iddyn nhw ddawnsio 'da hi, ond ma' 'da nhw i gyd dystion i ble'r o'n nhw tan ddiwedd y ddawns.'

'O's 'na drywydd dy'n ni ddim wedi'i ddilyn? Neu unrhyw beth y dylen ni'i ailystyried?'

Siglodd Gareth ei ben. 'Dwi ddim yn gweld beth arall allwn ni'i neud. Ma' pethe wedi tawelu'n ofnadw. Dim ond pan ddown ni o hyd i'r lle gafodd Lisa'i llofruddio y bydd pethe'n gwella.'

'Ond do's dim argoel o 'ny, o's e?'

'Nago's. Ddim ar hyn o bryd.'

'Na. Wel, 'na pam dwi wedi gofyn i Inspector Roberts gymryd golwg ar bethe.'

'Dwi'n gwbod.'

'Ma' fe wedi ca'l gair 'da ti, odi fe?'

'Odi.'

'Ac a'th popeth yn iawn?'

'Ar wahân i ddangos yn ddigon amlwg nad yw e'n cytuno â'r ffordd dwi wedi bod yn cynnal yr ymchwiliad, allech chi weud fod popeth wedi mynd yn iawn.'

'Ie, wel, paid cymryd pethe'n bersonol; ti'n gwbod mai fel'na ma' Ken. Ac ar ôl bod i ffwrdd o'r gwaith am gymint o amser, ma' fe'n awchu i ga'l neud rhwbeth unweth 'to.'

'Mi fydde ca'l gwbod mla'n llaw beth o'ch chi wedi'i benderfynu wedi bod yn help.'

'Ti'n iawn, ddylen i fod wedi gweud 'thot ti, ond do'n i ddim yn siŵr 'yn hunan beth i' neud â Ken nes i fi'i weld e bore 'ma.'

Nodiodd Gareth mewn cydymdeimlad. Doedd ganddo ef mo'r syniad lleiaf beth i'w wneud â'r Arolygydd Ken Roberts chwaith.

'Ma' 'da fi gyfarfod â Mr Peters am hanner awr wedi pedwar,' meddai'r prif arolygydd, a thinc hunandosturiol yn ei lais. 'Ma' fe ise gwbod beth yw'r diweddara am achos Lisa Thomas gan fod 'dag e gyfarfod yn Gyfyrddin bore fory. Ac fe alli di fentro'u bod nhw'r un mor awyddus i wbod am unrhyw ddatblygiade. Wel, yn anffodus, do's 'na ddim, o's e? Dyw'r *super* ddim yn hoff iawn o Ken Roberts ar hyn o bryd, ond yn absenoldeb unrhyw wir ddatblygiad, bydd 'i ga'l e i adolygu'r ymchwiliad yn rhwbeth newydd, yn rhwbeth i' gynnig iddo fe, ac fe all e 'i gynnig e i Gyfyrddin yn 'i dro. Ond os o's 'na unrhyw beth arall . . .'

Torrwyd ar ei draws gan sŵn rhywun yn curo ar ddrws y swyddfa.

'Mewn,' galwodd Owen.

Ymddangosodd pen Ian James o gwmpas y drws.

'Mas,' galwodd Owen.

Gwenodd y rhingyll yn serchog. 'Rhowch gyfle i fi, newydd ddod mewn odw i.'

'Wel, fe alli di droi rownd a mynd mas 'to.'

'Gofyn am yr adroddiad . . .'

'Do's 'da fi ddim amser nawr, James.'

'Ond fe ofynnes . . .'

'Alli di ddim gweld 'mod i a Sarjant Lloyd yn trafod pethe pwysig?'

'Chi wedodd wrtha i i ddod mewn,' meddai James yn bigog, gan ymdrechu i gadw'r wên ar ei wyneb.

'Dwi wedi gweud 'thot ti i fynd mas 'fyd.'

Syllodd y ddau'n galed ar ei gilydd. Astudiodd Gareth y llun o dîm rygbi Heddlu Dyfed-Powys 1978 a grogai ar y wal.

'Ddo i nôl wedyn, syr,' meddai Ian James, gan adael yr ystafell a chau'r drws ar ei ôl.

'Alli di gredu wyneb y diawl bach?' meddai Owen i dorri'r distawrwydd lletchwith a ddilynodd ymadawiad James. 'Ma'n 'y nghorddi i i' weld e'n cerdded yn fras o gwmpas y lle fel'se dim byd 'di digwydd, a Carol bant yn sâl.'

'Odych chi wedi clywed shw' ma' hi?' gofynnodd Gareth mewn ymgais wan i droi'r sgwrs oddi wrth ymddygiad honedig Ian James. Nid oedd am gael ei alw fel tyst mewn achos o enllib; roedd y cyfweliad y bu'n rhaid iddo'i ddioddef fel rhan o'r ymchwiliad i ymddygiad Ken Roberts yn dal yn fyw iawn yn ei gof.

Ond doedd dim gwyro ar deithi meddwl ei bennaeth. 'Ma' hi'n gwella o effeithie ymosodiad corfforol Graham Ward, ond fe gymerith hi dipyn mwy o amser iddi wella'n emosiynol ar ôl ymosodiad James.'

'Ma' Carol yn berson cryf.'

'A diolch byth am 'ny. Ond pan ma' un o dy gyd-weithwyr, rhywun ddylet ti allu ymddiried ynddyn nhw, yn dy drin di fel'na, yn dy adel di lawr, beth wyt ti'n 'i neud? Pwy alli di ymddiried ynddyn nhw wedyn?'

'Odi Carol yn mynd i gwyno am James?'

Cododd Owen ei freichiau mewn anwybodaeth ac anobaith. 'Pwy a ŵyr? Dyw hi ddim yn gwbod beth yw'r peth gore i' neud. Mae'n gwbod beth *ddyle* hi neud, fel mae'n gwbod beth ddyle pobol sy'n diodde ymosodiad ar ôl ymosodiad ar 'u cartrefi gan ryw ddiawled bach prin mas o'u clytie sy'n byw yn yr un stryd â nhw 'i neud.'

'Ma'n anodd iddi hi, yn enwedig os nad o's 'na dyst i'r digwyddiad.'

'Wi'n gwbod 'ny, ond os nad wyt ti'n neud rhwbeth am y peth, rwyt ti fwy neu lai'n cefnogi torcyfraith.'

'Ond . . .'

'A beth yw'r pwynt sôn am gyfraith a threfn drw'r amser? A beth ar y ddaear y'n *ni'n* 'i neud? Ry'n ni'n lico meddwl 'yn bod ni'n neud rhwbeth o werth, rhyw wahaniaeth, on'd y'n ni? Ond gyda chymint o droseddwyr yn cerdded yn rhydd ac yn codi dau fys ar bawb, odyn ni'n neud unrhyw wahaniaeth o gwbwl? A ble ma' cyfiawnder i bobol fel Carol yng nghanol hyn i gyd? Pwy sy'n mynd i ddwyn pobol fel Ian James i gyfri, gwed ti?' Ochneidiodd Clem Owen a phwyso'n ôl yn ei gadair. 'Wi'n gweud y gwir 'thot ti, Gareth, wi'n dechre anobeithio. Ac os y'n ni'n poeni am Carol, ma'n bwysicach 'yn bod ni'n neud 'yn gore i ddal llofrudd Lisa Thomas. Gall Carol ddewis os yw hi am ddwyn James i gyfri neu beidio. Do's dim dewis 'da Lisa; ni yw 'i hunig obeth hi, ac os na allwn ni neud 'ny, man a man i ni roi'r gore iddi nawr a mynd adre.'

'Faint o amser sydd ers i ti ddarganfod Judith Watkins?' gofynnodd Dr Helen Evans, wrth iddi droi tudalennau'r pad papur mor ddidaro fel yr atebodd Carol heb oedi eiliad, heb feddwl.

'Pymtheg wthnos.' A sylweddolodd y dylai fod wedi oedi, y dylai fod wedi meddwl.

'Rwyt ti'n dal i gyfri, 'te?'

'Odw,' meddai Carol gan ddal edrychiad y meddyg, fel pe bai'n ei herio i'w beirniadu.

'Ac yn amlwg yn dal i feddwl am Judith.' Y llais yn dawel a digyffro fel arfer.

Nodiodd Carol. 'Odw. Ddim bob dydd, ond . . .'

'Pa mor amal?'

Oedodd, ond roedd hi'n rhy hwyr bellach. 'Yn ddigon amal.'

Trodd Carol ei phen i ffwrdd ond doedd hynny ddim yn ddigon i ddileu'r atgof o gorff Judith Watkins yn arnofio ar wyneb y dŵr.

Ar ôl darganfod y corff collodd Carol flas ar bopeth: ar ei gwaith, ar gwmni, ar fwyd, ar fywyd ei hun. Mor fyr, mor frau, mor . . . Pam na allai hi fod wedi ei hachub? Pam? Pam oedd hi wedi sylweddoli i ble'r oedd Judith wedi dianc os nad oedd y wybodaeth honno'n mynd i achub ei bywyd? Ychydig funudau ynghynt ac fe allai fod wedi ei thynnu o'r dŵr; fe allai fod wedi anadlu bywyd i mewn iddi unwaith eto. Fe allai fod wedi gwneud hynny. Roedd wedi cael ei hyfforddi i wneud. Felly pam roedd hi wedi methu?

Pan welodd Clem Owen ei bod yn colli ei hunanhyder fe'i perswadiodd i gael sesiynau cynghori. Byddai'n gyfle iddi siarad am y digwyddiad; yn gyfle iddi ei gwaredu ei hun o'r teimladau a'i gormesai, mai arni hi oedd y bai fod Judith Watkins wedi marw, a'i hatal rhag ei llabyddio'i hun â'r holl gwestiynau 'pam'.

Ond dim ond am ychydig y bu'r sesiynau hynny o gymorth i Carol. Pan aeth yr aildroedio a'r ail-fyw diddiwedd yn fwrn arni, a'r siarad yn ddim ond geiriau gwag, rhoddodd y gorau iddynt. Erbyn hynny, beth bynnag, roedd cwmni Glyn yn llawer mwy o gymorth iddi na'r sesiynau cynghori. Yn ei gwmni ef fe allai edrych ymlaen at y dyfodol; fe allai feddwl am yr hyn a allai ddigwydd ac anghofio'r hyn oedd wedi digwydd a'r pethau na allai eu newid.

Am y tro cyntaf yn ystod eu carwriaeth bu'r ddau i ffwrdd gyda'i gilydd, yn mwynhau cael dyddiau di-dor iddyn nhw eu hunain. Ond byrhoedlog fu hynny. Ar ôl dychwelyd newidiodd Glyn ei gân a dweud ei fod yn falch fod pethau'n ôl fel roedden nhw gynt unwaith eto. Roedd hynny'n siom enfawr i Carol, ac o'r eiliad honno gwyddai na allai obeithio am fwy allan o'u perthynas, na'i bywyd, ond mynd o ddydd i ddydd, ac mai ffôl fyddai meddwl am ddyfodol y tu hwnt i yfory.

'Wyt ti wedi bod mas o gwbwl ers i ni gyfarfod dwetha?' gofynnodd Dr Evans.

'Beth?'

'Wyt ti wedi bod mas yn ystod yr wthnos?'

'Nagw.'

'O's rhywun yn galw i dy weld di?'

'Ma' Lunwen yn galw.'

'WPC Thomas?'

'Ie.'

'Odych chi'n mynd mas o gwbwl?'

Siglodd Carol ei phen.

'Pam?'

'Yr un blas sydd i'r gwin ble bynnag y'ch chi'n 'i yfed e.'

'A faint wyt ti'n 'i yfed?'

Cododd Carol ei hysgwyddau.

'Mwy nag o't ti'n arfer 'i neud?'

'Dyw yfed ddim yn broblem.'

'Be sy'n broblem, 'te, Carol?'

Edrychodd i ffwrdd am eiliad eto. Bron popeth arall, meddyliodd.

'Dim byd,' meddai.

'*Blydi hel!*' meddai Eifion Rowlands wrtho'i hun, gan dynnu ei got a'i thaflu dros gefn ei gadair. '*Blydi hel!* Yr Uned Gyffuriau!' Os oedd yna un rheol aur yn yr heddlu y gwyddai Eifion amdani, peidio ag ymyrryd ym musnes yr Uned Gyffuriau oedd honno. Roedden nhw'n ddeddf iddynt eu hunain ac roedd y dulliau a ddefnyddient i ddal y cyflenwyr a'r dosbarthwyr yn rhai na wyddai Eifion ddim amdanynt; roedden nhw'n rhai y byddai'n well ganddo beidio â gwybod dim amdanynt hefyd. Ac yn sicr doedd swyddogion yr uned ddim yn rhannu gwybodaeth â neb. Roedd yr hyn roedd Richie Ryan yn gofyn amdano yn gwbl amhosibl.

Cyneuodd sigarét, pwyso'i ben yn ôl dros gefn y gadair a chwythu'r mwg tua'r nenfwd. Ond eto roedd Ryan o ddifrif yn disgwyl iddo gyflawni'r cais. Wel, cer i gefn y rhes, meddyliodd Eifion; rwyt ti, fel pawb arall, yn disgwyl i fi wneud yr amhosibl.

Agorodd un o'r ffeiliau ar ei ddesg a dechrau darllen, ond ni allai ganolbwyntio. Ymwthiai Richie Ryan a'i gais yn ôl i'w feddwl. Doedd cael y cais, nage y gorchymyn, yn ddim mwy nag roedd Eifion wedi ei ddisgwyl. Unwaith roedd crafangau dyn fel Ryan wedi gafael ynoch chi, doedd dim gobaith cael llonydd wedyn. Ni allai Eifion feio neb ond ef ei hun, ond ni fyddai hunandosturi o ddim help iddo; os oedd am osgoi bod dan fawd Ryan am weddill ei yrfa, byddai'n rhaid iddo wneud rhywbeth am y sefyllfa.

Dechreuodd ddarllen unwaith eto, ond pan sylweddolodd ei fod yn darllen yr un paragraff am y trydydd tro ac yn dal heb ddeall gair, caeodd y ffeil.

Tynnodd yn galed ar y sigarét a chynnau un arall wrth ei chynffon tra phendronai am Richie Ryan. Pwy oedd y bobl yma roedd e wedi sôn amdanyn nhw? Beth oedd ei gysylltiad â nhw? Ac os oedd yr Uned Gyffuriau ar eu hôl a Ryan yn eu hadnabod, a oedd ef hefyd yn rhan o'u busnes cyffuriau? Os felly, a oedd gan yr Uned Gyffuriau ddiddordeb yn Richie Ryan? Beth os oedden nhw'n cadw llygad ar Ryan yn barod ac yn gwylio'i dŷ i weld pwy oedd yn mynd a dod? Golchodd ton o chwys oerdwym drosto. A oedd ef wedi cael ei ddal unwaith eto yn ddiarwybod iddo ef a Ryan? Neu a oedd Ryan yn gwybod bod yr Uned Gyffuriau'n ei wylio ac am iddo ef hefyd gael ei ddal yn y fagl?

Cododd Eifion a chicio'i gadair yn ôl gan ddechrau cerdded yn ôl ac ymlaen ar hyd yr ystafell yn orffwyll.

Y diawl ag e! Y diawl! Y diawl! Y diaw . . . Aros, aros. Aros! Paid colli dy ben.

Tynnodd y gadair yn ôl at y ddesg ac eistedd. Doedd dim i'w ennill o hel meddyliau fel hyn. Roedd yn rhaid iddo feddwl yn glir am ei sefyllfa, a'r peth cyntaf roedd yn rhaid iddo'i wneud oedd darganfod beth yn hollol oedd gêm Richie Ryan.

Go brin y byddai Ryan yn gwneud ffafr â neb. Mae'n siwr y byddai'r wybodaeth roedd am i Eifion ei chael o fantais iddo ef ei hun, a mentrai Eifion ei fod yn rhywbeth anghyfreithlon. Ond a oedd e'n rhywbeth y gallai ef ei ddefnyddio yn erbyn Ryan? Rhywbeth y gallai ei ddefnyddio i fargeinio ag ef yn erbyn y fideo ddiawl yna?

Os oedd gan yr Uned Gyffuriau ddiddordeb yn Ryan, yna'n sicr fe fyddai ganddynt wybodaeth amdano, ond gwyddai mai cysylltu â nhw oedd y peth olaf y dylai ei wneud. Byddai'n fwy o ffŵl fyth petai'n mynd o fewn can milltir iddyn nhw i chwilio am wybodaeth. Unwaith y byddai ei enw ef yn wybyddus i'r uned fel rhywun oedd â diddordeb ym musnes Ryan, roedd yna berygl y byddent yn cymryd diddordeb ynddo yntau hefyd. Ond eto roedd yn rhaid iddo gael gwybodaeth am Ryan o rywle.

'Eifion! Wyt ti'n clywed?'

Stwriodd Eifion ei hun a throi i weld Ken Roberts yn sefyll yn y drws yn syllu arno.

'Beth?'

'Ro't ti'n edrych fel dyn mewn breuddwyd. Gartre yw'r lle i gysgu . . .'

'Do'n i ddim yn cysgu,' protestiodd Eifion, ychydig yn rhy haerllug wrth fodd yr arolygydd.

'Paid colli dy dymer 'da fi.'

Ochneidiodd Eifion yn dawel. 'Odych chi ise rhwbeth?'

'Odw, Eifion. Alla i mo'i gredu fe'n hunan, ond dwi ise rhwbeth a dim ond ti all fy helpu i.'

Tynnodd Eifion sigarét arall o'r pecyn.

'Ro'n i'n meddwl bod rheol dim smygu yn yr adeilad,' meddai'r arolygydd.

Cyneuodd Eifion y sigarét ac aros i Ken Roberts ddweud ei neges.

'Ma'n siŵr dy fod ti wedi clywed bod Chief Inspector Owen wedi gofyn i fi daflu golwg dros yr ymchwiliad i lofruddiaeth Lisa Thomas . . .'

Pesychodd Eifion wrth i fwg y sigarét losgi ei wddf.

'. . . ac un agwedd o'r ymchwiliad sy'n 'y mhoeni i yw'r adroddiad fforensig ar y carafanne yn Marine Coast . . .'

Dioddefodd Eifion bwl arall o beswch.

'Gair i gall,' meddai'r arolygydd. 'Os nad yw'r rheina'n cytuno â ti, fydden i'n dy gynghori di i roi'r gore iddyn nhw ar unwaith.'

Sychodd Eifion y llwch o'i gôl ac eistedd i fyny yn ei gadair.

'Pa adroddiad fforensig?'

'Dyna'r pwynt, do's 'na ddim adroddiad, o's e?'

'Nago's.'

'Pam?'

'Pam y'ch chi'n gofyn i fi? Gofynnwch i Sarjant Lloyd; fe a'r *chief inspector* sy'n gyfrifol am benderfyniade fel'ny.'

'Ond pam wyt ti'n meddwl na ofynnon nhw am archwiliad fforensig o'r carafanne?'

Cododd Eifion ei ysgwyddau. 'Am nad o'n nhw'n meddwl bod angen un.'

'Ond ro'dd adroddiad y patholegydd ar Lisa Thomas yn dweud bod olion ffibre carped ar 'i chorff, a bod y ffibre 'ny wedi dod o'r math o garped sy'n ca'l 'i ddefnyddio mewn ceir a charafanne. O't ti'n gwbod 'ny?'

'O'n. Ac o'r car gafodd hi 'i chario ynddo fe o Marine Coast i Goed y Gaer dda'th y ffibre hynny.'

'Dyna o'dd Gareth Lloyd yn 'i feddwl?'

'Hyd y gwn i.'

'Ond beth os na chafodd Lisa 'i symud mewn car?'

'Fan, 'te. Carpedi ceir, carafanne a fanie, wedodd yr adroddiad *post mortem*.'

Nodiodd yr arolygydd a syllu'n dawel ar Eifion. 'Ie, ti'n iawn, dyna ma'r adroddiad yn 'i ddweud.'

'Felly mewn fan a ddim mewn car ga'th hi 'i chario i Goed y Gaer,' meddai Eifion, gan danlinellu'r hyn oedd yn hollol amlwg yn ei feddwl ef.

Nodiodd Ken Roberts eto.

'Fe wnest ti ystyried y posibilrwydd iddi ga'l 'i llofruddio yn un o'r carafanne, on'd do fe?'

Tynnodd Eifion ar ei sigarét cyn ateb. 'Do.'

'Ac fe est ti a pherchennog y gwersyll o'u cwmpas nhw ar noson yr ail-greu.'

'Do.'

'Wel?'

'Wel beth? Do'dd dim byd 'na.'

'Dim byd? Dim ôl o unrhyw fath?'

'Dim. Ro'dd y gwersyll wedi bod ar gau ers diwedd mis Medi. Ro'dd y carafanne i gyd wedi'u glanhau a'u cloi dros y gaea.'

'Pa mor fanwl edrychoch chi arnyn nhw?'

'Fel wedes i, do'dd dim byd i' weld. Ro'dd yr adroddiad fforensig ar Lisa Thomas yn gweud y bydde hi wedi colli lot o wa'd, a phetai hi wedi ymladd i'w hamddiffyn 'i hun, fe fydde ôl hynny i'w weld 'na 'fyd.'

'A do'dd dim byd fel'ny i' weld yn y carafanne?'

'Nago'dd. Ro'n nhw i gyd yn lân ac yn daclus.'

'Hm,' meddai Ken Roberts. 'A dim ond ti a'r perchennog edrychodd ynddyn nhw?'

'Ie.'

'Ac fel dwi'n deall, wedest ti ddim byd wrth neb dy fod ti'n bwriadu'u harchwilio nhw, do fe?'

'Do'dd e ddim yn rhwbeth o'n i wedi'i gynllunio. Ail-greu amgylchiade'r noson ola cyn i Lisa Thomas ga'l 'i llofruddio o'dd hi i fod, ond pan o'n i yn Marine Coast fe gofies i fod yr adroddiad *post mortem* wedi sôn am ffibre carped, a meddylies y dylen i edrych yn y carafanne.'

'Ond wedest ti ddim byd wrth unrhyw un dy fod ti'n mynd i neud 'ny.'

'Naddo, ond 'sen i wedi dod ar draws rhwbeth, yna bydden i wedi selio'r garafán honno nes 'yn bod ni wedi gallu cynnal archwiliad.'

'A pryd wedest ti wrth y *chief inspector* dy fod ti wedi archwilio'r carafanne?'

'Y noson honno, ar ôl i'r ail-greu orffen.'

'Awgrymodd rhywun bryd 'ny y dylen ni neud archwiliad fforensig o'r carafanne?'

'Ddim hyd y gwn i. Ond chi'n iawn, falle y dyle Gareth Lloyd fod wedi gofyn am archwiliad, ond 'i benderfyniad e o'dd hynny.'

Cododd Ken Roberts ar ei draed. 'Falle y dyle fe fod wedi neud, Eifion, ond dyna be sy'n dda am dystiolaeth fforensig, ma'n anodd iawn ca'l gwared ohono fe. Falle nad yw hi'n rhy hwyr eto i neud yr archwiliad hwnnw.'

'*Blydi hel!*' meddai Eifion Rowlands wrtho'i hun. '*Blydi hel!*'

Nid Eifion oedd yr unig un oedd yn poeni am yr egni newydd roedd yr Arolygydd Ken Roberts yn ei gyfrannu i'r ymchwiliad i lofruddiaeth Lisa Thomas. Roedd Gareth Lloyd hefyd yn pendroni ynghylch y sgwrs roedd ef wedi ei chael gyda'r arolygydd yn gynharach, ac yn dechrau meddwl tybed a ddylai fod wedi gwneud rhagor.

Yn y glo mân ma'r elw, arferai ei dad-cu ei ddweud. Mae'n ddigon hawdd gwerthu'r cnape mawr, ond yn y glo mân ma'r elw. Wel, a oedd e wedi bod yn euog o daflu'r darnau dibwys, fel yr ystyriai ef nhw, o'r neilltu? Yn euog o anwybyddu'r cyfoeth oedd yn y glo mân? Ni chredai hynny, ond eto, er mwyn bod yn siŵr, fe fyddai'n rhaid iddo fynd trwy adroddiadau'r ymchwiliad cyn i Ken Roberts gael cyfle i'w gwagru.

'Kevin? Wyt ti 'na?' galwodd Gareth, gan guro ar ddrws ystafell swyddog man-y-drosedd.

Arhosodd am ateb. Doedd wybod beth a wnâi Kevin Harry hanner yr amser y tu ôl i ddrysau clo ei ystafell. Roedd yn gyfrifol am warchod pob darn o dystiolaeth o bob achos roedd yr orsaf yn ymchwilio iddo, ac roedd sicrhau nad oedd neb yn ymhél â'r dystiolaeth honno yn rhan bwysig o'i waith. Ond ar adegau byddai ei gyfrinachedd angenrheidiol yn profi amynedd ei gydweithwyr i'r eithaf.

Curodd Gareth eto, yn uwch, rhag ofn bod Kevin wedi ymgolli yn ei waith. Trodd i edrych i fyny ac i lawr y coridor, ond doedd dim golwg ohono. Edrychodd ar ei oriawr, ochneidio, a phwyso yn erbyn postyn y drws. Beth nawr?

Roedd Gareth wedi canolbwyntio ymdrechion cynnar yr ymchwiliad ar drigolion Lôn y Coed ond chafwyd dim byd o werth. Ar yr un pryd roedd Carol wedi treulio oriau'n teithio'n ôl ac ymlaen i Rydaman yn holi cyngariad Lisa, ac er i'r trywydd hwnnw ymddangos yn addawol iawn ar un adeg, nid oedd wedi arwain at ddim byd pendant. Yna roedd Gareth, a phawb arall, wedi gosod eu gobeithion ar yr ail-greu, ond er gwaethaf y buddsoddiad mawr mewn amser ac adnoddau, edrychai'n debyg nad oedd yr ymarferiad costus hwnnw'n mynd i ddwyn llawer o ffrwyth chwaith – oni bai fod canlyniadau ola'r profion DNA yn mynd i'w achub.

Efallai bod Ken Roberts yn iawn a bod yn rhaid iddyn nhw fynd yn ôl a dechrau o'r dechrau eto, meddyliodd Gareth. Byddai unrhyw beth yn well na holl dindroi'r diwrnodau diwethaf. Pawb yn trio'u gorau i wthio'r ymchwiliad ymlaen ond yn gwybod fod pob cam o'u heiddo'n eu harwain yn ddyfnach i ryw gors. Petaen nhw ond yn gallu dod o hyd i'r fan lle y llofruddiwyd Lisa, yna byddai gobaith ganddyn nhw. Am unwaith, roedd yn rhaid iddo gytuno â Ken Roberts.

Edrychodd Gareth ar ei oriawr unwaith eto a phenderfynu y gallai wastraffu amser mewn lle llawer mwy dymunol na'r tu allan i ddrws ystafell swyddog man-y-drosedd, ac roedd yn troi pen y coridor pan ddaeth Kevin Harry i'r golwg.

'Kevin!'

'Rho gyfle i fi. Newydd ddod 'nôl o'r clwb pêl-dro'd gyda Wyn Collins odw i.'

'Y bagie gafodd 'u dwyn o'r ddawns neithiwr?' gofynnodd Gareth, gan gofio adroddiadau'r bore.

'Ie, a chot ledr.'

'Meddwl o'n i, Kevin, am . . .'

'Dyna lle dwi'n mynd nesa.'

'I ble?'

'I ga'l sampl o'r staen gwa'd yn dy gapel di.'

'O, ie,' meddai Gareth, a oedd wedi anghofio am hynny. 'Wel, cyn i ti adel eto, allen i ga'l ffeil Lisa Thomas 'da ti?'

'Do's dim llawer ynddi,' meddai Kevin, gan ddatgloi drws ei ystafell.

'Na, dwi'n gwbod.'

'Os alli di ga'l gafel ar y fan lle llofruddiwyd hi, bydde gobaith 'da fi i neud rhwbeth wedyn.'

'Dwi'n gwbod,' meddai Gareth rhwng ei ddannedd. Pam oedd pawb yn mynnu dweud wrtho yr hyn a wyddai'n barod?

'Felly'n fyr, Clem, do's 'da ni ddim byd newydd.'

'Dyw pob canlyniad DNA ddim wedi'n cyrra'dd ni 'to,' cynigiodd Clem Owen, gan swnio'n llawer mwy gobeithiol nag y teimlai. Yn fwyfwy dros y dyddiau diwethaf bu'r prif arolygydd yn dweud y gair DNA fel pe bai'r llythrennau'n sefyll am 'disgwyl newyddion arbennig', ond ym mêr ei esgyrn fe ofnai mai sefyll am 'dim newyddion addawol' oedden nhw.

'Ond ry'n ni wedi ca'l rhai canlyniade, y mwyafrif, hyd yn oed, erbyn hyn, on'd y'n ni?'

'Odyn.'

'A go brin mai'r canlyniad olaf un fydd yr un i ddatrys yr ymchwiliad. Felly, fel wedes i, do's 'da ni ddim byd newydd.'

'Nago's, syr.'

Plethodd yr Uwch-Arolygydd David Peters ei freichiau a siglo'i ben.

'Dyw e ddim yn ddigon da, Clem. Ry'n ni dan y chwyddwydr, ti'n gwbod 'ny, on'd wyt ti? Ac os na wnewn ni berfformio'n well nag ry'n ni wedi bod yn 'i neud . . .'

'Dwi wedi gofyn i Ken Roberts adolygu'r ymchwiliad,' meddai Owen ar draws ei bennaeth mewn ymgais i chwalu'r ddelwedd yn ei ddychymyg o fwncïod yn perfformio mewn syrcas, ac i dorri yn y bôn yr araith hunandosturiol y gwyddai oedd ar y ffordd.

'Wyt ti'n meddwl fod hynny'n ddoeth?'

'Ma' fe'n blismon profiadol a dwi'n siŵr y bydd 'i sylwade fe'n werthfawr.'

'Hm,' mwmialodd ei bennaeth ychydig yn amheus.

'Beth arall all e'i neud, 'te, syr? Chi wedodd y dylen ni drio'i gadw fe mas o lygid y cyhoedd am ychydig, nes i'r holl sôn am yr ymchwiliad gilio o'r newyddion.'

Nodiodd Peters. 'Ma' achos Daniel Morgan yn dechre'r wthnos nesa.'

'Wi'n gwbod.'

'Dyna pam gyhoeddwyd canlyniad yr ymchwiliad i ymddygiad Roberts mor gyflym; ro'n nhw'n ofni petai'r achos yn ca'l 'i ohirio eto bydde cyfreithiwr y bachgen yn cwyno bod 'i gleient yn ca'l 'i amddifadu o'i hawlie dynol.'

Nodiodd Clem ond cadwodd yn dawel. Roedd yn fwy na pharod i adael i David Peters boeni am hawliau dynol troseddwyr; roedd ganddo ef lawer mwy o ddiddordeb yn hawliau dynol dioddefwyr. Ond wedyn fe wyddai'n iawn bod yna garfan gref a ystyriai Daniel Morgan yn ddioddefwr.

'Beth am drosedde erill?' gofynnodd Peters, gan godi dalen o'r ddesg.

'Yn cynyddu.'

'Ond ry'n ni'n dal yn gallu ymateb a gneud y cysylltiad cynta o fewn yr amser penodedig, gobeithio?'

'Odyn, ond dim mwy na 'ny mewn sawl achos, wi'n ofni.'

'Ie, wel, dyw hynny ddim ymhell o fod yn bolisi erbyn hyn. Faint mwy o amser allwn ni fforddio'i roi i lofruddiaeth Lisa Thomas?'

'Allwn ni ddim rhoi'r gore i'r ymchwiliad ar ôl dim ond pythefnos,' cwynodd Clem Owen.

'Ond do's dim trywydd arall ar ôl, o's e?'

'Nago's,' cytunodd y prif arolygydd yn gyndyn.

'Ma' amser yn bwrw mla'n, Clem, a dy'n ni ddim tamed callach. Ma'r coste'n cynyddu a dim byd i' ddangos am yr holl orie ychwanegol.'

'Ond . . .'

'Dyna ma'n nhw'n mynd i ddweud wrtha i yng Nghaerfyrddin fory, a dwi hefyd yn gwbod beth ma'n nhw'n mynd i ofyn i fi hefyd: faint o amser ma'n mynd i gymryd?'

'Arhoswch nes i Ken Roberts ga'l cyfle i adolygu'r ymchwiliad.'

'Iawn, ond dwi'n ofni bydd raid torri 'nôl ar nifer y dynion sy'n gweithio o ddydd i ddydd ar yr ymchwiliad ar ôl yr wthnos hon.'

Siglodd Clem Owen ei ben. 'Byddan nhw'n siomedig, syr.'

'Dwi'n gwbod, ond bydd raid i fi fod yn barod i weud rhwbeth wrthyn nhw fory. Ca'l hyd i gyfaddawd.'

Syllodd Clem Owen yn fud ar ei bennaeth.

'Diwedd yr wthnos, 'te?' gofynnodd yr uwch-arolygydd.

Nodiodd Clem yn araf. 'Iawn, syr.'

Gwnaeth David Peters nodyn o'r penderfyniad a dechreuodd Clem Owen godi o'r gadair. Teimlai'n flinedig ac yn llawer hŷn nag yr oedd wedi teimlo ers amser.

'Un peth arall cyn i ti fynd, Clem.'

Aileisteddodd y prif arolygydd yn drwm yn y gadair.

'Da'th Sarjant Ian James i 'ngweld i gynne a dweud bod dy agwedd di at y project cyfrifiadurol yn peryglu'r project cyfan.'

'Hy!' chwyrnodd Clem Owen.

'A dwedodd 'i fod e wedi gofyn i ti sawl gwaith am dy adroddiad ar y defnydd ry'ch chi yn y CID yn 'i neud o'r cyfrifiaduron, ond 'i fod yn dal i ddisgwl amdano fe.'

'Do's dim amser 'da ni i neud popeth. Ry'n ni newydd fod yn siarad am y cynnydd yn nifer y trosedde sy'n galw am sylw, ac ma'n rhaid i ni flaenoriaethu . . .'

'Ddim gyda'r project hwn. Ti'n gwbod bod y *chief constable* yn rhoi pwyslais mawr arno fe, ac achos hynny ma' fe i ga'l blaenoriaeth, ddim 'i wthio naill ochor.'

'Wi ddim wedi'i wthio . . .' protestiodd Clem Owen, ond cododd David Peters ei law i'w dawelu.

'Os yw'r lleill yn CID wedi neud 'u hadroddiade, fel y dylen nhw erbyn hyn, fydd 'u tynnu nhw i gyd at ei gilydd a rhoi dy sylwade di – rhai cadarnhaol, dwi'n gobeithio – ddim yn cymryd llawer o amser. Felly dwi am weld yr adroddiad terfynol fan hyn ar 'y nesg pan fydda i'n cyrra'dd 'nôl o Gaerfyrddin fory.'

'Dyw hynny . . .'

'Fan hyn, Clem, erbyn amser cinio fory. Fe ro i e i Ian James. Dwi ddim ise i ti ga'l esgus i daflu dy bwyse o gwmpas unwaith 'to. Gobeithio nad wyt ti'n dal dig yn 'i erbyn e am ryw ymosodiad honedig ar Carol Bennett; dwi'n dal heb glywed dim ganddi hi am y peth . . .'

'Ma' Carol gartre'n sâl ar hyn o bryd, os nad y'ch chi'n cofio, syr.'

Roedd y gefnogaeth a gafodd Ian James gan David Peters pan soniodd Clem wrtho am yr ymosodiad yn dal yn dân ar groen y prif arolygydd.

' . . . ac os clywa i un gair arall gan James am y ffordd rwyt ti'n siarad ag e neu am y ffordd rwyt ti'n 'i drin e o fla'n 'i gyd-weithwyr, bydd raid i fi roi cerydd mwy swyddogol i ti.'

'Cerydd swyddogol!'

'Dwyt ti ddim yn sylweddoli y gall Ian James ddwyn cwyn swyddogol yn dy erbyn di? Ac os bydd gydag e gofnod o'r digwyddiade a thystion i'w gefnogi e, fydden i ddim yn rhoi gobaith caneri am dy siawns mewn achos disgyblu.'

Caeodd Eifion ddrws y tŷ a thaflu ei allweddi ar y bwrdd bychan yn y cyntedd. Clywai sŵn cerddoriaeth glasurol yn dod o'r ystafell fyw a gwyddai fod ei fab yn cysgu yno. Naw mis oed oedd Emyr, ond roedd Siân, ei wraig, wedi darllen erthygl mewn cylchgrawn yn y ganolfan iechyd a ddywedai fod gwrando ar gerddoriaeth glasurol yn ysgogi twf deallusol babanod. O'r eiliad honno dim ond Classic FM oedd i'w glywed yn y tŷ. Nid oedd Eifion ei hun, yn fwy nag oedd Siân, yn hoff o gerddoriaeth glasurol, ond fe allai ei ddioddef er mwyn Emyr; ac mae'n siŵr nad hwn fyddai'r tro olaf y byddai'n rhaid iddo ddioddef ac aberthu er mwyn ei fab. Ond fe gymerai lawer mwy na Classic FM i'w alluogi i ymlacio a gadael i'w ofalon lithro i ffwrdd.

Agorodd ddrws y gegin a gweld Siân yn sefyll wrth y bwrdd yn rhoi trefn ar amrywiaeth o bacedi a jariau o fwyd babi.

'Helô,' cyfarchodd Eifion hi.

Cododd ei wraig ei bys at ei gwefusau a sibrwd, 'Ma' Emyr yn y stafell fyw.'

Nodiodd Eifion a gwasgu botwm y tegell.

'Do'n i ddim yn gwbod pryd byddet ti'n dod neu fydden i wedi paratoi rhwbeth i ti,' sibrydodd Siân, gan ddechrau clirio'r bwrdd.

'Do'n i ddim yn siŵr pryd fydden i'n gorffen. Ro'n i wedi meddwl dod adre'n gynharach, ond ro'dd Clem Owen ise rhyw adroddiad erbyn bore fory, felly arhoses i i neud hwnnw. Dyn a ŵyr beth fydd wedi codi dros nos.'

'Ma'n nhw'n dy weithio di'n rhy galed o lawer.'

'Wel, ry'n ni'n dal i fod un yn brin,' meddai Eifion, gan estyn am fẁg.

'Odi hi'n dal i ffwrdd?'

'Odi.'

'Ma'n iawn i rai pobol, on'd yw hi? Ca'l amser i ffwrdd fel ma'n nhw ise.'

'Hm,' cytunodd Eifion.

'Be ti ise i fyta?'

Crychodd Eifion ei drwyn a thrio meddwl. Ond roedd yn rhy flinedig. 'Dwi ddim yn gwbod. Ga i rwbeth wedyn.'

Arllwysodd y dŵr berwedig ar ben y cwdyn crwn a mynd i'r oergell i nôl llaeth.

'O, 'na welliant,' meddai ar ôl eistedd wrth y bwrdd a drachtio'r paned. 'Dwi'n siŵr bod rhwbeth o'i le ar y dŵr yn y stesion; do's dim blas o gwbwl ar y te.'

Rhoddodd Siân y pacedi bwyd yn un o'r cypyrddau a throi i wynebu ei gŵr. 'Eifion?'

'Hm?' mwmialodd yntau, gan dynnu pecyn sigaréts o'i boced.

'O's raid i ti?' gofynnodd Siân.

Ysigodd ysgwyddau ei gŵr a rhoddodd y pecyn heibio.

Roedd Siân yn amau bod yr eiliad wedi ei cholli ond

mentrodd ymlaen er ei gwaethaf. 'Wyt ti wedi meddwl mwy am wylie?'

'Ddim nawr, Siân.'

'Dwi'n gwbod falle'i bod hi'n anodd i ti ga'l amser i ffwrdd o'r gwaith ar hyn o bryd, ond dwi wedi bod yn meddwl.'

'Ddim nawr.' Yn fwy pendant. Yn fwy terfynol.

'Ond ti ddechreuodd sôn am wylie. Ti wedodd y bydde'n dda i'r tri ohonon ni ga'l brêc bach.'

'Dwi'n gwbod, ond ma' pethe wedi newid.'

'Ond pam? Be sy'n wahanol? Os yw'r arian 'da ni . . .'

'Gad hi, Siân!'

'Cadwa dy lais lawr,' meddai Siân, gan droi i gyfeiriad yr ystafell fyw.

'Paid gweud wrtha i i fod yn dawel!'

'Ond ma' Emyr yn cysg . . .'

'Dwi wedi ca'l digon ar bobol yn gweud wrtha i beth i' neud a beth i beidio'i neud byth a beunydd.'

'Ond dim ond . . .'

'Gad hi, Siân! Pam ar y ddaear na alli di adel llonydd i fi!' gwaeddodd, gan daflu'r mẁg llawn te yn erbyn wal y gegin.

Yn y tawelwch a ddilynodd syllodd Siân yn syn ar ei gŵr. Ac yna o'r ystafell fyw clywodd Emyr yn llefain i gyfeiliant Cerddorfa Ffilharmonig Llundain.

Gwasgodd Gareth fotwm ar y cyfrifiadur a danfon y ddogfen i'w hargraffu. Dylyfodd ên a gwthio'i war yn ôl yn erbyn ei ysgwyddau. Roedd hi'n hen bryd iddo dynnu llinell o dan Dachwedd y cyntaf ac roedd ganddo'r teimlad diflas y byddai Tachwedd yr ail yn union yr un fath, yn union yr un mor hesb o ran eu hymchwiliadau i lofruddiaeth Lisa Thomas. Un cam ymlaen, dau gam yn ôl.

Cododd o'r ddesg a cherdded at yr argraffydd i ddisgwyl yr adroddiad pum tudalen. Dim ond i hwnnw ei fihafio'i hun a pheidio â chnoi'r papur yn garpiau ac fe fyddai ar ei ffordd adre mewn ychydig funudau.

Edrychodd ar ei oriawr a meddwl am Carys. Dim ond un peth oedd yn waeth na bod yn blismon, a bod yn gymar i blismon oedd hynny, meddyliodd. Efallai y dylai ei ffonio.

Canodd ei ffôn. Gwenodd, tynnu'r ffôn symudol o'i boced ac eistedd eto.

'Ro'n i ar fin dy ffonio di,' meddai pan glywodd ei llais y pen arall.

'Ie, ie.'

'Na, wir i ti.'

'Dyna ma'r rheolwr yn 'i ddweud wrth gwsmer mae e wedi bod yn gohirio'i ffonio am bythefnos.'

Chwarddodd Gareth. 'Beth yw dy gynllunie di ar gyfer heno?'

'Ma'n dibynnu be sy gyda ti i' gynnig. Dim ond un o'r gwasanaethe argyfwng dwi wedi'i ffonio hyd yn hyn; ma' digon o ddynion tân ac ambiwlans i'w ca'l, ti'n gwbod.'

'Pryd o fwyd?'

'Ble?'

'Gwed ti, mewn neu mas?'

'Gwell mewn na mas, fel dy'n nhw ddim yn gweud.'

'O'r gore, ffonia di'r Jade Dragon ac fe gasgla i'r bwyd ar y ffordd. Iawn?'

'Iawn, a paid bod yn hwyr.'

'Pwy, fi?'

'Dwi'n deall bod amser ymateb y Frigâd Dân wedi gwella'n aruthrol,' meddai Carys, gan roi'r ffôn lawr cyn iddo gael cyfle i'w hateb.

Cerddodd yn ôl at yr argraffydd a gweld y golau coch yn fflachio a dim un ddalen orffenedig yn ei ddisgwyl.

Un cam ymlaen . . .

Dydd Mawrth 2 Tachwedd
09.00 – 12.30

Ar wahân i'r Arolygydd Ken Roberts, roedd golwg y bore wedyn ar bawb oedd wedi ymgynnull yn ystafell Clem Owen i drafod llofruddiaeth Lisa Thomas. Ond mewn gwirionedd doedd hynny ond i'w ddisgwyl gan fod pawb, ar wahân i'r Arolygydd Ken Roberts, wedi bod yn y fan hon o'r blaen, droeon.

Roedd hi'n ymdrech ar eu rhan i dalu sylw dyledus i ddadansoddiad yr arolygydd ac i beidio â llenwi'r bylchau drostynt eu hunain yn lle aros iddo orffen ei frawddegau. A gan fod Gareth Lloyd eisoes wedi crybwyll y posibilrwydd bod corff Lisa Thomas wedi cael ei symud o wersyll gwyliau Marine Coast ar hyd llwybr yr arfordir, doedd hyd yn oed damcaniaeth newydd yr arolygydd ddim mor newydd â hynny.

'A dyna lle ma' pethe'n sefyll ar hyn o bryd,' meddai Ken Roberts o'r diwedd, ac o un i un stwriodd ei gynulleidfa ac eistedd i fyny yn eu cadeiriau.

'Diolch i ti,' meddai Clem Owen. 'Wi'n gwbod 'ych bod chi i gyd wedi rhoi orie o waith i'r achos yma'n barod, ond ma'n rhaid i ni roi ymdrech arall iddo fe nawr. Yn benna am mai dim ond tan ddiwedd yr wthnos sy 'da ni i ga'l rhyw ffrwyth o'r holl waith. Dyw pythefnos ddim yn amser hir, ond ar hyn o bryd dyw'r ymchwiliad ddim yn mynd i unlle ac ma'r trosedde erill yn cynyddu o ddydd i ddydd. Achos 'ny, ma' Mr Peters wedi penderfynu torri lawr ar yr ymchwiliad ar ôl dydd Gwener.'

Derbyniwyd y newyddion â sawl ochenaid ac edrychiad siomedig, ond gan fod pawb yn gwybod beth oedd realiti'r sefyllfa, ni leisiwyd yr un gwrthwynebiad. Yr unig un i dderbyn y penderfyniad yn llawen oedd Eifion Rowlands, ond bu'n rhaid iddo ef ffrwyno'i ryddhad.

'Os gewn ni rwbeth o'r DNA bydd yr ymchwiliad yn ca'l 'i ailgodi i'r un lefel 'to. Ond am y tro, os y'n ni'n mynd i gyflawni unrhyw beth, bydd raid i ni'i neud e yn ystod y pedwar diwrnod nesa. Ken, wi'n gwbod bod 'da ti syniad pendant am yr hyn ddylen ni neud nesa.'

'O's. Edrych yn fanylach ar y carafanne.'

Suddodd calon Eifion.

'Fel dwedes i'n barod, ma'n rhaid i ni ga'l golwg fwy manwl arnyn nhw na'r hyn gafodd Eifion a'r perchennog, ac os mai dim ond pedwar diwrnod sy 'da ni, yna fe ddylen ni ganolbwyntio ar y carafanne. Allwn ni holi pobol rywbryd 'to, ond os anwybyddwn ni'r carafanne nawr, falle gewn ni fyth gyfle arall.'

'Ma'n dipyn o dasg,' meddai Clem Owen gan gofio sylw David Peters ar gost yr ymchwiliad hyd yn hyn.

'Dwi'n gwbod, a phetai e wedi ca'l 'i neud cyn hyn, falle bydden ni wedi hen ddal y llofrudd,' meddai'r arolygydd, gan edrych i gyfeiriad Gareth Lloyd. 'Do's dim byd yn mynd yn haws o'i adel.'

'Bydd raid ca'l rhagor o ddynion fforensig i neud y gwaith; all Kevin ddim 'i neud e i gyd 'i hunan mewn pedwar diwrnod,' meddai Gareth. 'Ma' chwe deg o garafanne a phymtheg *chalet* yn y gwersyll, os yw

Inspector Roberts am i ni gynnal archwiliad o'r rheini hefyd.'

'Bydd raid ca'l caniatâd Cyfyrddin i ga'l rhagor o ddynion,' meddai Clem Owen. 'Felly bydd raid i Mr Peters ddod 'nôl cyn inni allu symud mla'n. Ond yn y cyfamser dwi am i ti, Gareth, helpu Inspector Roberts i baratoi pethe ar gyfer mynd 'nôl i Marine Coast; byddwn ni gymint â 'ny ar y bla'n wedyn.'

'Dwi am fynd draw i'r gwersyll i daro golwg sydyn ar y carafanne 'ma,' meddai Ken Roberts. 'Alle hynny roi syniad i fi ynglŷn â threfnu'u harchwilio, a fydd yn 'i dro yn lleihau'r amser y cymerith hi i neud hynny'n fanwl.'

'Iawn,' cytunodd Clem Owen. 'Wi am i'r gweddill ohonoch chi roi ychydig o amser i'r trosedde erill sy wedi bod yn hel llwch dros y dyddie dwetha. Eifion?'

'Ie?'

'Y lladrade o'r ddawns Calan Gaea yn y clwb pêl-dro'd; ma' Kevin wedi bod 'na'n barod, ond neb arall, hyd y gwn i, ers i ni dderbyn yr alwad gynta. Cer i holi'r staff a'r rhai gollodd 'u bagie rhag ofn bod cardie credyd ac allweddi tai a gwaith wedi'u dwyn. Wi ddim ise i un ystadegyn droi yn ddwsin. Iawn?'

Nodiodd Eifion a gwneud nodyn yn ei lyfr.

'Wyn. Ro'dd 'na ladrad o garej ar y drafffordd yn gynnar bore 'ma, on'd o'dd e?'

'O'dd. Tua chwarter i bedwar bore 'ma ro'dd dau ddyn wedi bygwth y staff nos â *shotgun* a dwyn dros pedwar can punt o'r til a sawl cant o sigaréts.'

'Cer i weld os alli di ga'l rhyw wybodaeth 'da'r staff. Allwn ni ddim gadel i hwn fynd heb neud dim, chwaith, rhag ofn bydd y diawled yn dechre ca'l blas arni.'

'Iawn.'

'O'r gore, fe roia i wbod i chi pan glywa i rwbeth gan Mr Peters.'

Roedd pawb wedi codi a dechrau gadael cyn i Clem Owen gofio. 'O, ie, 'ych adroddiade ar y defnydd o gyfrifiaduron.'

Ac o un i un, fel athro'n derbyn gwaith cartref, cymerodd Clem Owen yr adroddiadau. Y cyfan oedd ganddo i'w wneud nawr oedd gwneud synnwyr ohonyn nhw a'u dwyn ynghyd cyn i David Peters ddychwelyd o Gaerfyrddin. Dyna i gyd.

Trodd Eifion y car allan o faes parcio'r orsaf a'i anelu drwy drafnidiaeth y bore i gyfeiriad y clwb pêl-droed ar gyrion pella'r dref.

Yn ôl ei arfer bu'n chwilio drwy adroddiadau'r noson cynt, ac fel pob bore arall doedd dim sôn am Brian Pressman; o ganlyniad roedd mewn hwyliau gweddol pan aeth i'r cyfarfod yn ystafell Clem Owen. Ond doedd dim dwywaith nad oedd brwdfrydedd Ken Roberts dros chwilio'r carafannau wedi codi llond bol o ofn arno. Petai'r arolygydd yn cael ei ffordd fe fyddai'r gwreichion oedd ond yn mudlosgi ar hyn o bryd yn cael eu procio'n goelcerth mewn dim amser. Efallai mai dyna'r ateb, meddyliodd Eifion tra disgwyliai i oleuadau traffig y sgwâr newid; rhoi matsien i'r garafán lle cafodd Lisa'i lladd cyn i Kevin a'r lleill gael cyfle i'w harchwilio.

Newidiodd y golau i wyrdd a llywiodd Eifion y car yn ei flaen. Ond na, gwyddai nad oedd dim i'w ennill o wneud hynny; byddai ond yn tynnu sylw Ken Roberts at y lludw, ac roedd yn amau a allai hyd yn oed tân ddileu olion yr hyn oedd wedi digwydd yno.

Pwysleisiai Richie Ryan bob cyfle a gâi mai gwersyll gwyliau teuluol oedd Marine Coast, ond gwyddai Eifion mai twyll oedd y cyfan; nad oedd hynny'n ddim ond y ddelwedd roedd ef am ei chynnal a chuddio y tu ôl iddi. Mynnai Ryan yr un mor bendant hefyd nad oedd yn caniatáu cyffuriau yn y dawnsfeydd, ond ni allai neb sicrhau hynny, ac roedd un o'r bobl fu yn Marine Coast ar y noson y llofruddiwyd Lisa Thomas wedi dweud wrth Eifion ei bod hi'n sicr bod cyffuriau'n cael eu defnyddio yno. A'u gwerthu?

Roedd y galw am gyffuriau hamdden wedi tyfu cymaint yn ystod y blynyddoedd diwethaf, doedd pobl a fyddai fel arfer yn byw'n ufudd i'r gyfraith bellach ddim yn ystyried eu bod yn torri'r gyfraith drwy ysmygu neu lyncu rhywbeth bach nawr ac yn y man. A doedd unlle gwell i gael gafael ar gyffuriau na mewn clybiau dawns. Ac yn amlach na heb, y rhai a ofalai am ddrysau'r clybiau hynny a reolai'r gwerthu cyffuriau.

Un dyn a ofalai am ddrysau Marine Coast ar adeg dawnsfeydd oedd Brian Pressman, llofrudd Lisa, ac er i Ryan ddweud mai ei gyflogi pan fyddai angen swyddogion diogelwch arno a wnâi, prin y byddai'r gwaith ysbeidiol hwnnw'n ddigon i gynnal Pressman a'i gyd-ddryswr Sean Macfarlane. Efallai fod Brian Pressman wedi diflannu, ond roedd Eifion wedi cadw llygad barcud ar Sean Macfarlane, a gwyddai'n iawn ei fod yn dal i fyw yn yr ardal.

Edrychodd ar gloc y car. Roedd yn amau'n fawr a fyddai gan staff y clwb pêl-droed lawer i'w ddweud am y lladradau, a byddai chwarter awr yn hen ddigon o amser i'w dreulio yno. Gadawai hynny ddigon o amser iddo gael sgwrs â Sean Macfarlane cyn dychwelyd i'r orsaf.

'Ry'n ni'n gytûn, 'te,' meddai Ken Roberts, gan gau'r ffeil a'i tharo â chledr ei law.

Nodiodd Gareth Lloyd a Kevin Harry. Ymddangosai'r amserlen roedd yr arolygydd wedi ei llunio ar gyfer y gwaith o archwilio'r carafannau yn un ddigon rhesymol, yn enwedig os oedd ef ei hun yn mynd i wneud ychydig o waith paratoadol. Roedd Gareth wedi disgwyl i'r cyfarfod rhwng y tri ohonynt fod yn un anodd, gyda'r arolygydd yn anghytuno ac yn hollti blew bob cyfle a gâi, ond chwarae teg iddo, roedd hi'n amlwg ei fod wedi gweithio'n galed dros nos yn cwblhau ei gynlluniau.

'O'r gore.' Cododd yr arolygydd i ddangos bod y cyfarfod ar ben. 'Yr eiliad y cawn ni'r gole gwyrdd 'da Mr Peters dwi am i ti, Kevin, ddechre ar y gwaith, ac ma'n siŵr y cei di bob cefnogaeth gan Sarjant Lloyd nes bydd y dynion fforensig erill yn cyrra'dd.'

'Iawn,' meddai Kevin, gan symud at y drws a cheisio dal llygad Gareth ar yr un pryd. Pan ddilynodd Gareth ef allan i'r coridor, roedd hi'n amlwg bod swyddog man-y-drosedd bron â thorri ei fol eisiau dweud rhywbeth wrtho.

'Hei, ti'n gwbod y capel 'na, ro'dd hwnna'n ddiddorol iawn. Be ti'n meddwl ddigwyddodd 'na?'

'Do's 'da fi ddim syniad,' meddai Gareth, gan boeni ychydig am frwdfrydedd Kevin.

'Wel, os wyt ti ise awgrymiade, ma' 'da fi rai.'

'Beth am y staen?'

'Dwi wedi'i anfon e i ga'l 'i brofi, ond o'r ychydig

brofion ro'n i'n gallu'u gneud, do's dim amheuaeth mai gwa'd yw e, ond bydd raid aros am ganlyniad prawf arall i weld os mai gwa'd dyn neu anifail yw e.'

'Diolch, rho wbod pan . . .'

'Lloyd!' gwaeddodd Ken Roberts o'r tu mewn i'w ystafell.

'Wela i di,' meddai Kevin, gan ddianc cyn i'w enw ef gael ei alw hefyd.

Agorodd Gareth ddrws yr ystafell a dod wyneb yn wyneb â'r arolygydd a oedd ar frys i adael.

'Ma' Chief Inspector Owen am 'yn gweld ni.'

'Odi e wedi clywed gan Mr Peters yn barod?'

'Nagyw. Ma' rhywun wedi darganfod corff yn y dre.'

Pan gyrhaeddodd y ddau swyddfa'r prif arolygydd, roedd ef ar y ffôn a bron â chyrraedd pen ei dennyn.

'Wel, pwy uffach sy ar ga'l, 'te?'

Amneidiodd ar y ddau i eistedd tra gwrandawai ar bwy bynnag oedd ar y pen arall, ac er ei bod yn amlwg nad oedd yr hyn a glywai wrth ei fodd, fe dawelodd o dipyn i beth a derbyn yr ateb.

'Iawn, anfona nhw, 'te, ma'n well na dim byd. Ond cofia bydd raid iddyn nhw ddiogelu cefn yr adeilad 'fyd.'

Rhoddodd y ffôn i lawr a throi at Gareth Lloyd a Ken Roberts.

'Wel, ro'dd Mr Peters yn iawn, ry'n ni'n ofnadw o dene; dim ond un car all Berwyn Jenkins 'i sbario ar hyn o bryd.'

'Beth yw'r alwad?'

'Corff wedi'i ddarganfod yn un o siope'r dre.'

'Cwsmer?' gofynnodd Ken Roberts.

'Wi ddim yn gwbod dim o'r manylion,' meddai Clem gan estyn am y ffôn unwaith eto. 'Ble ma' Eifion?'

'Mas yn y clwb pêl-dro'd.'

'O, ie. Wyn, 'te.'

'Y lladrad yn y garej.'

'Ry'n ni yn dene, on'd y'n ni. Wel, alla i ddim mynd, ma'r adroddiad 'ma 'da fi i' orffen. Beth amdanot ti, Gareth? Alli di sbario'r amser?'

'Galla. Do's dim yn gwasgu nawr nes i ni glywed gan Mr Peters.'

'Iawn, cer di, 'te, ac fe anfona i Eifion a Wyn pan ddown nhw 'nôl.'

'Af i gydag e,' meddai Ken Roberts, gan ddechrau am y drws.

Arhosodd Gareth ac edrych ar y prif arolygydd. Os oedd ef am i Ken Roberts gadw'i ben i lawr am ychydig, nid dyma'r ffordd orau o wneud hynny. Ond roedd angen presenoldeb mwy nag un ditectif mewn achos o lofruddiaeth, ac os nad oedd gan Berwyn Jenkins ddigon o heddweision ar ddyletswydd . . .

'O'r gore, am y tro, Ken. Ond ma' mwy o dy ise di ar ymchwiliad Lisa Thomas.'

'Wrth gwrs.'

A gwelodd Gareth ei afael ysgafn olaf ar yr achos yn cael ei dynnu'n rhydd.

'Pa siop yw hi?' gofynnodd.

Twriodd yr arolygydd ymhlith y papurau eraill ar ei ddesg i chwilio am y cyfeiriad. ''Ma fe. Rites. Odi hwnna'n swnio'n reit i ti?'

*

Curodd Eifion ar y drws yn ddi-baid nes iddo gael ei agor gan ferch a edrychai'n debyg, o ran cyflwr beth bynnag, i Cherie Blair trannoeth etholiad cyffredinol.

'Ie?' gofynnodd, gan ddylyfu gên a gwthio'i llaw drwy drwch o wallt melyn anniben.

'Pwy wyt ti?' gofynnodd Eifion.

'Pwy wyt ti?' gofynnodd y ferch, gan ymdrechu i agor ei llygaid.

'Fflat dau?'

Siglodd ei phen a dylyfu gên unwaith yn rhagor. 'Un.'

'Dau dwi ise,' meddai Eifion, gan wthio'i ffordd heibio iddi.

'Hei!' galwodd y ferch ar ei ôl, ond anwybyddodd Eifion hi a dringo'r grisiau.

Curodd ar ddrws y fflat a galw enw Sean ar yr un pryd. Clywodd sŵn tuchan am yn ail â chelfi'n cael eu symud, ac yna ambell reg a bloedd o 'Iawn, iawn, dwi'n dod', ond parhaodd Eifion i guro nes i'r drws gael ei agor.

'Hen bryd, 'fyd, Sean,' meddai Eifion pan welodd wyneb cysglyd y swyddog diogelwch.

'Beth ddiawl y'ch chi moyn?'

'Gwell cyfarchiad na 'ny i ddechre, Sean, ac yna paned, gan dy fod ti'n gofyn,' a gwthiodd y drws, a Sean Macfarlane, i mewn i'r ystafell.

'Shwd wyt ti'n cadw, 'te?' gofynnodd Eifion, gan gerdded o gwmpas yr ystafell fyw. Roedd caniau lager a phlatiau brwnt ar y llawr ac ar y cadeiriau ym mhobman. 'Ma'r lle 'ma'n fochedd, Sean. Gest di barti mawr neithiwr, neu dewis byw fel hyn wyt ti?'

'Beth y'ch chi moyn?'

'Wneiff coffi'r tro, diolch yn fawr.'

Ond pan ddaeth hi'n amlwg nad oedd Macfarlane yn bwriadu symud, dechreuodd Eifion arogli'r aer yn awchus.

'Beth yw'r gwynt 'na, Sean? E? Dwi'n siŵr 'mod i wedi'i wynto fe rwle o'r bla'n ond alla i yn 'y myw gofio ble.'

Chwarddodd Macfarlane ond trodd y chwerthiniad yn bwl o beswch afiach. 'Do's 'na ddim byd allwch chi neud am 'ny. Fydde neb yn 'ych cymryd chi o ddifri,' meddai, gan wisgo pâr o jîns di-raen.

'Ti'n iawn, ond allen i neud yn siŵr na fyddi di'n gweithio fel bownser yn ardal Dyfed-Powys am sawl blwyddyn.'

Ystyriodd Sean Macfarlane y bygythiad am funud cyn ei lusgo'i hun yn gyndyn i gyfeiriad y gegin. Dilynodd Eifion ef.

'Uffach dân, ma'n mynd o ddrwg i wa'th. Odi Adran Iechyd yr Amgylchedd wedi gweld y lle 'ma?' gofynnodd Eifion, pan welodd gyflwr y gegin. Rhagor o lestri brwnt a thuniau lager, pacedi bwyd Tsieineaidd a photeli llaeth hanner gwag ar hyd y lle.

Syllodd Eifion drwy'r ffenest fechan fudr a gofyn, 'Wyt ti wedi clywed rhwbeth am Brian yn ddiweddar?'

'Nadw,' atebodd Sean, gan ddal y tegell dan y tap.

'Ti'n cofio 'mod i ise clywed yr eiliad y bydd e'n cysylltu â ti, on'd wyt ti?'

Caeodd Sean y tap a chario'r tegell yn ôl at y soced heb ddweud gair.

Cydiodd Eifion yn un o'r mygiau o'r sinc a'i olchi'n drylwyr dan y tap dŵr twym.

'Ers faint wyt ti wedi nabod Brian?'

'Dwi ddim yn cofio.'

'Wyt ti'n cofio ble gwrddest ti ag e?' gofynnodd Eifion, gan dwrio ymhlith y cyllyll a'r ffyrc yn ymyl y sinc am lwy lân.

'Nadw.'

'Sean,' meddai Eifion, gan gydio mewn cyllell fara a'i chwifio i'w gyfeiriad. 'Do's dim amser 'da fi i'w wastraffu'n mynd rownd a rownd mewn cylchoedd 'da ti. Wyt ti ise i fi ddechre chwilio drwy'r fflat?'

'Ffindiwch chi ddim byd.'

'Dwi'n gwbod cyn dechre beth ffindia i, ac ymhle ffindia i fe, 'fyd. Ma' fe lan i ti, Sean.'

'Wedodd Mr Ryan wrtha i i beidio siarad â chi.'

'Do fe wir. Ti'n credu bod Richie Ryan yn gofalu amdanot ti, wyt ti?'

'Ma' fe'n gyflogwr da.'

'Faint o waith wyt ti'n ga'l 'dag e?'

'Digon.'

'Dwy ddawns yr wthnos? Ar dâl bownser.'

'Swyddog diogelwch.'

'Beth?'

'Swyddog diogelwch odw i, ddim bownser.'

'O, ie, wrth gwrs. Ond dyw tâl swyddog diogelwch hyd yn o'd ddim yn ddigon i dy gadw di yn y steil 'ma, Sean.'

'Ma' 'na waith arall ar wahân i'r dawnsfeydd.'

'I Mr Ryan?'

'Ie.'

'Fel beth?'

'Mân bethe o gwmpas y gwersyll.'

'Ac ma' hynny'n ddigon?'

'Odi.'

'O, wel, gwyn dy fyd di, 'te,' meddai Eifion, gan edrych

o'i gwmpas am y coffi. 'Ble'r o't ti'n gweithio cyn dod i Marine Coast?'

'Yn Llanelli.'

'Fel swyddog diogelwch?'

'Ie.'

'Yn y clybie?'

'Ie.'

'Unrhyw glwb yn arbennig?'

'Na, ble bynnag fydde'n ise i.'

'Ro't ti'n gweithio i gwmni diogelwch, 'te.'

Oedodd Sean am eiliad i geisio cofio'r hyn roedd e newydd ei ddweud fel y gallai ddechrau gwadu'r cyfan. 'Dwi ddim yn . . .'

'Paid â 'nhrin i fel ffŵl, Sean. Wrth gwrs dy fod ti'n cofio. Ac os o't ti'n gweithio mewn mwy nag un clwb, ma'n rhaid dy fod ti'n gweithio i gwmni diogelwch. Nawr beth o'dd enw'r cwmni?'

Diffoddodd y tegell ei hun a symudodd Sean tuag ato.

'Gad e. Beth o'dd enw'r cwmni?'

Cnodd Sean ei wefus, yn ansicr iawn beth i'w wneud.

'Beth yw'r broblem?' gofynnodd Eifion. 'Drycha, fe alla i fynd i'r DSS a gofyn iddyn nhw pwy o'dd yn dy gyflogi di cyn i ti ddechre gweithio i Richie Ryan. Os o's gyda nhw enw cyflogwr yn Llanelli ar dy gyfer di, popeth yn iawn, dwi'n ca'l yr enw ac rwyt ti'n glir. Ond os nad o's 'da nhw enw a tithe wedi bod yn gweithio'n rheolaidd yn Llanelli fel swyddog diogelwch, dyna pryd bydd dy brobleme di'n dechre. Ti'n deall?'

Dal i gnoi'n ansicr wnâi Sean.

'Beth o'dd enw'r cwmni?'

Un cnoad arall ac yna, 'Stylus Security.'

'A Brian? O'dd e'n gweithio iddyn nhw hefyd?'

Tynnodd Sean ei law ar draws ei geg.

'O'dd.'

'A dyna lle da'th Richie Ryan ar 'ych traws chi?'

'Ie.'

'A cynnig job i chi yn Marine Coast?'

'Ie.'

'Diolch yn fawr, Sean,' meddai Eifion, gan ddechrau cerdded yn ôl am yr ystafell fyw. 'A diolch am y cynnig o goffi, 'fyd, ond rwbryd 'to, falle. O, ie, un peth arall. Dwi ddim yn credu y dylet ti sôn wrth Mr Ryan am 'yn sgwrs ni, yn enwedig gan nad yw e am i ti siarad â fi.'

Roedd presenoldeb y car heddlu, a'r heddwas oedd yn sefyll ar ddyletswydd y tu allan i ddrws siop Rites, wedi sicrhau bod torf dda o bobl wedi ymgynnull yn y stryd erbyn i Ken Roberts a Gareth Lloyd gyrraedd yno. Ac yn eu plith roedd Timothy Morris, un o ohebyddion cydwybodol y *Dyfed Leader*.

'Be sy wedi digwydd, sarjant?' galwodd y gohebydd pan welodd Gareth yn dringo allan o'r car.

Anwybyddodd Gareth ef a bwrw ymlaen at ddrws y siop. A phan welodd y gohebydd Ken Roberts yn ei ddilyn, fe anwybyddodd yntau Gareth.

'Inspector Roberts! Shw' ma'n teimlo i fod 'nôl yn y gwaith? O's 'da chi rwbeth i' weud am y ffordd ry'ch chi wedi ca'l 'ych trin? O's 'da chi unrhyw sylw i' neud ar achos Daniel Morgan?'

Roedd yr erthyglau a ysgrifennodd Timothy Morris am yr ymchwiliad i'w ymosodiad honedig ar Daniel Morgan wedi bod yn ddraen yn ystlys Ken Roberts am wythnosau, a dim ond o drwch blewyn y llwyddodd yr arolygydd i ymwrthod â'r demtasiwn i ateb cwestiynau'r gohebydd yn onest, yn fanwl ac i'r pwynt a dilyn Gareth Lloyd i mewn i'r siop.

Ar eu taith o'r orsaf roedd Gareth wedi sôn wrth Ken Roberts am ei ymweliad blaenorol â'r siop ond heb ymhelaethu gormod ar y rheswm dros yr ymweliad. Byth ers i Gareth Lloyd ddechrau gweithio yn y dref, a'i gael ei hun yng nghanol ymchwiliad i lofruddiaeth ar ei ddiwrnod cyntaf yno, roedd yr arolygydd wedi ei ystyried yn dipyn o aderyn drycin, ac nid oedd y ffaith iddo fod yn Rites y diwrnod blaenorol wedi gwneud dim i newid barn Ken Roberts ohono.

'Beth ar y ddaear yw hyn i gyd?' gofynnodd yr arolygydd pan welodd y gymysgedd a'r amrywiaeth o nwyddau oedd y tu mewn i'r siop. Ar ymweliad cyntaf Gareth roedd y cyfan wedi ymddangos yn lliwgar a deniadol, ond heddiw, heb olau yn y siop, edrychai'n dywyll a difywyd.

'Syr?' meddai'r Cwnstabl Scott Parry a oedd yno i'w croesawu.

'Ble ma'r corff?' gofynnodd Gareth iddo.

'Lan llofft; ma' 'na fflat uwchben.'

'Iawn, mla'n â ti,' gorchmynnodd Roberts, er bod ei lygaid yn dal i grwydro o gwmpas y siop.

Dilynodd Gareth yr heddwas drwy ddrws yng nghefn y siop i gyntedd llydan a chelfi modern o dderw golau ynddo. Sylwodd fod yna ddrws arall yn y cyntedd a arweiniai allan i'r stryd a redai ar hyd ymyl yr adeilad. Honno, fwy na thebyg, oedd y brif fynedfa i drigolion y fflat uwchben.

'Ar y llawr ucha, syr,' meddai'r heddwas wrth Ken Roberts pan ddaeth ef drwodd o'r siop o'r diwedd.

'Pan ddaw Dr Mason, gwed wrtho fe'n bod ni'n dau lan fan hyn yn 'i ddisgwl e,' meddai'r arolygydd, gan gydio yn un o'r gwisgoedd gwyn corun-i-sawdl roedd gofyn i ymwelwyr i fan y drosedd eu gwisgo.

'Ma' Dr Mason wedi cyrra'dd yn barod.'

'O?' meddai Gareth, gan dynnu cwcwll ei wisg dros ei ben.

'Ro'dd e ar 'i ffordd 'nôl i'r syrjeri pan ffoniodd Sarjant Jenkins e.'

Arweiniodd Parry y ddau dditectif i fyny'r grisiau llydan a'u traed yn suddo'n dawel i mewn i'r carped du a choch trwchus a'u gorchuddiai. Ar droad y grisiau ar y llawr cyntaf roedd tri drws yn arwain o'r landin. Arweiniai un i'r ystafell fyw a ymestynnai ar draws blaen yr adeilad, tra arweiniai'r ddau arall i'r gegin ac i'r ystafell fwyta yn y cefn.

'Ma'r dyn dda'th o hyd i'r corff i mewn fan'na,' sibrydodd Parry, gan gyfeirio at yr ystafell fyw.

'Pwy yw e?' gofynnodd Roberts, heb wneud dim ymdrech i ostwng ei lais.

'Peter Harris.'

Cerddodd Gareth yn dawel ar draws y landin a phipo heibio i ddrws yr ystafell fyw. Gwelai rywun yn eistedd mewn cadair esmwyth o flaen y ffenest fae, ond gan ei fod yn pwyso ymlaen a'i ben yn ei ddwylo a'i gefn at y golau, ni chafodd olwg iawn arno. Gwisgai'r un siwt wen gorun-i-sawdl â phawb arall gan fod Kevin Harry eisoes wedi cymryd ei ddillad i'w harchwilio.

'Beth yw 'i gysylltiad e â'r siop?' gofynnodd yr arolygydd.

'Mae e'n byw 'ma.'

'A phwy sy lan sta'r?' gofynnodd Gareth, gan gerdded yn ôl at y ddau arall.

'Andrew Marriner, perchennog y siop.'

'Dyn tua'r un taldra â fi, yn ei bumdege, gwallt du cyrliog yn dechre gwynnu rownd y clustie?' gofynnodd Gareth, yn awyddus i gael gwybod ai Andrew Marriner oedd enw'r dyn y bu'n siarad ag ef y diwrnod cynt, ond yr anghofiodd gael ei enw.

Cododd Scott Parry ei ysgwyddau. 'Dwi ddim wedi'i weld e, sarj.'

'Wel, well i ni fynd lan, 'te,' meddai Ken Roberts, gan droi am y grisiau.

Roedd pedair ystafell ar y llawr uchaf; ystafell ymolchi a thŷ bach oedd y ddwy yn y cefn, gyda'r ddwy ystafell wely ym mhen blaen yr adeilad, ac yn un o'r ddwy hynny roedd Dr Mason.

'Wedi cyrra'dd o'r diwedd,' meddai'r meddyg heb droi ei ben pan glywodd y ddau dditectif yn cerdded i mewn i'r ystafell.

Pwysai Dr Mason dros y gwely, ei gorff sylweddol yn cuddio beth bynnag neu bwy bynnag yr oedd yn ei archwilio o olwg y ddau dditectif.

Camodd Gareth heibio i Ken Roberts i ganol yr ystafell, a'r eiliad honno symudodd Dr Mason hefyd gan ddatgelu dyn noeth yn gorwedd ar y gwely a chleddyf wedi ei drywanu drwy ei frest.

Ebychodd Gareth a throdd y meddyg tuag ato. 'Na, do's dim amheuaeth 'i fod e wedi marw, o's e?'

'Go brin,' meddai Ken Roberts pan welodd yntau'r corff.

'Mater o ffurfioldeb yn unig yw 'mhresenoldeb i yma, dwi'n ofni,' meddai Dr Mason, gan edrych ar ei oriawr er mwyn nodi'r amser ar gyfer y llu o ffurflenni y byddai'n rhaid iddo'u llenwi. Caeodd ei lyfr nodiadau a syllu'n fyfyriol ar y corff ar y gwely.

'Cleddyf llym daufiniog.'

'Beth?' gofynnodd Ken Roberts.

'"Canys bywiol yw gair Duw, a nerthol, a llymach nag un cleddyf daufiniog, ac yn cyrhaeddyd trwodd hyd wahaniad yr enaid a'r ysbryd, a'r cymalau a'r mêr; ac yn barnu meddyliau a bwriadau'r galon",' adroddodd y meddyg.

Syllodd Ken Roberts yn syn arno.

'Do'ch chi ddim yn aelod o'r Gobeithlu, inspector?' gofynnodd Dr Mason pan welodd yr olwg hurt ar wyneb yr arolygydd.

'Gobeithlu?'

'Y Band of Hope, 'te. Na? O, ma' 'da fi atgofion melys iawn o gyfarfodydd y Gobeithlu yn Rhydaman,' meddai'r meddyg, gan ddechrau rhoi ei offer heibio yn ei ges. 'Dyna lle glywes i'r adnod 'na sy, gyda llaw, â llawer iawn i' neud â'r ffaith 'mod i wedi penderfynu mynd yn ddoctor. Pan glywes i'r geirie "yn cyrhaeddyd trwodd hyd wahaniad yr enaid a'r ysbryd, a'r cymalau a'r mêr" gynta, fe lynon nhw yn 'y nghof fel na allen i feddwl am ddim byd arall am ddyddie.' Oedodd am eiliad i synfyfyrio. 'Wrth gwrs, bydde hi wedi neud mwy o synnwyr pe bawn i wedi mynd mla'n i fod yn llawfeddyg, ond 'na fe, stori arall yw honno.'

Siglodd Ken Roberts ei ben. 'A beth am hwn?' gofynnodd, gan bwyntio at y corff. 'Ddweden i 'i fod e tu hwnt i allu unrhyw lawfeddyg.'

'Odi, druan. Gewch chi'n adroddiad i maes o law, inspector, ond allwch chi gymryd yn ganiataol 'i fod e'n farw, ac ma' tymheredd y corff a'r ffaith nad o's bron dim *hypostatis* i'w weld, ac nad yw *rigor mortis* wedi cydio ynddo fe, yn awgrymu nad o's mwy na phedair neu bump awr ers iddo farw. Gwedwch wrth yr Athro Anderson pan ddaw e i fod yn ofalus; ma'r cleddyf wedi mynd reit drwy'r corff ac i mewn i fatras y gwely. Dydd da i chi'ch dau.' Ac allan ag ef gan adael y ddau dditectif gyda'r corff.

'Ro'n i wedi anghofio pa mor ecsentrig o'dd e,' meddai'r arolygydd, gan blygu i astudio'r corff.

Cerddodd Gareth o gwmpas y gwely yn araf, gan ofalu peidio â chyffwrdd â dim byd cyn i Kevin Harry gael cyfle i gasglu pob tamaid o dystiolaeth fforensig. Byddai'r oriau nesaf o archwilio man y drosedd ymhlith y rhai pwysicaf yn yr holl ymchwiliad. Pe bai Kevin wedi cael yr un cyfle i archwilio'r man lle y llofruddiwyd Lisa Thomas, fe fyddai tipyn gwell golwg ar yr ymchwiliad hwnnw erbyn hyn.

'Ie,' meddai Gareth ar ôl cael golwg iawn ar wyneb y dyn. 'Dyma'r dyn siarades i ag e bore ddoe.'

'A llai na phedair awr ar hugain wedyn ma' rhywun yn 'i ladd,' meddai'r arolygydd, gan daro'r un hen nodyn undonog. 'Shwd olwg o'dd arno fe ddoe? Ro'dd e yn fyw, o'dd e?'

'Do'dd e ddim yn edrych yn bryderus nac yn ymddangos 'i fod yn poeni am 'i fywyd, os mai dyna y'ch chi'n 'i feddwl. Do's 'da fi ddim syniad shwd un o'dd e fel arfer, ond weden i 'i fod e mewn hwylie da iawn ddoe,' ychwanegodd Gareth, gan gofio'r holl gyfeiriadau at foch roedd ef wedi eu dioddef.

Gorweddai Andrew Marriner ar ei gefn a'r cleddyf wedi ei drywanu at ei hanner i mewn i'w frest chwith, ac er bod y cleddyf yn awgrymu cyflafan, nid oedd llawer iawn o waed i'w weld ar ei gorff nac ar y dillad gwely. Roedd y rheini wedi eu tynnu'n ôl ar draws un hanner o'r gwely, gan awgrymu naill ai ei fod ar fin codi ac wedi eu taflu nhw naill ochr, neu fod rhywun arall wedi eu tynnu nhw'n ôl er mwyn ei gwneud hi'n haws iddo wasgu'r cleddyf drwy ei gorff.

Edrychodd Gareth o'i amgylch. Roedd gweddill yr ystafell yn daclus iawn. Ar wahân i'r gwely mawr, brenhinol yn hytrach na dwbl, roedd dau gwpwrdd dillad, dau gwpwrdd tal ac un uned wisgo hir ar hyd waliau'r ystafell. Ond roedd drysau a drariau'r cypyrddau i gyd ar gau.

'Do's dim ôl ymladd,' meddai Gareth wrth yr arolygydd. 'Nac ôl twrio am eiddo, chwaith.'

'Na,' cytunodd yr arolygydd. 'Na stryffaglu ar 'i ran ef i' achub 'i hunan.'

'Falle nad o'dd e'n ymwybodol.'

'Ddim yn ymwybodol bod rhywun yn gwasgu cleddyf metr o hyd i mewn iddo?'

''I fod yn anymwybodol, 'te,' cywirodd Gareth ei hun.

'Yn cysgu?'

'Ie, neu wedi ca'l rhwbeth i neud iddo fe gysgu.'

'Hm. Bydd raid i ni ddisgwl am adroddiad yr Athro Anderson cyn gewn ni wbod hynny,' meddai Ken Roberts, gan edrych ar ei oriawr a meddwl tybed faint o amser fyddai eto cyn i batholegydd y Swyddfa Gartref gyrraedd. A nes iddo ef a Kevin Harry archwilio'r corff a'r ystafell, ni allai'r ddau dditectif wneud dim yno.

'Af i i ga'l gair â'r dyn lawr sta'r,' meddai Gareth.

'Iawn,' meddai Roberts, gan barhau i syllu ar y corff a'r ystafell gymen am rai eiliadau cyn camu allan a theimlo tawelwch annaturiol yr adeilad o'i gwmpas ar y landin. 'Ble ar y ddaear ma' pawb?' gofynnodd. Ond roedd hyd yn oed Gareth Lloyd wedi diflannu.

Edrychodd Gareth heibio i gornel y drws a gweld bod Peter Harris yn dal i eistedd yn y gadair freichiau, ei ben yn dal yn ei ddwylo. Trodd yn ôl at Scott Parry.

'Shw' ma' fe?' sibrydodd.

Siglodd yr heddwas ei ben. 'Ddim yn dda,' atebodd, gan amneidio ar Gareth i'w ddilyn i'r gegin.

'Ro'dd e'n llefen fel babi pan gyrhaeddon ni,' meddai Parry ar ôl iddo wthio'r drws ynghau.

'Wedodd e wrthot ti beth ddigwyddodd lan sta'r?'

'Na, do'dd e ddim 'ma neithiwr. Ro'dd e wedi bod yn gweld 'i fam yng Nghasnewydd, a phan gyrhaeddodd e 'nôl bore 'ma, dyna beth o'dd yn 'i aros.'

'Fe ffoniodd ni?'

'Ie.'

'Faint o'r gloch o'dd hynny?'

'Ugen munud i ddeg.'

'Iawn, diolch.'

Edrychodd o gwmpas y gegin a gweld potel win wag a dau wydr ar ben un o'r unedau. Cerddodd at y peiriant golchi llestri a'i agor. Ynddo roedd amrywiaeth o fygiau, ond ar yr ochr allan iddynt roedd dau blât cinio mawr, ac yn gymysg â'r llwyau te roedd dwy set o gyllyll a ffyrc. Trodd ac edrych o'i gwmpas cyn agor drws y cwpwrdd o dan y sinc. Ynghlwm wrth du mewn y drws roedd bin sbwriel plastig, ac wrth i Gareth agor y drws fe agorodd caead y bin yn awtomatig.

'Gwna'n siŵr bod Kevin yn gweld y llestri hyn pan gyrhaeddith e,' meddai wrth Scott Parry. 'A'r pacedi bwyd ac olion y pryd sy yn y bin 'ma. Iawn?'

'Iawn, sarj.'

'Dwi'n mynd i ga'l gair 'da Peter Harris.'

Cerddodd ar draws y landin. Curodd ar ddrws yr ystafell fyw a rhoi ei ben heibio iddo. Ond ni symudodd y dyn yn y gadair. Curodd eto, yn uwch, cyn cerdded i mewn i'r ystafell.

'Mr Harris?'

Cadwodd Gareth ei lygaid ar y pen, a'r gwallt byr golau, ond doedd dim arwydd ei fod wedi clywed. Oedodd, yn ansicr beth i'w wneud. Edrychodd o gwmpas yr ystafell eang, ar y soffa a'r cadeiriau esmwyth lliw hufen, y cornel swyddfa o bren coch golau a'r lle tân marmor gwyn gyda'r teledu mawr a'r holl geriach adloniant electronig naill ochr iddo. Y cyfan yn foethus a thaclus.

'Mr Harris,' meddai eto, yn uwch y tro hwn.

Symudodd y dwylo ryw fymryn a chododd y pen. Roedd Peter Harris dipyn yn iau nag yr oedd Gareth wedi ei feddwl. Roedd ganddo wyneb bachgennaidd, diniwed, a'r gwallt byr yn amlwg wedi ei liwio'n felyn. Roedd ei lygaid yn goch a chwyddedig; olion y llefain roedd Scott Parry wedi sôn amdano.

'Odych chi'n iawn i siarad?' gofynnodd Gareth. 'I ateb rhai cwestiyne?'

Tynnodd y dyn ei hun i fyny yn y gadair ac edrych o'i gwmpas yn flinedig a di-weld. 'Odw,' atebodd yn dawel.

'Sarjant Lloyd ydw i,' meddai Gareth, gan agor ei wisg wen a thynnu ei lyfr nodiadau o'i boced cyn eistedd yn y gadair gyferbyn ag ef. 'Dwi'n sylweddoli'ch bod chi wedi ca'l cryn ysgytwad, ond ma' rhai pethe ma'n rhaid i fi ga'l gwbod, a gynta i gyd gore i gyd.'

Nodiodd Peter Harris. 'Wrth gwrs.'

'Chi dda'th o hyd i gorff Mr Marriner?'

'Ie,' meddai, gan edrych ar y llawr o'i flaen a gwasgu bysedd ei law dde yn galed i gledr ei law chwith.

'A Mr Marriner yw e?'

Trodd yn sydyn i edrych ar Gareth. 'Be chi'n feddwl?'

'Dy'n ni ddim yn nabod Mr Marriner, felly ry'n ni'n dibynnu arnoch chi i'w nabod e.'

'O, ie, wrth gwrs. Ie, ie, Andrew yw e.'

'A fe a chi sy'n . . . o'dd yn byw 'ma?'

'Ie.'

'Unrhyw un arall?'

'Na, dim ond ni'n dau.'

'A Mr Marriner yw perchennog y siop?'

'Ie.'

'Odych chi'n perthyn i Mr Marriner?'

'Nadw, 'i bartner e dw i.'

'Yn y busnes?'

'O, nage, Andrew bia'r siop. Ro'n ni'n dau'n gwpwl.'

'O, reit, iawn,' meddai Gareth. 'Allwch chi weud wrtha i sut y dethoch chi hyd iddo?'

Nodiodd Peter Harris ac anadlu'n ddwfn. 'Ro'n i wedi bod yng Nghasnewydd yn gweld Mam. Ma' hi yn yr ysbyty yn ca'l triniaeth ar 'i phen-glin. Es i lawr i' weld hi ddydd Sadwrn ac aros yno tan heddi. Gadawes i Gasnewydd jyst cyn hanner awr wedi saith bore 'ma a chyrra'dd 'nôl fan hyn rwbryd wedi hanner awr wedi naw. Pan gyrhaeddes i 'ma a gweld bod y siop heb agor ro'n i'n gwbod bod rhwbeth o'i le, bod Andrew yn sâl neu rwbeth, ond ddim hyn.' A dechreuodd y dagrau lifo unwaith eto.

Arhosodd Gareth. Roedd rhwng dau feddwl p'un ai ei adael i ddod ato'i hun eto, neu bwyso arno i gael yr hanes fel y gallai'r ymchwiliad ddechrau'n syth gyda'r holl wybodaeth angenrheidiol. Edrychodd arno'n sychu'r dagrau â macyn poced oedd eisoes yn wlyb. Ceisiodd ddyfalu ei oedran. Ugain? Un ar hugain? Neu a oedd yn iau na hynny? Edrychai'n ddigon ifanc i fod yn ei arddegau, ond wedyn fe allai fod yn agosach at ddeg ar hugain. Doedd hi ddim wastad yn bosibl barnu yn ôl yr olwg. Cydymdeimlai â'i golled, ond roedd ganddo ef ei waith i'w wneud.

Carthodd ei wddf. 'Gyrru 'nôl o Gasnewydd nethoch chi?'

'Ie.'

'Lle adawoch chi'r car?'

'O fla'n y garej sy tu ôl i'r siop.'

'Shwd ddethoch chi mewn i'r adeilad? Drwy'r siop?'

'Nage. Drwy'r drws ffrynt, wel y drws ffrynt ry'n ni . . . ry'n ni'n 'i alw fe, ond ar ochr yr adeilad ma' fe.'

'Shwd olwg o'dd ar y lle?'

'Yr un peth ag arfer.'

'Dim byd o'i le?'

'Na.'

'Dim byd wedi mynd?'

'Be chi'n . . . wedi'i ddwyn, chi'n feddwl?'

'Ie.'

Siglodd ei ben. 'Dwi ddim wedi edrych yn fanwl ond dwi ddim wedi sylwi bod unrhyw beth yn ise.'

'Newch chi fynd o gwmpas y fflat a'r siop wedyn i weld os o's rhwbeth wedi'i ddwyn?'

'Iawn.'

'Ble'r ethoch chi ar ôl dod mewn i'r adeilad?'

'I'r siop, i weld os o'dd Andrew yno, ond do'dd e ddim, a do'dd dim golwg 'i fod wedi bod yno chwaith; ro'dd pobman yn dywyll, yn union fel y bydde fe ar ôl iddo fe gau'r siop neithiwr. Wel, wedyn galwes i arno fe. Sefes i ar waelod y grisie a galw arno fe. Ond ches i ddim ateb a des i lan fan hyn i'r fflat ond do'dd dim golwg ohono fe fan hyn chwaith; ddim ar y llawr 'ma.'

Anadlodd yn ddwfn unwaith eto mewn ymgais i reoli ei deimladau cyn mynd ymlaen. 'Felly es i lan llofft a . . .' Ond ofer fu'r ymdrech; torrodd ei lais a dechreuodd lefain, yn waeth y tro hwn, a disgynnodd y pen i'r dwylo unwaith eto wrth i'w gorff grynu drwyddo.

Clywodd Gareth sŵn lleisiau'n dod o'r llawr gwaelod ac yn esgyn i fyny'r grisiau. Cododd mor dawel ag y gallai a gadael yr ystafell.

Er gwaethaf y dillad yn y wardrob, roedd hi'n amlwg i'r Arolygydd Ken Roberts mai ar gyfer ymwelwyr oedd yr ail ystafell wely. Roedd popeth yno'n rhy daclus, yn rhy oeraidd ac amhersonol i fod yn ystafell a gâi ei defnyddio'n rheolaidd.

'Felly ro'dd y ddau'n neud mwy na rhannu'r fflat,' meddai wrtho'i hun, gan agor a chau drariau gwag y cwpwrdd bychan dan y ffenest. 'O, wel, rhyngthyn nhw a'u busnes.'

Gadawodd yr ystafell a chroesi'r landin i'r ystafell

ymolchi a oedd yr un maint â'r ail ystafell wely. Llenwid bron i draean yr ystafell gan fath mawr melyn crwn, ac ar hyd ei ymylon roedd degau o boteli o bob lliw a llun. Cydiodd yr arolygydd mewn rhai a darllen y labeli; efallai byddai gan Angela, ei wraig, ryw syniad o'u defnyddioldeb, ond roedd y cyfan yn fyd dieithr iawn iddo ef. Agorodd un botel a'i chodi i'w drwyn, ond tynnodd ei ben yn ôl mewn syndod pan wyntodd y cynnwys ofaidd. Edrychodd yn frysiog ar y gweddill, ond ar wahân i'r ffaith eu bod i gyd yn dal rhyw fath o olew, hylif, neu hufen, nid oedd damaid callach.

Daliai'r cwpwrdd yn ymyl y sinc ragor o boteli moddion, yn ogystal â thiwbiau hufen ac eli. Yn eu plith roedd sawl potel o liw gwallt, a nifer o boteli bychain plaen ac amrywiaeth o dabledi ynddyn nhw. Cododd yr arolygydd ambell botel a'i siglo, ond ar ôl ei brofiad gyda gwynt yr olew, nid oedd arno unrhyw awydd eu hagor a'u blasu; câi'r gwyddonwyr fforensig y fraint honno.

Agorodd y cwpwrdd crasu oedd ym mhen pella'r ystafell a thwrio'n gyflym drwy'r pentyrrau o lieiniau a dillad, gan gael cipolwg ar ambell ddilledyn mwy ecsotig ac anghyffredin na'i gilydd.

'Un peth yw gwbod, peth arall yw gweld,' meddai wrtho'i hun, gan gau drws y cwpwrdd a cherdded yn ôl i'r ystafell wely lle gorweddai Andrew Marriner.

Ysai'r arolygydd am gael dechrau chwilio drwy gypyrddau'r ystafell i weld beth oedd yno a dysgu sut yn union roedd Andrew Marriner a Peter Harris yn byw eu bywydau. Yn ystod yr ugain mlynedd a mwy roedd wedi gwasanaethu gyda'r heddlu, roedd Ken Roberts wedi cyfarfod â chroestoriad eang iawn o bobl mewn amrywiaeth o sefyllfaoedd, ac o ganlyniad i'r cyfarfyddiadau hynny roedd wedi magu sawl haenen arall o groen a olygai nad oedd dim a welai nac a glywai yn ei synnu bellach.

Yn sicr nid oedd pobl yn ei synnu; disgwyliai'r gwaethaf gan bawb, ac anaml iawn y câi ei siomi. Ceisiai pawb guddio'u gwir gymeriad, ond pan daflai trosedd, yn enwedig llofruddiaeth, ei lifoleuadau ar eu bywyd, doedd yna ddim y gallai neb ei wneud i gadw'u cyfrinachau iddyn nhw'u hunain, pa mor dderbyniol neu atgas bynnag yr oeddynt. Efallai bod cyfreithiau'n caniatáu llawer ohonynt, ond ym mhrofiad Ken Roberts ychydig iawn o bobl a ystyriai gyfreithiau'n gloddiau terfyn ar eu hymddygiad; fe'u hystyrient, yn hytrach, yn fwy fel her i'w bylchu. Yr her iddo ef fel plismon oedd dod o hyd i'r bylchau hynny a'u cau.

Clywodd leisiau'n dod o'r llawr oddi tano, a chredai iddo adnabod llais Kevin Harry. Gobeithiai fod y patholegydd wedi cyrraedd hefyd ac y byddai'n bwrw iddi i archwilio corff Andrew Marriner er mwyn i'r heddlu allu dechrau ar y gwaith o archwilio'r ystafell wely. Gadawodd yr ystafell a disgyn y grisiau.

Cyrhaeddodd y llawr canol ar yr un pryd ag y daeth Gareth Lloyd allan o'r ystafell fyw a Kevin Harry a Wyn Collins i fyny o'r llawr gwaelod.

'Lan fan hyn,' meddai'r arolygydd wrth swyddog man-y-drosedd, gan droi ar ei sawdl i arwain y ffordd cyn i Kevin gael ei ddal mewn sgwrs gyda Gareth.

Gwyliodd Gareth a Wyn y ddau'n dringo'r grisiau nes iddynt ddiflannu o'r golwg.

'Beth yw beth, sarj?' gofynnodd Wyn.

'Andrew Marriner, perchennog y siop, wedi'i lofruddio yn 'i wely. Rhywun, neu rywrai, wedi gwthio cleddyf drwy'i frest . . .'

'Uffach! Ble gethon nhw afel yn hwnnw?'

'Ma' sawl un i' ga'l yn y siop.'

Gwenodd Wyn. 'Wel, o leia ni'n gwbod nad hunanladdiad yw e.'

'Ma' hynny'n rhwbeth,' meddai Gareth heb wenu.

'Beth y'ch chi am i fi neud?'

'Yn ôl Dr Mason, rywbryd yn ystod y pum awr dwetha ga'th e'i ladd, felly bydd raid holi'r cymdogion a welon nhw neu a glywon nhw rwbeth o hanner nos mla'n.'

'Faint o gymdogion sy 'da nhw? Dim ond siope sy yn y stryd 'ma.'

'Ma'n siŵr bod 'na sawl fflat uwch 'u penne nhw, gyda gwell golygfa o'r mynd a'r dod 'da'r bobol sy'n byw ynddyn nhw na phetaen nhw'n byw ar y llawr gwaelod.'

'Gobeithio. O's rhywun arall i' ga'l i rannu'r gwaith, neu odw i'n gorfod 'i neud e i gyd ar 'y mhen 'yn hunan?'

'Bydd Eifion yn dod unwaith bydd e wedi cwpla yn y clwb pêl-dro'd.'

'Ar 'y mhen 'yn hunan, 'te,' meddai Wyn Collins, gan ddechrau ei ffordd yn ôl i lawr y grisiau.

'Gei di'r cefndir 'da Scott,' galwodd Gareth ar ei ôl.

Arhosodd Gareth yn dawel ar y landin am funud neu ddwy. Roedd ganddo sawl cwestiwn arall i'w gofyn i Peter Harris, ond nid oedd am wasgu gormod arno ac yntau'n amlwg dan gryn straen.

Newidiodd ei feddwl yn sydyn ac aeth i mewn i'r ystafell fwyta. Roedd fel pin mewn papur: bwrdd hirsgwar a chwe chadair cefn uchel yng nghanol y llawr, cwpwrdd hir, isel o dan y ffenest a chwpwrdd tal y tu ôl i'r drws, i gyd wedi eu gwneud o'r un pren golau. Uwchben y lle tân o farmor du roedd darlun dyfrlliw o dref ar lan y Môr Canoldir. Yma eto, fel yn yr ystafell wely a'r ystafell fyw, doedd dim ôl cythrwfl na chwilio am arian neu eiddo i'w weld yn unman.

Cerddodd at y ffenest ac edrych allan dros y cefn. Gallai weld ychydig o wal y garej ar ochr chwith yr ardd a oedd yn gyfuniad o lawnt a phatio. Tynnodd y llenni'n ôl i chwilio ar ffrâm y ffenest am unrhyw arwydd o'r modd y cafodd y llofrudd fynediad i'r fflat, ond roedd y pren yn lân ac yn gyfan. Gadawodd i'r llenni ddisgyn yn ôl i'w lle. Edrychai popeth mor drefnus, mor gymen, tu mewn a thu allan, fel pe na bai dim wedi digwydd yno. Ond peth peryglus yw barnu yn ôl yr olwg.

Pan ddychwelodd Gareth i'r ystafell fyw roedd Peter Harris wedi codi o'r gadair freichiau ac yn cynnau'r tân nwy.

'Odych chi'n teimlo'n well?' gofynnodd Gareth iddo.

'Odw.'

'Licech chi ga'l rhwbeth i' yfed? Paned o de neu goffi?'

Siglodd ei ben. 'Na, dim byd.'

'Ma' 'da fi rai cwestiyne erill licen i eu gofyn i chi, os y'ch chi'n barod i neud 'ny nawr.'

'Iawn,' meddai Harris, gan ddychwelyd i'r gadair.

'Wedoch chi gynne mai bore 'ma ddethoch chi 'nôl o Gasnewydd.'

'Ie.'

'Allech chi weud wrtha i ble'r o'ch chi'n aros?'

'Yn nhŷ Mam. Ma' hi yn Ysbyty Brenhinol Gwent yn ca'l triniaeth ar 'i phen-glin ac fe es . . .' Arhosodd Peter Harris ar ganol y frawddeg ac edrych yn ymholgar ar Gareth. 'Odw i wedi gweud hyn wrthoch chi'n barod?'

'Do, ond peidiwch â phoeni am hynny. Ma'n bosib y byddwn ni'n gofyn yr un cwestiyne i chi sawl gwaith eto cyn i ni ddal pwy bynnag nath hyn. Ma'n siŵr bod digwyddiade'r orie dwetha'n glir iawn i chi, ond ma'n mynd i gymryd ychydig o amser i ni ddod i ddeall trefn pethe. Ma'n ddrwg 'da fi, ond mae e yn bwysig.'

'Wrth gwrs. Ofni o'n i 'mod i'n dechre drysu.'

Gwenodd Gareth. 'Na, dy'ch chi ddim yn drysu. Ond er mwyn osgoi unrhyw ddryswch ar 'yn rhan ni, ma'n bwysig 'yn bod ni'n ca'l trefn y digwyddiade'n iawn o'r dechre.'

'Iawn, wel, fel ro'n i'n gweud, ro'n i'n aros yn nhŷ Mam yng Nghasnewydd. Ro'dd y tŷ'n wag ac yn weddol gyfleus i'r ysbyty.'

'Pryd gyrhaeddoch chi 'na?'

'Dydd Sadwrn, tua amser cinio. Ar ôl galw yn y tŷ es i i weld Mam yn yr ysbyty yn y prynhawn ac aros yno tan ddiwedd amser ymweld y noson honno.'

'A mynd 'nôl i'w thŷ wedyn?'

'Ie. Na, wel, es i i ga'l pryd o fwyd gynta cyn mynd 'nôl. Do'dd dim llawer o fwyd yn y tŷ a do'dd dim pwynt prynu dim byd, ar wahân i botel o la'th, am y ddau ddiwrnod fydden i'n aros 'na, felly ro'n i'n ca'l bwyd yn yr ysbyty yn ystod y dydd ac yn mynd i fwytai yn y nos. Ro'dd Mrs Barnes, Elveira Barnes, y wraig sy'n byw drws nesa i Mam, wedi cynnig neud bwyd i fi, ond ar ôl bod yn yr ysbyty drw'r dydd, ro'dd hi'n well 'da fi fod ar 'y mhen 'yn hun.'

'Odych chi'n cofio ymhle fuoch chi'n byta?'

'Em, nadw . . . o ie, arhoswch funud,' ac fe gododd a chroesi'r ystafell at gadair gefnsyth ger y ffenest lle gorweddai ei got. Cododd hi ac estyn i'r boced fewnol am ei waled. Tynnodd ddyrnaid o bapurau allan o'r waled ac edrych drwyddynt gan osod tri darn o bapur ar fraich ei gadair.

'Dyma chi,' meddai, gan hel y tri darn ynghyd a'u hestyn i Gareth. 'Tales i am y pryde gyda 'ngherdyn Visa.'

Cymerodd Gareth y derbyniadau. Roedd yno dri slip, ac arnynt, yn ogystal â'r bwyd a gafodd Peter Harris ar y tair noson, a'u prisiau, roedd enwau'r tri bwyty a'r dyddiadau y bu ef yn bwyta ynddyn nhw.

'Diolch yn fawr,' meddai Gareth, gan roi'r slipiau yn ôl iddo ar ôl gwneud nodyn o'r wybodaeth berthnasol. 'Cadwch rhain yn saff, Mr Harris, rhag ofn y bydd rhywun am 'u gweld nhw 'to.'

'Iawn,' meddai, gan eu gwthio'n ôl i mewn i'r waled.

'Ar wahân i'ch mam a'r wraig drws nesa, welsoch chi unrhyw un arall tra o'ch chi yng Nghasnewydd?'

'Y nyrsys yn yr ysbyty.'

'Ar wahân i'r ysbyty.'

Siglodd Harris ei ben. 'Naddo.'

'Ffrindie?'

'Na, sdim llawer o'r rheini ar ôl yno nawr. A gweud y gwir, do'dd dim llawer o ffrindie 'da fi pan o'n i'n byw 'na.'

'Gadawoch chi Gasnewydd ychydig cyn hanner awr wedi saith bore 'ma.'

'Do.'

'Arhosoch chi rywle ar y ffordd?'

'Naddo.'

'Ac fe gyrhaeddoch chi 'nôl yma am . . . ?'

'Hanner awr wedi naw.'

'A dethoch chi i mewn yma'n syth ar ôl cyrra'dd?'

'Em . . .' Caeodd ei lygaid a meddwl am eiliad. 'Gyrhaeddes i 'nôl, parcio'r car tu fas i'r garej a dod . . . nage, mynd i gasglu'r papur o'r siop ar draws y ffordd ac yna dod mewn i'r adeilad a sylweddoli bod rhwbeth o'i le . . .'

Cododd ei ddwylo at ei wyneb a dechreuodd ei gorff grynu unwaith eto.

'Odych chi'n iawn?'

Siglodd Harris ei ben a chodi o'r gadair. 'Ma'n rhaid i fi fynd i'r tŷ bach,' meddai gan ruthro am ddrws yr ystafell.

Dilynodd Gareth ef allan i'r landin a gweld ei fod hanner ffordd i fyny'r grisiau a arweiniai i'r llawr uchaf.

'Mr Harris!' galwodd Gareth. 'Allwch chi ddim mynd lan.'

Arhosodd Peter Harris.

'O's 'na dŷ bach i' ga'l lawr sta'r?' gofynnodd Gareth.

'O's.'

Trodd Gareth am y grisiau a arweiniai i'r llawr gwaelod a galw, 'PC Parry?'

Ymddangosodd Scott Parry yn y cyntedd.

'Ma' Mr Harris am fynd i'r tŷ bach. Ma' un i' ga'l ar y llawr 'na.'

Cerddodd Peter Harris i lawr i'r cyntedd yn araf a gwyliodd Gareth nes iddo ef a Scott Parry ddiflannu drwy'r drws a arweiniai i'r siop.

Dydd Mawrth 2 Tachwedd
12:45 – 17:50

Cymerodd Eifion Rowlands y llyfr ffôn ar gyfer tref Llanelli o'r cwpwrdd bychan ar bwys ei ddesg a throi at yr adran fusnes.

'Stylus Security,' sibrydodd wrtho'i hun wrth iddo droi'r tudalennau. 'Stylus Security.' Pe gallai gael gafael ar ryw gysylltiad rhwng Ryan a'r cwmni diogelwch a beth bynnag roedd Ryan am ei wybod am ymchwiliadau'r Uned Gyffuriau, fe fyddai mewn tipyn gwell sefyllfa i wrthsefyll y pwysau am ffafrau roedd perchennog Marine Coast yn ei roi arno.

'A!' meddai pan ddaeth o hyd i enw'r cwmni. Tynnodd ei lyfr nodiadau o'i boced, ei bwyso ar ben y llyfr ffôn a gwneud nodyn o'r cyfeiriad a'r rhif. Gadawodd i'r llyfr mawr gau o'i ran ei hun ac estynnodd am y ffôn. Roedd Eifion yn gyfarwydd ag ambell un o heddweision Llanelli, ac er nad oedd yn un a wnâi lawer o gymdeithasu â'i gydweithwyr, roedd cadw cysylltiad ar lefel broffesiynol yn gallu bod yn werthfawr.

Gwrandawodd ar y ffôn yn canu a chyneuodd sigarét tra disgwyliai i rywun ei ateb. Roedd ei sgwrs â Sean Macfarlane wedi codi ei galon; ar wahân i'r wybodaeth am Stylus Security, roedd gwybod fod Richie Ryan wedi rhybuddio'r bownser rhag siarad ag ef yn cadarnhau bod gan Ryan rywbeth i'w guddio. Ac roedd yn siŵr ei fod ar y trywydd iawn gyda'r cwmni diogelwch.

'Helô,' meddai pan glywodd lais merch yn ei gyfarch ar ran gorsaf heddlu Llanelli. 'PC Malcolm John, plîs.'

'Pwy sy'n galw?' gofynnodd y ferch.

'DC Eifion Rowlands.'

'Iawn, daliwch y lein, os gwelwch yn dda.'

Tynnodd Eifion ar ei sigarét a gwrando ar y clicio diddiwedd yn ei glust wrth iddo gael ei drosglwyddo o un ffôn i'r llall.

'Helô?'

'Malcolm?'

'Ie.'

'Eifion Rowlands sy 'ma.'

'Eifion, shwd wyt ti, boi?'

'Iawn, a tithe?'

'Ddim yn ddrwg. Shw' ma'r teulu? Ro'n i'n clywed bod 'da ti blentyn nawr.'

'O's, bachgen.'

'Llongyfarchiade.'

'A shw' ma' . . . ?' Ymbalfalodd Eifion am enw gwraig Malcolm.

'Ma' Helen a fi wedi gwahanu.'

'Ma'n ddrwg 'da fi,' cydymdeimlodd Eifion, gan geisio cofio a oedd wedi clywed yn barod. 'Do'n i ddim yn gwbod.'

'Wel, fel'na ma' hi,' meddai Malcolm John, gan wthio'i drafferthion naill ochr yn ysgafn. 'Do's dim byd yn para am byth.'

'Y job 'ma, ife?'

'Wel, dyw e ddim yn helpu. Beth alla i' neud i ti, Eifion, ma'n amser cinio i bron ar ben.'

'Gwed wrtha i, Malcolm, wyt ti'n gwbod rhwbeth am gwmni diogelwch o'r enw Stylus Security?'

'Odw, wi'n gyfarwydd â'r enw. Beth wyt ti ise gwbod?'

'Popeth. Pwy sy'n rhedeg e, pwy yw 'u cwsmeriaid nhw, ac a odyn nhw'n gwmni i'w trystio, neu o's 'na rwbeth amheus ynglŷn â nhw.'

Roedd pen arall y ffôn yn dawel am rai eiliadau, yna, 'Pam wyt ti ise gwbod hyn i gyd?'

'Ma'n bosib bod cysylltiad rhwng Stylus Security ac achos ry'n ni'n ymchwilio iddo. Dy'n ni ddim yn hollol siŵr ar hyn o bryd beth yw'r cysylltiad; 'na pam wi'n dy ffonio di er mwyn gweld a o's 'na sail i'r cyfan cyn neud cais swyddogol a threulio amser yn mynd trwy'r holl ben tost o waith papur.'

'Ma'n nhw'n gwmni eitha mawr; nhw sy'n gyfrifol am ddiogelwch lot o ffatrïoedd a busnese rownd ffor' hyn.'

'A chlybie nos, dwi'n deall.'

'Ie, rhai o'r rheini 'fyd.'

'Os y'n nhw'n gofalu am ffatrïoedd a busnese, ma'n rhaid bod 'da nhw enw da.'

'O's, hyd y gwn i.'

'Pwy sy'n berchen y cwmni?'

'Alla i ddim gweud 'thot ti heb edrych e lan.'

'Alli di neud 'ny, ac anfon y wybodaeth ac enwe'r ffatrïoedd, y busnese a'r clybie ata i?'

'Erbyn pryd? Ma' pethe'n brysur iawn 'ma ar hyn o bryd.'

'Achos o lofruddiaeth yw e, Malcolm.'

'O.'

'Amser hyn fory?'

Aeth pen arall y ffôn yn dawel unwaith eto.

'Ga i weld.'

'Diolch.'

'Alla i ddim addo.'

'Na, dwi'n gwbod 'ny, Malcolm, ond fe fydden i'n ddiolchgar iawn.'

'Ga i weld beth alla i' neud.'

'Diolch.'

Pwysodd Eifion 'nôl yn ei gadair a rhwbio'i ddwylo. Os oedd Stylus Security yn gwmni mor fawr â hynny, rhaid bod yna rai pethau digon amheus yn mynd ymlaen yno, os oedd y perchnogion yn rhan ohono fe neu beidio, yn enwedig os oedden nhw'n cyflogi pobl fel Brian Pressman a Sean Macfarlane.

'Eifion! Beth uffach wyt ti'n neud fan'na? Ymarfer ar gyfer dy wylie?'

Trodd Eifion at ddrws yr ystafell a gweld Clem Owen yn sefyll yno.

'Dwi newydd ddod 'nôl o'r clwb pêl-dro'd ac yn sgrifennu'r adroddiad am y lladrade.'

'Wel, alli di anghofio am 'ny am y tro. Ma' corff wedi'i ddarganfod mewn fflat uwchben siop Rites yn Ffordd y Farchnad; llofruddiaeth, fwy na thebyg. Well i ti fynd lawr 'na i roi help llaw.'

'Iawn,' meddai Eifion, gan neidio ar ei draed.

Roedd unrhyw beth yn well nag ysgrifennu adroddiad. Ond yn well na hynny hyd yn oed, roedd wedi cael llofruddiaeth arall i dynnu sylw pawb oddi ar Lisa Thomas.

Roedd pethau'n gwella bob munud.

*

Safodd Gareth yn nrws yr ystafell fyw gan edrych o'i gwmpas. Ar yr ochr chwith iddo roedd silff lyfrau dal, dwy gadair gefnsyth bob ochr i'r ffenest fae hir, a chwpwrdd derw llydan yn y cornel. Ar hyd y wal bellaf roedd setî isel wedi ei gorchuddio mewn melfed glas tywyll, a thirlun dyfrliw ar y wal uwch ei phen. Yng nghanol y llawr pren roedd setî, dwy gadair freichiau lliw hufen a bwrdd bach gwydr. Tu ôl i'r drws ar ei ochr dde roedd teledu mawr a system adloniant, a dwsinau o fideos a DVDs ar silff fetel arian ar y wal y tu ôl iddo.

Ond yr hyn a dynnodd sylw Gareth oedd y ddesg a'r offer cyfrifiadurol yn y cornel pellaf ar yr ochr chwith i'r lle tân. Dim ond allweddell a monitor y cyfrifiadur oedd ar ben y ddesg; roedd y cyfrifiadur ei hun, ynghyd â'r argraffydd, allan o'r golwg oddi tano ar yr ochr dde. Ar yr ochr chwith o dan y ddesg roedd pedwar drâr. Agorodd Gareth y drâr uchaf a gweld pentwr o lythyron a phapurau. Gwthiodd yr haenen uchaf o'r neilltu yn ysgafn a gweld dyddiadur lledr coch. Tynnodd ef allan a throi'r tudalennau.

Roedd enwau Andrew Marriner a Peter Harris ill dau wedi eu nodi yn y dyddiadur ar gyfer ymweliadau â'r osteopath, y deintydd a'r homeopath, ac roedd hi'n amlwg ei fod at ddefnydd y ddau. Ond ar wahân i apwyntiadau a nodiadau i'w hatgoffa o daliadau ac i adnewyddu trwyddedau a'r holl ddyletswyddau sy'n gyffredin i bob trethdalwr, ychydig o wybodaeth oedd wedi ei nodi ynddo.

Bob hyn a hyn cofnodwyd achlysuron megis 'Cinio gyda Jac a Morris', 'Swper yn nhŷ Robert', 'Pen-blwydd Steven' neu 'Parti Alice', ond ar y cyfan prin iawn oedd eu hymrwymiadau cymdeithasol.

Trodd Gareth i'r ddalen ar gyfer yr wythnos flaenorol a darllen 'Peter i Gasnewydd' ar gyfer dydd Sadwrn, a phan drodd drosodd roedd 'Peter 'nôl o Gasnewydd' wedi ei nodi ar gyfer y diwrnod hwnnw. Roedd y ddeubeth hynny wedi digwydd, ond rhyngddynt roedd byd trefnus a thawel Peter Harris wedi ei chwalu.

Clywodd Gareth sŵn rhywun yn dringo'r grisiau a rhoddodd y dyddiadur yn ôl yn y drâr a'i gau. Fe gâi ddigon o amser i'w ddarllen yn ystod y diwrnodau nesaf, ynghyd â gweddill cynnwys y ddesg, heb i Peter Harris wybod bod manion ei fywyd yn cael eu gwagru a'u hidlo gan ddieithriaid.

Daeth y gŵr ifanc i mewn i'r ystafell yn araf. Edrychai'n welw a blinedig. Hanner gwenodd yn ymddiheurol ar Gareth ac eistedd yn ei gadair heb ddweud gair.

'Do's dim rhaid i ni gario mla'n os nad y'ch chi'n teimlo'n iawn,' meddai Gareth.

'Na, ma'n iawn. Dwi'n gwbod bod rhaid i chi ofyn y cwestiyne hyn, ac os alla i'ch helpu chi i ddal y . . . llofrudd.' Roedd wedi'i orfodi ei hun i ddweud y gair olaf, ond ar ôl hynny ni allai ddweud mwy.

'Diolch. Dwi'n sylweddoli bod hyn yn anodd i chi, ond fydda i ddim yn hir nawr.'

Cnodd Peter Harris ei wefus a nodio'i ben.

Eisteddodd Gareth ac agor ei lyfr nodiadau. 'Gan nad yw hi'n ymddangos bod dim wedi'i ddwyn, a dim byd wedi'i dorri, dyw hi ddim yn edrych yn debyg, ar hyn o bryd o leia, mai lleidr laddodd Mr Marriner. Felly ma'n rhaid i ni ystyried rhesyme erill pam gafodd e'i lofruddio.'

Nodiodd Harris eto.

'Felly odych chi'n gwbod am unrhyw un fydde am 'i

ladd? Unrhyw elynion? Unrhyw un ro'dd e wedi cweryla â nhw?'

'Andrew? Na, neb,' meddai Peter Harris, gan siglo'i ben. 'Alla i ddim credu bod unrhyw un am ladd Andrew. Ro'dd pawb yn 'i hoffi fe. Andrew o'dd y dyn mwya caredig i fi 'i adnabod erio'd.'

Nodiodd Gareth, ond nid dyna fyddai ef wedi ei ddweud ar ôl y sgwrs a gafodd gyda'r ymadawedig y diwrnod blaenorol. Ond eto, nid oedd ef yn ei adnabod mewn gwirionedd. A beth bynnag, maen nhw'n dweud bod cariad yn ddall.

'Beth am y busnes? O'dd popeth yn iawn 'da'r siop?'

'O'dd. Andrew o'dd yn gofalu am ochor ariannol y busnes, ond petai 'na rwbeth o'i le, bydde fe wedi dweud wrtha i.'

'Felly, fe alle fod rhwbeth o'i le heb i chi wbod?'

'Galle, ond dwi ddim yn credu fod 'na. Ond hyd yn o'd os o's 'na rwbeth o'i le 'da'r busnes, sut alle hynny fod wedi arwain at hyn?'

'Wel, o'dd e wedi benthyca arian oddi wrth rywun ac wedi methu'i dalu fe 'nôl?'

Siglodd Peter Harris ei ben. 'Ma' . . . do'dd dim angen arian arnon ni; ma'r busnes yn talu ffordd yn iawn. Ma'r arian yn dod mewn yn rheolaidd ac ro'dd Andrew wastad yn talu'r bilie'n brydlon.'

'O'ch chi'n gweithio yn y siop?'

'Dim ond pan fydde ise help ar Andrew; fi o'dd yn rhedeg y busnes drwy'r post.'

'Dros y we?'

'Ie, ran fwya, ond ry'n ni'n ca'l archebion drwy'r post a dros y ffôn 'fyd. Dyw pawb o'n cwsmeriaid ddim yn cytuno â defnyddio technoleg.'

'Ond ry'ch chi'n defnyddio'r cyfrifiaduron i redeg y busnes.'

'Odyn.'

'Ma'n debyg bydd raid i ni archwilio'r cyfrifiadur,' meddai Gareth, gan gyfeirio at y peiriant yn y cornel swyddfa, 'er mwyn neud yn siŵr nad o ganlyniad i rwbeth yn ymwneud â'r busnes y llofruddiwyd Mr Marriner.'

Trodd Peter Harris i edrych i'r un cyfeiriad. 'Dim cyfrifiadur y busnes yw hwnna; ma' hwnnw lawr yn y swyddfa tu ôl i'r siop.'

'Ond do's 'da chi ddim gwrthwynebiad i ni edrych ar y ddau ohonyn nhw?'

'Em . . . na, dwi ddim yn meddwl,' meddai Peter Harris yn ansicr, gan ddechrau sylweddoli o'r diwedd fod ei berthynas ef ag Andrew Marriner yn mynd i ddod o dan y chwyddwydr o ddifrif.

'Ma'n ddrwg 'da fi, Mr Harris, os yw'n ymddangos fel petaen ni'n busnesan, ond ma'n rhaid i ni ystyried popeth yn 'yn hymchwiliad. Ac os nad yw'r rheswm dros y llofruddiaeth yn gysylltiedig â'r busnes, yna ma'n rhaid bod 'na rwbeth arall, ym mywyd preifat Mr Marriner, falle. Bydd raid i ni ymchwilio i bob agwedd o'i fywyd, yn ogystal â dibynnu arnoch chi am wybodaeth.'

Nodiodd Peter Harris. 'Ie, wrth gwrs, dwi'n deall.'

'Diolch.' Carthodd Gareth ei wddf a newid trywydd.

'Y cleddyf a ddefnyddiwyd i ladd Mr Marriner, ai un o'r rhai o'r siop yw e?'

'Ie.'

'Ma'n nhw *yn* rhai iawn, 'te?'

'Rhai ohonyn nhw. Addurniade'n unig yw'r lleill.'

'Beth yw'r gwahaniaeth?'

'Cryfder y llafn; ma'r rhai real yn llawer cryfach na'r addurniade.'

'Felly dim ond llafn cleddyf iawn fydde'n ddigon cryf i ladd rhywun?'

'Ie, bydde'r lleill fwy na thebyg yn torri cyn . . .' a chrynodd y llais eto.

'Ac ma' 'na farchnad iddyn nhw – rhai iawn yn ogystal â'r addurniade?'

'O's.'

'Ac ma'n siŵr 'u bod nhw'n tynnu llygaid pawb sy'n dod i'r siop?' meddai Gareth o brofiad.

'O odyn, ma' pawb yn sylwi arnyn nhw ac ma'n nhw'n amal yn destun sgwrs.' Ond yna sylweddolodd Peter Harris beth oedd y tu ôl i'r cwestiwn. 'Ond dy'ch ddim yn meddwl bod y llofrudd yn rhywun o'dd wedi trafod y cleddyfe 'da fi neu Andrew? Ma'n siŵr mai defnyddio'r cleddyf nath y llofrudd am 'i fod e wrth law.'

'Ma' hynny'n ddigon posib, ond dwi ddim yn credu y gallen i fod wedi gwahaniaethu rhwng cleddyf iawn ac addurn. Ma'n amlwg bod y llofrudd yn gwbod y gwahaniaeth.'

'O, wela i,' meddai'r Athro Anderson, gan edrych ar yr olygfa o'i flaen. 'Dwi ddim wedi cael un o'r rhain o'r blaen.'

'Na finne, syr, ond o leia ma'n ymddangos yn weddol amlwg beth ddigwyddodd,' meddai'r Arolygydd Ken Roberts.

'Hm,' meddai'r patholegydd gan bwyso dros gorff Andrew Marriner. Syllodd yn fanwl ar y man lle'r oedd y cleddyf wedi torri'r cnawd. 'Wel, inspector, falle'ch bod chi'n iawn. Mae'n eitha sicr iddo farw ar ôl cael ei drywanu. A gan fod yr arf yn dal yn y clwyf, does dim rhaid gwastraffu eiliad yn dyfalu ynghylch yr hyn a ddefnyddiwyd i'w ladd, diolch byth.' Rhoddodd ei law ar lafn y cleddyf.

'Ma' Kevin Harry wedi archwilio'r cleddyf am olion bysedd,' meddai'r arolygydd, gan geisio gwthio o'r neilltu y darlun oedd ganddo o'r patholegydd fel rhyw Frenin Arthur yn tynnu'r cleddyf o'r maen.

'Roeddwn i wedi gweld ôl ei bowdwr, inspector,' meddai'r patholegydd, gan wasgu'r cleddyf fymryn i'r naill ochr a'r llall. 'Ac yn ôl cyflwr y croen o gwmpas y clwyf, does dim arwydd bod y cleddyf wedi cael ei wasgu 'nôl ac ymlaen ar ôl iddo gael ei wthio i mewn i'r corff, na'i fod wedi cael ei dynnu allan a'i wthio i mewn eto, chwaith. Un trywaniad, ond hwnnw'n un nerthol.'

'Gofynnodd Dr Mason i fi weud wrthoch chi fod y cleddyf wedi'i wasgu drwy'r corff ac i mewn i'r matras.'

'Ydy e? Un trywaniad nerthol iawn, 'te. Faint o nerth fyddai ei angen i wneud hynny, tybed? Neu a fyddai rhywun gorffwyll yn ei chael hi'n hawdd i'w wneud?'

'Ddyle fod 'na fwy o wa'd?'

Siglodd Anderson ei ben. 'Na. Petai'r llofrudd wedi ei daro sawl gwaith â'r cleddyf, ac wedi torri'r croen a'r cnawd, yna fe fyddai llawer iawn o waed o'r toriadau hynny. Ond gan mai wedi cael ei drywanu mae e, yr organau mewnol sydd wedi cael eu niweidio ac felly yn fewnol mae'r gwaedu gwaethaf.'

'A llofruddiaeth yw e?' Teimlai Ken Roberts braidd yn ffôl yn gofyn y cwestiwn, ond gan nad oedd Anderson wedi dweud hynny, roedd yn rhaid iddo'i ofyn er mwyn cael cadarnhad.

'Pe bai'n gorwedd ar ei stumog, yna falle y gallai fod wedi ei ladd ei hun – mae'n siŵr eich bod chi wedi clywed yr ymadrodd "syrthio ar ei gleddyf", inspector. Ond gan ei fod yn gorwedd ar ei gefn, ac nad oes arwydd ei fod wedi clymu'r cleddyf i'r nenfwd fel y byddai'n cwympo arno – a beth bynnag, dwi ddim yn meddwl byddai ganddo ddigon o nerth i'w drywanu, heb sôn am fynd trwyddo i'r matras – mae'n edrych yn eithaf tebyg mai llofruddiaeth, neu ddamwain ryfedd iawn, sydd i gyfrif am ei farwolaeth.'

'Ond do's dim ôl ymladd o gwbwl.'

'Nagoes. Mae popeth yn daclus, heb fawr ddim olion amlwg i'ch helpu chi, ond falle y daw Kevin Harry ar draws rhywbeth.'

'Odych chi'n cytuno â Dr Mason mai rhwbryd yn ystod y pum awr dwetha y cafodd 'i ladd?'

'Hm, mae hynny'n swnio'n iawn, ond mi fydda i'n medru dweud yn fwy manwl ar ôl gwneud yr *autopsy*. Ac er nad oes yna arwyddion amlwg o ymladd, dwi am i chi ofyn i'r swyddog meddygol roi cwdau plastig dros ei ben, ei draed a'i ddwylo rhag ofn bod yna olion ymladd yno ond bod y cyfan wedi cael ei dacluso ar ôl iddo gael ei ladd.'

'Wrth gwrs,' meddai'r arolygydd, gan deimlo'n ddig bod y patholegydd wedi trafferthu dweud hynny wrtho.

'A gan fod y cleddyf wedi mynd i mewn i'r matras, dwi am i chi ei symud e ar y matras gyda'r dillad gwely'n dal yn eu lle. Iawn?'

Nodiodd Ken Roberts. Teimlai'n ddig iawn nawr. Sut ar

y ddaear roedd e'n mynd i gael matras gwely dwbl allan drwy'r drws heb i'r corff rowlio i bob cyfeiriad fel babi mewn blanced?

Gorweddai'r cleddyf yn drwm yn ei law, ond er gwaetha'r pwysau fe deimlai'n gwbl esmwyth; roedd y cydbwysedd rhwng y carn a'r llafn bron yn berffaith.

'Cleddyf iawn yw hwn?' gofynnodd Gareth.

'Ie,' meddai Peter Harris.

Cododd Gareth lafn y cleddyf i fyny a'i symud yn yr awyr drwy droi ei arddwrn yn ôl ac ymlaen. 'Ma'n teimlo'n gyfforddus iawn.'

'Petai e wedi'i neud yn arbennig ar 'ych cyfer chi, bydde fe'n teimlo hyd yn o'd yn well.'

Roedd Gareth wedi clywed am fatiau criced, gwiail pysgota a drylliau yn cael eu gwneud yn arbennig ar gyfer y sawl fyddai'n eu defnyddio, ond cleddyfau? Pwy fyddai eisiau cael cleddyf wedi ei wneud yn unswydd ar ei gyfer?

'Odych chi'n ca'l archebion arbennig fel'ny?'

'Dwi ddim yn gwbod am y siop; Andrew fydde'n delio â'r archebion hynny, ond dwi ddim wedi ca'l archeb dros y we. Ma' siope a chwmnïe erill yn 'u gwerthu nhw ar y we, a dy'n nhw ddim yn bethe rhad.'

'Beth yw pris hwn?'

'Ddyle'r pris fod arno, ar bwys y carn.'

Trodd Gareth y cleddyf yn ei law. 'Dwy fil o bunne!' meddai mewn syndod.

'Fe alle un sy wedi'i neud yn arbennig ar 'ych cyfer gostio hyd at bum mil o bunne.'

'*Pum* mil.' Y pethe roedd pobl yn ymddiddori ynddyn

nhw, meddyliodd, gan droi'r cleddyf yn yr awyr eto. Ond wedyn roedd yn rhaid iddo gyfaddef fod dal y cleddyf yn deimlad gwahanol, pwerus, ac yn rhoi ystyr newydd i'r ymadrodd 'nerth bôn braich', neu ai dyna oedd ei ystyr beth bynnag?

Chwifiodd y cleddyf sawl tro eto, cyn sylweddoli ei fod yn ymddwyn yn blentynnaidd. Gwenodd yn hunan-ymwybodol ac edrych ar Peter Harris, ond nid oedd arlliw o wên ar ei wyneb; roedd ei lygaid pŵl, coch yn dal yn llawn tristwch. Pan soniodd Gareth wrtho ei fod am weld y cleddyfau, roedd Harris wedi cytuno'n syth, fel petai'n falch o gael rhywbeth i'w wneud, yn falch o fod o gymorth i'r heddlu i ddal y llofrudd, ond roedd yr awydd hwnnw'n diflannu'n gyflym wrth i'r trafod mewn gwaed oer ddechrau ei galedu i'r hyn oedd wedi digwydd i fyny'r grisiau. Estynnodd Gareth y cleddyf yn ôl iddo. 'Beth yw pris y lleill, yr addurniade?'

'Unrhyw beth rhwng hanner can punt a dau gan punt,' a thynnodd gleddyf arall o blith y rhes ar y wal a'i roi i Gareth. Teimlai'r gwahaniaeth ar unwaith; pwysau marw heb unrhyw ganolbwynt na chydbwysedd iddo oedd yr addurn.

'Ma'r gwahaniaeth yn amlwg,' meddai, gan ddal y cleddyf hyd braich ac edrych arno. 'Ond o ran golwg, ma' hwn yn edrych yn ddigon tebyg i'r llall.'

Felly a oedd y llofrudd wedi cydio mewn sawl cleddyf cyn dewis un i ladd Andrew Marriner, neu a oedd wedi digwydd dewis cleddyf iawn ar ei gynnig cyntaf?

'Allwch chi gofio unrhyw un yn prynu cleddyf iawn yn ddiweddar?'

Siglodd Peter Harris ei ben. 'Na, ddim heb ga'l amser i feddwl, ond ma'n bosib bod Andrew wedi ca'l archebion arbennig. Os do fe, ma'n siŵr 'u bod nhw wedi'u nodi 'da fe yn rhywle. Licech chi i fi edrych i weld?'

Go brin bod y llofrudd wedi bod mor esgeulus â hynny, ond pwy oedd i ddweud pa drywydd fyddai'n arwain ato.

'Iawn, diolch,' meddai Gareth, gan estyn y cleddyf yn ôl iddo. 'Bydd raid i ni ga'l 'ych olion bysedd hefyd.'

'O?'

'Er mwyn gwahaniaethu rhyngddyn nhw a'r olion bysedd erill down ni o hyd iddyn nhw.'

'O, ie, wrth gwrs.' Edrychodd o gwmpas y siop. 'Beth am fan hyn? Fyddwch chi'n chwilio am olion bysedd fan hyn 'fyd?'

'Gobeithio fydd dim rhaid i ni, ond os bydd raid, yna bydd raid.'

Trodd y ddau am y drws i gyntedd yr adeilad a siglodd Peter Harris ei ben wrth ystyried anferthedd yr hyn oedd wedi digwydd.

'Odych chi wedi ystyried lle byddwch chi'n aros heno?'

'Aros?'

'Ie, allwch chi ddim aros yma. Ma'r adeilad yn lleoliad trosedd a bydd raid i ni'i selio fe nes bydd y gwasanaeth fforensig wedi gorffen archwilio.'

'O, do'n i ddim wedi meddwl am 'ny.'

'O's 'da chi ffrindie y gallwch chi aros gyda nhw?'

'Em, o's, ond i weud y gwir, dwi'n credu y bydde'n well 'da fi fod ar 'y mhen 'yn hunan.'

'Wel, gwedwch chi ble ac fe awn ni â chi yno.'

'Ie, iawn, diolch,' meddai Harris, gan syllu'n ddi-weld i'r pellter. Roedd ei fyd wedi ei droi ar ei ben ac fe gymerai amser i bethau ddechrau sefydlogi unwaith eto.

*

Gwasgodd Eifion gloch y fflat sawl gwaith, yn fyr ac yn ffyrnig. Nid oedd yn ei hwyliau gorau, a dweud y lleiaf. O'r holl waith diflas roedd yn gorfod ei wneud fel heddwas, y gwaethaf o bell ffordd oedd mynd o ddrws i ddrws i holi pobl a oedd yn ddieithriad yn ddall a byddar. Roedd yn gwbl argyhoeddedig fod pawb yn cerdded o gwmpas gan weld dim ond eu bogelau nhw'u hunain. Pob un â'r un olwg hurt ar eu hwynebau ac yn gofyn yr un hen gwestiynau: 'Beth?' 'Pryd?' 'Ble?' 'Pwy?' 'Fi?'

Y siopau a'r tai gyferbyn oedd y lle rhesymol a'r mwyaf gobeithiol i ddechrau'r holi, ond wrth gwrs roedd Wyn Collins wedi bachu'r rheini cyn iddo ef gyrraedd. Y gweddillion anobeithiol ar yr un ochr i'r stryd â siop Rites oedd ganddo ef. Roedd wedi dechrau gyda'r siop trin gwallt drws nesaf, ar draws yr ale lle'r oedd Peter Harris wedi gadael ei gar, ond swyddfeydd cwmni yswiriant oedd ar y ddau lawr uwchben y siop, ac er bod y rheolwr wedi bod yno tan wedi saith o'r gloch y noson flaenorol, doedd neb wedi bod yno wedyn tan chwarter i naw y bore hwnnw.

'Y tro ola,' meddai Eifion wrtho'i hun, gan wasgu'r gloch unwaith eto. Ni chafodd ateb, felly gwnaeth nodyn o'r rhif yn ei lyfr gan wybod y byddai'n rhaid i rywun ddychwelyd yno'n hwyrach.

Negyddol hollol fu'r ymateb ym mhob un o'r siopau, fflatiau a swyddfeydd o hynny i ben y stryd. Na, doedd neb wedi gweld na chlywed dim – dall a byddar – ond roedd hi wedi cymryd dros awr a hanner iddo gael yr atebion negyddol hynny. Rhagwelai awr a hanner ddiffrwyth arall o holi pawb ar yr ochr arall i'r siop.

Edrychodd ar ei oriawr a chofiodd nad oedd wedi cael

dim i'w fwyta ers amser brecwast. Roedd ei bryder am ymchwiliadau Ken Roberts a'i obeithion ar ôl siarad â Sean Macfarlane wedi achosi iddo anghofio'n llwyr am fwyd. Ond nawr roedd gwacter ei stumog yn drech nag ef. Cerddodd yn ôl ar hyd y stryd gan ddyfalu a oedd yna gaffi ymhlith y siopau ar yr ochr arall i Rites, ond yna fe sylwodd ar siop Spar ar ochr arall y stryd, a heb feddwl ddwywaith fe groesodd ati.

Roedd y siop yn hir ac yn gul gyda'r cypyrddau brechdanau a diodydd oer hanner ffordd i lawr ar yr ochr chwith. Cydiodd Eifion mewn pecyn o frechdanau cig moch, letys a thomato a chan o Coca-Cola. Roedd dwy wraig o'i flaen wrth y cownter, a dewisodd far mawr o siocled o'r raciau gwifren yn ei ymyl wrth iddo ddisgwyl ei dro i dalu.

'Tair punt a deg ceiniog,' meddai'r ferch y tu ôl i'r til.

Twriodd Eifion yn ei boced am yr arian.

'Wyt ti 'da'r heddlu?' gofynnodd y ferch.

'Odw.'

Gwenodd hi, yn falch ei bod wedi dyfalu'n gywir. 'O'n i'n meddwl 'ny. Weles i ti'n mynd ar hyd y siope gyferbyn. Be sy wedi digwydd yn Rites?'

'Do's neb wedi bod mewn i ofyn i ti a welest ti rwbeth draw yn y siop?' gofynnodd Eifion, gan roi'r arian cywir ar y cownter.

Siglodd y ferch ei phen. 'Falle bod rhywun wedi bod mewn yn gynharach, ond ddim ers i fi fod 'ma.'

Agorodd Eifion y pecyn brechdanau. 'Pa orie wyt ti'n gweithio?'

'Rhwng dau y prynhawn a deg y nos.'

'O't ti'n gweithio neithiwr?'

‘O’n.’

‘Welest ti rwbeth?’

‘Fel be?’

‘Unrhyw beth.’

‘Be sy wedi digwydd yn Rites?’ gofynnodd unwaith eto.

Cnodd Eifion ddarn o’r frechdan ac edrych ar y ferch am eiliad cyn dweud, ‘Llofruddiaeth.’

‘Na! Wir?’

Nodiodd Eifion ac agor y can.

‘Pwy?’

Yfodd Eifion ddracht o’r ddiod.

‘Pwy?’ mynnodd y ferch yn ddiamynedd.

‘Wyt ti’n nabod y bobol sy’n byw ’na?’

‘Y ddau ddyn?’

‘Dim ond dau sy’n byw ’na?’

‘Dim ond dau dwi wedi’u gweld; yr hen foi a’r bachgen. Ma’r hen foi’n rhyfedd.’

‘Rhyfedd? Be ti’n feddwl?’

‘Wel, ti’n gwbod, y ffordd posh ma’ fe’n siarad, a’r pethe ma’ fe’n gweud. Dwi ddim yn deall ’u hanner nhw, ond wedyn dwi ddim yn credu ’mod i fod i ddeall nhw. Ma’ fe’n rhoi’r *creeps* i fi. Es i mewn ’na i brynu anrheg pen-blwydd i ffrind i fi ac ro’dd ’i lyged e’n fy nilyn i o gwmpas y siop. O’n i’n methu canolbwyntio a gadawes i heb brynu dim byd yn y diwedd. Ro’dd e’n rhy *creepy* i fi,’ a chrynodd y ferch wrth iddi gofio’r digwyddiad.

‘Falle’i fod e’n dy ffansïo di.’

‘Chwarddodd y ferch.

‘Be sy mor ddoniol?’

‘Chi ddim yn gwbod?’

‘Gwbod be?’

''U bod nhw'n *gay*,' ac fe chwarddodd eto.

Cododd Eifion ei ysgwyddau'n ddi-hid ac yfed dracht arall o'r ddiod.

'Sy'n drueni,' meddai'r ferch. 'Ma'r un ifanc, Peter, yn *cute*.'

'Wyt ti'n 'i nabod e?'

'Dim ond fel cwsmer. Ma' fe'n dod mewn fan hyn yn amal; fe sy'n neud y siopa i gyd os ti'n gofyn i fi.' Ac yna cofiodd destun y sgwrs a difrifolodd ei hwyneb. 'Paid gweud mai Peter sy 'di ca'l 'i lofruddio.'

Siglodd Eifion ei ben. 'Na, yr hen foi.'

'O! Do's dim colled ar 'i ôl e.'

'Welest ti rwbeth neithiwr 'te?'

'Pryd?'

'Sdim ots pryd, unrhyw bryd, rhywun yn dod i'r siop neu'n gadel.'

Edrychodd y ferch heibio i Eifion, allan drwy'r ffenest ac i gyfeiriad Rites. Trodd Eifion ac edrych i'r un cyfeiriad. 'Ti'n gallu gweld y siop yn glir o fan hyn,' meddai. Symudodd ychydig yn agosach at flaen y siop. 'A drws yr ochor 'fyd.'

'Mm,' meddai'r ferch gan feddwl. 'Neithiwr, wedest ti?'

'Ie.'

Nodiodd y ferch. 'Do, dwi'n cofio gweld rhywun 'na.'

'Yn gadel neu'n cyrra'dd?'

'Yn cyrra'dd, yn mynd mewn drwy ddrws yr ochor.'

'Dyn neu fenyw?'

'Beth wyt *ti'n* feddwl?'

'O't ti'n 'i nabod e?'

Siglodd y ferch ei phen. 'Na.'

'Shwd un o'dd e?'

'Dim ond 'i gefen e weles i.'

'Ie?'

Crychodd y ferch ei thrwyn a hanner cau ei llygaid. 'Ro'dd e'n eitha tal a mawr. Ro'dd e'n gwisgo cot frown ole a'r coler wedi troi lan ond ro'n i'n gallu gweld mai du o'dd lliw 'i wallt. Trwch o wallt du.'

Tynnodd Eifion ei lyfr nodiadau o'i boced a dechrau cofnodi'r manylion, ond yna stopiodd yn sydyn.

'Shwd welest ti hyn i gyd? Os o't ti fan hyn yn y siop gyda'r gole mla'n a hithe'n dywyll tu fas, allet ti ddim fod wedi'i weld e.'

'Ro'dd rhywun wedi gadel y drws ar agor led y pen ac es i i' gau e. 'Na pryd da'th y lamp uwchben y drws ochor arno ac fe dynnodd e'n sylw i. Yng ngole'r lamp honno weles i'r dyn.'

'Felly os da'th y gole arno ac fe welest ti'r dyn yn sefyll tu fas, ma'n rhaid mai rhywun tu fewn o'dd wedi cynnau'r gole. Welest ti pwy agorodd y drws?'

'Naddo. 'Nes i ddim sefyll 'na'n edrych, ro'dd hi'n rhy o'r. 'Se'r gole ddim wedi dod mla'n fydden i ddim wedi sylwi arno fe o gwbwl.'

'A faint o'r gloch o'dd hyn?'

'O, tua hanner awr wedi naw . . . nage, ugen munud wedi, wi'n cofio edrych ar y cloc tu ôl i'r cownter pan o'n i'n cerdded 'nôl ar ôl cau'r drws. Ma'r awr ola wastad yn llusgo ac ro'n i'n edrych mla'n at orffen.'

'A chi'n cau am ddeg?'

'O, na, dy'n ni ddim yn cau; ry'n ni ar agor am bedair awr ar hugain.'

'Ond rwyt ti'n gorffen am ddeg?'

'Odw.'

'Pwy sy'n dod arno ar dy ôl di?'

'Darren.'

'A ble alla i ga'l gafel arno fe?'

'Fe a' i i nôl 'i gyfeiriad e i ti nawr.'

Yfodd Eifion weddill ei ddiod a thorri gwynt mewn modd pleserus iawn.

Gwelodd Wyn Collins y golau yn y ffenest uwchben y drws a chamodd i lawr un gris i'r palmant.

'Ie?' meddai'r ferch drwy gil y drws.

Daliodd Wyn ei gerdyn gwarant i fyny o flaen yr agoriad ac agorwyd y drws ychydig yn lletach.

'Helô, ry'n ni'n ymchwilio i ddigwyddiad yn siop Rites draw fan'co,' a hanner trodd i gyfeirio at y siop ar draws y ffordd. 'Weloch chi rwbeth amheus neu rywun yn ymddwyn yn amheus yn y stryd rhwng hanner nos neithiwr a naw o'r gloch y bore 'ma?'

Dechreuodd y ferch siglo'i phen hanner ffordd drwy'r cwestiwn, ac erbyn iddo orffen roedd yn ategu'r ysgwyd negyddol â sawl 'Na, na, na'.

'Wel, os cofiwch chi rwbeth, rhowch ganiad i fi, iawn?' ac estynnodd gerdyn a'i enw a rhif ffôn yr orsaf arno.

'Iawn,' meddai'r ferch, gan gymryd y cerdyn a dechrau cau'r drws.

'O's rhywun arall yn byw 'ma?'

'Na, dim ond fi,' i gyfeiliant rhagor o siglo pen.

'Iawn, diolch.'

Caewyd y drws, a thair eiliad yn ddiweddarach diffoddwyd golau'r cyntedd gan adael Wyn Collins yn y tywyllwch unwaith eto.

Edrychodd i fyny'r stryd; roedd hanner dwsin o siopau ar ôl. O am rywun busneslyd, siaradus, meddyliodd; mae unrhyw fath o dyst yn well na dim tyst o gwbl. Tynnodd ei got yn dynnach amdano a throi i mewn i'r siop bapurau drws nesaf.

Cododd y dyn a safai'r tu ôl i'r cownter ei ben o'r cylchgrawn o'i flaen a thynnu'i sigarét allan o'i geg.

'DC Wyn Collins,' meddai'r heddwas, gan ddangos ei gerdyn gwarant.

'Chi 'ma achos y llofruddiaeth?'

'Pa lofruddiaeth?'

'Honna draw yn siop Rites, wrth gwrs.'

'Shwd o'ch chi'n gwbod 'ny?'

Cododd y dyn ei ysgwyddau. 'Cadw 'nghlustie ar agor. Ma' pobol mewn a mas o fan hyn drw'r amser, ac os o's 'da nhw ryw newyddion ma'n nhw i gyd yn meddwl bod 'da fi ddiddordeb ynddo fe. Wi'n clywed pethe os dwi ise'u clywed nhw neu beidio; do's dim dewis 'da fi hanner yr amser.'

'Odych chi'n byw uwchben y siop?'

'Odw.'

'Ac o'dd 'ych clustie chi ar agor yn gynnar bore 'ma?'

'O bump o'r gloch mla'n bob bore. Dyna pryd ma'r papure'n cyrra'dd.'

Dyma welliant!

'Welsoch chi rwbeth?'

'Naddo.'

'Dim?'

Tynnodd y dyn y cysur olaf o'i sigarét cyn ei gwasgu i'r blwch llwch yn ei ymyl a siglo'i ben. 'Ro'n i'n canolbwyntio ar sorto'r papure.'

'Glywsoch chi rwbeth, 'te? Dryse'n cau, ceir yn cychwyn? Unrhyw beth?'

'Naddo. Ro'dd y weierles arno 'da fi.'

Ochneidiodd Wyn Collins. 'Chi'n 'u nabod nhw? Y ddau sy'n byw yn Rites?'

'Odw. Wi 'di byw 'ma'n hirach na neb arall yn y stryd. Wi'n 'u cofio nhw'n dod 'ma.'

'Pryd o'dd hynny?'

'Rhyw beder blyne 'nôl, ar ôl i Harold Simpson farw.'

'Da'th y ddau 'ma'r un pryd, gyda'i gilydd?'

'Do.'

'Odych chi'n gwbod rhwbeth amdanyn nhw?'

Estynnodd y dyn am ei becyn sigaréts a chynnau un arall. 'Dwi'n clywed digon, ond fydden i ddim ise ailadrodd 'i hanner e, rhag ofan.'

'Rhag ofn?'

'Rhag ofan nad yw e'n wir ac i fi ga'l 'y nghyhuddo o ledu anwiredd. 'Na'r peryg pan y'ch chi'n clywed cymint, ma'n anodd gwbod be sy'n wir a be sy ddim yn wir. 'Na pam dwi'n ca'l dim byd i' neud â neb. Ma' pethe'n haws fel'ny.'

'Odyn nhw'n dod mewn i'r siop o gwbwl?'

'Ma'n nhw'n ca'l 'u papur 'ma bob dydd.'

'Odyn nhw'n 'i gasglu fe, neu y'ch chi'n mynd ag e draw iddyn nhw?'

'Ma'n nhw'n 'i gasglu fe. Ma'r dyddie dosbarthu wedi hen fynd; ro'dd y bechgyn o'dd yn gwitho i fi'n dwyn mwy o'r siop nag o'n i'n 'i ennill o'r papure. Os y'n nhw ise papur, allan nhw ddod i' nôl e'u hunen.'

'Pwy sy'n 'i gasglu fe?'

'Yr un ifanc fel arfer, ond y llall, Marriner, o'dd wedi bod yn 'i gasglu fe'r ddau neu dri diwrnod dwetha.'

'A heddi?'

'Peter, yr un ifanc.'

'Faint o'r gloch o'dd 'ny?'

Chwythodd y dyn lond ceg o fwg. 'O, rhwbeth wedi naw. Yn hwyrach nag arfer, beth bynnag, ond wedodd e 'i fod e newydd gyrra'dd 'nôl o rywle a dyna pam o'dd e'n hwyr.'

'Am faint o'r gloch ro'dd Marriner wedi bod yn casglu'r papur?'

'Whap ar ôl wyth, yr un amser ag y bydde'r llall yn arfer 'i gasglu fe.'

'Wedodd y Peter Harris unrhyw beth arall?'

'Am beth?'

'Unrhyw beth.'

'Naddo. Dim ond am y papur siaradon ni. Gofynnodd e os o'dd Marriner wedi'i gasglu fe, a phan wedes i nad o'n i wedi'i weld e, a'th e ag e.'

'Ac ro'dd hyn ar ôl naw o'r gloch?'

'O'dd. Ma'n siŵr 'i bod hi'n agos i hanner awr wedi naw pan dda'th e 'ma.'

'Iawn. Wel, diolch yn fawr iawn i chi, Mr . . .'

'Jones.'

'Mr Jones.' Caeodd Wyn Collins ei lyfr nodiadau, yn falch ei fod wedi dod ar draws un tyst o leia. 'Ry'ch chi wedi bod yn help mawr.'

'Ond pidwch gweud mai fi wedodd wrthoch chi.'

Ar adegau mae dyn yn ddiolchgar am unrhyw fath o dyst.

*

Gadawodd Gareth Lloyd ei gar ym maes parcio gorsaf yr heddlu a cherdded at ddrws ochr yr adeilad. Gwasgodd y cod mynediad i'r allweddell a gwthio'r drws ar agor; cyneuodd golau'r coridor yn awtomatig. Roedd hi wedi tywyllu ers dros awr bellach a fflachiai'r golau stribed yn llachar a'i ddallu. Caeodd ei lygaid a chodi ei law at ei dalcen; bu ganddo gur yn ei ben ers canol y prynhawn a doedd fflachiadau'r golau'n gwella dim arno.

Bu'n ddiwrnod blinedig, ac roedd holi Peter Harris wedi bod yn waith anodd. Roedd yn bwysig i'r ymchwiliad ei fod yn cael cymaint o wybodaeth ganddo ag y gallai, ond o ystyried ei berthynas ag Andrew Marriner, roedd yn ofynnol iddo hefyd ei drin â pharch a gofal. Roedd hi'n amlwg o ymddygiad a chyflwr emosiynol y bachgen fod marwolaeth ei gymar wedi bod yn gryn ergyd iddo, ond ar yr un pryd, oherwydd y berthynas honno, roedd nodi ei ymateb yr un mor bwysig â nodi ei atebion. Wedi'r cyfan, mewn llofruddiaeth o fewn teulu, neu berthynas glòs, y cymar yw'r person cyntaf i ddod o dan amheuaeth fel arfer, ac nid oedd Peter Harris yn eithriad i'r rheol honno; byddai'n rhaid i Gareth gadarnhau ei symudiadau dros y penwythnos.

Agorodd y drws ym mhen pella'r coridor a chamu allan i gyntedd yr orsaf. Gwelodd y Rhingyll Berwyn Jenkins ef yr eiliad y daeth drwy'r drws, a galwodd arno.

'Gareth!'

Cododd Gareth ei law i'w gyfarch, ond nid oedd arno'r awydd lleiaf i gael sgwrs ag ef. Wynebai awr neu ddwy o roi trefn ar y nodiadau o'i gyfweliad â Peter Harris a'u teipio'n adroddiad y byddai Clem Owen yn gallu ei ddarllen a'i werthfawrogi ar un eisteddiad, ac roedd hynny'n fwy na digon iddo yn ei gyflwr bregus presennol.

'Hei! Gareth!' mynnodd y rhingyll, gan ei ddilyn i fyny'r grisiau.

Trodd Gareth i'w wynebu a chododd ei ddwylo i'w atal rhag dweud dim byd arall.

'Dwi ddim yn trio bod yn lletchwith, Berwyn, ond ma' 'da fi ben fel bwced a llond côl o waith i' neud.'

'Iawn,' meddai Berwyn Jenkins, gan gymryd cam yn ôl. 'Ond os rhoddi di ddwy funud i fi, fe gei di baned o de a dau barasetamol, a'r adroddiad diweddara oddi wrth y Gwasanaeth Fforensig.'

'Gymera i'r adroddiad nawr,' meddai Gareth, gan estyn ei law allan. 'Allwch chi ddod â'r lleill lan i fi wedyn.'

'Wel?' meddai Berwyn Jenkins, gan wthio'r drws ar gau y tu ôl iddo â'i droed. 'Newyddion da?'

'Na. Ddim i ni, beth bynnag, ond ma' 'na ddeg ar hugain o ddynion erill sy'n ddieuog o lofruddio Lisa Thomas.'

'Yfa hwn, neith les i ti,' a rhoddodd fygaid o de berwedig i lawr ar ben yr adroddiad.

'Diolch, a'r parasetamol?'

'O, ie,' a thwriodd y rhingyll yn ei boced cyn estyn dwy dabled ar draws y ddesg.

'Ma'r rhain wedi gweld dyddie gwell,' meddai Gareth pan welodd gyflwr y tabledi.

'Ti'n gwbod shwd ma' pobol yn trin y bocs cymorth cynta; ti'n lwcus bod rheina 'na. Ti ddim yn tynnu 'ngho's i am ar adroddiad, wyt ti?'

Siglodd Gareth ei ben yn araf a llyncu'r tabledi.

'O wel, tro nesa, 'te.'

'Fydd 'na ddim tro nesa. Rhain yw'r canlyniade ola.'

'A dim cyfatebiad.'

'Nago's. Dros bum cant o sample DNA o'r dynion o'dd yn bresennol yn y ddawns yn Marine Coast, ond dim un ohonyn nhw'n cyfateb i'r sampl gymeron ni o gorff Lisa Thomas.'

'Ma' pethe'n edrych yn dywyll.'

'Yn dywyll iawn, yn enwedig a'r llofruddiaeth arall 'ma ar 'yn dwylo ni nawr.'

'Ie,' meddai Berwyn Jenkins, gan ddrachtio'i de. 'Andrew Marriner, wi'n deall,' ac fe gymerodd ddracht arall.

'Ie,' meddai Gareth, ac roedd yntau ar fin codi ei fŵg pan sylwodd ar yr olwg hollwybodol ar wyneb y rhingyll. 'Chi'n gwbod rhwbeth amdano fe?'

'Wel,' meddai Berwyn Jenkins, gan yfed ychydig yn rhagor o'r te. 'Dim ond mai ddim Andrew Marriner o'dd 'i enw iawn e.'

Eisteddodd Gareth i fyny; roedd wedi anghofio'r cyfan am y cur yn ei ben.

'Odych chi'n gwbod beth o'dd 'i enw iawn e?'

'Ddim 'yn lle i yw gweud wrthoch chi yn y CID shwd i neud 'ych gwaith.'

Ochneidiodd Gareth wrth glywed rhagarweiniad arferol Berwyn Jenkins i gyngor neu hanesyn o'i eiddo. Ond i fod yn deg â'r rhingyll, roedd ei wybodaeth o'r ardal a'i thrigolion yn ddiarhebol, ac roedd wedi bod o gymorth i Gareth droeon cyn hyn.

'Ond . . .'

'Brodor o'r dre hyfryd hon yw Marriner, er na fyddet ti'n gweud 'ny o'i enw.'

'A beth yw 'i enw iawn e?'

'Andrew Jones.'

'Ddim llawer o newid,' meddai Gareth, ychydig yn siomedig.

'Na, dim llawer, ond ma'n haws newid dy enw cynta na dy gyfenw.'

'Odi, ma'n siŵr. Ond shwd ddethoch chi i' nabod e?'

'Pan ddes i 'ma gynta, ryw bum mlynedd ar hugen 'nôl, do'dd perthynas wrywgydiol ddim mor dderbyniol ag yw hi nawr, er bod ambell i bâr i' ga'l yma a thraw, a'r pryd 'ny ro'dd Andrew'n byw gyda dyn o'r enw Harold Simpson. Ro'dd Simpson yn cadw siop *antiques* yn Ffordd y Farchnad . . .'

'Lle ma' Rites nawr?'

'Ie, lle ma' Rites nawr. Ond yn ogystal â phrynu a gwerthu hen bethe, bu Harold Simpson am gyfnod yn derbyn nwydde o'dd wedi'u dwyn ac yn ca'l gwared ohonyn nhw drwy'i gysylltiade yn y busnes ail-law. Ro'n ni'n gwbod 'ny ond yn methu profi dim, ac er i ni gadw'n llygid arno fe, ro'dd e'n llawer rhy ofalus, nes iddo drio gwerthu rhai o'r pethe o'dd wedi ca'l 'u dwyn yn 'i siop. Ro'dd llestri arian, platie, canwyllbrenne, cwpane a phethe fel'ny wedi'u dwyn o blasty Hafod Isa, ac wrth i ni fynd o gwmpas y siope ail-law fe ddethon ni o hyd i rai ohonyn nhw yn siop Harold Simpson. Paid gofyn pam nath e'r fath gamgymeriad elfennol, ond 'na fe, 'se troseddwyr byth yn neud camgymeriad 'sen ni byth yn dal neb.'

Yfodd ragor o de a'i wneud ei hun yn fwy cysurus yn y gadair.

'Wel, pan gethon ni Harold i mewn a'i holi, gwadu'r cyfan nath e a dweud nad o'dd e wedi gweld y llestri erio'd o'r bla'n. Ond alle fe ddim gwadu i ni ddod o hyd iddyn nhw yn 'i siop, ac ar ôl ymgynghori'n breifat â'i gyfreithiwr, fe ddwedodd e falle mai 'i gynorthwywr e o'dd wedi'u prynu nhw.'

'Ac Andrew Jones o'dd y cynorthwywr.'

'Dal dy ddŵr, nei di? Ti neu fi sy'n gweud y stori 'ma?'

Cnodd Gareth ei dafod ac edliw iddo'i hun am anghofio hoffter Berwyn Jenkins o adrodd ei storïau yn ei amser a'i ffordd ei hun.

'Felly ethon ni i ga'l gair 'da'r cynorthwywr a gofyn iddo fe shwd o'dd y stwff wedi cyrra'dd y siop. Wedodd e nad o'dd e'n gwbod dim byd amdanyn nhw, ond o dipyn i beth, o ganlyniad i'n holi ni, a fwy na thebyg gyngor Harold Simpson, fe gyfaddefodd y cynorthwywr mai fe o'dd wedi'u dwyn nhw o Hafod Isa ac yr hoffe fe i ni gymryd hanner dwsin o drosedde erill i ystyriaeth.'

'Ai fe o'dd yn gyfrifol?'

'Go brin; derbyn y bai yn lle Simpson a'r lladron go iawn o'dd e. Ma'n deg dweud i bethe dawelu ar ôl iddo fe fynd i'r carchar, a'n bod ni wedi gallu cau'r ffeil ar y lladrade, ond dwi ddim yn credu bod Andrew Jones hyd yn o'd yn gwbod am yr ochor 'ny o fusnes Harold Simpson.'

'Ond fe ga'th e garchar.'

'Do. Rhai miso'dd.'

'Pryd dda'th e 'nôl i'r dre, 'te?'

'Dda'th e ddim, ddim pryd 'ny, beth bynnag. Chlywes i ddim gair amdano fe tan ryw bedair blynedd 'nôl pan agorodd e siop Rites.'

'O'dd Simpson yn dal yn fyw bryd 'ny?'

'Nago'dd.'

'Ond ro'dd e wedi gadel y siop i Marriner yn 'i ewyllys.'

'Da iawn.'

'Chi'n gwbod rhwbeth am 'i hanes e rhwng dod mas o'r carchar a'r adeg agorodd e'r siop?'

Siglodd Jenkins ei ben. 'Nadw. 'Na i adel 'ny i ti.'

'O leia ma' 'da ni ryw drywydd arall i' ddilyn. Falle bod 'da rhywun neu ryw ddigwyddiad yn ei orffennol rwbeth i' neud â'i lofruddiaeth.'

''Na beth o'n i'n meddwl,' meddai Berwyn Jenkins gan godi o'r gadair.

'Wel, diolch yn fawr, Berwyn. Dyna ffafr arall sy arna i i chi.'

'Wyt ti wedi clywed rhwbeth am Penuel?' gofynnodd y rhingyll, gan ddechrau casglu ar ei ddyledion.

'Beth?'

'Y torri mewn yng nghapel Penuel.'

'O, nadw. Ma' Kevin wedi bod mas 'na, ond rhwng llofruddiaeth Andrew Marriner, a Ken Roberts yn gofyn iddo archwilio'r carafanne yn Marine Coast, dyn a ŵyr pryd y clywn ni unrhyw beth.'

'Wel cofia di gadw ar 'i ôl e, ti'n gwbod shwd ma' Kevin. Ac i dy helpu di, bob tro y ca i'n atgoffa amdano fe, wna i d'atgoffa di. Shwd ma' hwnna'n swnio?'

A dychwelodd y cur yn ei ben.

Dydd Mercher 3 Tachwedd
09:30 – 14:15

'Wyddech chi, inspector, mai'r archwiliad *post mortem* ar Julius Caesar oedd y cyntaf i gael ei gynnal mewn achos o lofruddiaeth?' gofynnodd yr Athro Anderson i'r Arolygydd Ken Roberts tra oedd yn sychu ei ddwylo.

Siglodd Ken Roberts ei ben. 'Na, do'n i ddim yn gwbod 'ny.'

'Wel, dyna'r sôn, beth bynnag. Ac yn ôl yr archwiliad hwnnw fe gafodd ei drywanu dair ar hugain o weithiau.'

'Do fe wir,' meddai'r arolygydd braidd yn ddiamynedd.

'Ond dim ond un o'r tri thrywaniad ar hugain oedd yn gyfrifol am ei farwolaeth; ergyd yn syth i'r galon.'

Roedd Ken Roberts wedi treulio yn agos i ddwy awr yng nghwmni'r patholegydd y noson cynt tra bu'n cynnal ei archwiliad rhagarweiniol o gorff Andrew Marriner. Yn ystod yr amser hwnnw adroddodd y patholegydd sawl hanesyn tebyg tra oedd yn gwneud ei waith, ac roedd dechrau diwrnod arall yn yr un cywair yn dreth ar amynedd yr arolygydd. Roedd hi'n hollol amlwg, hyd yn oed i leygwr fel ef, sut y bu Marriner farw, ond nid oedd yr Athro Anderson wedi cymryd dim yn ganiataol. Archwiliodd y corff o'i gorun i'w sawdl gyda'i fanylder arferol, gan gofnodi pob blewyn a chraith a gafwyd arno. Ac roedd digon o'r rheini.

Cribiniwyd y frest flewog a blew'r cedor gan nodi a chadw pob blewyn rhydd. Tynnwyd lluniau o'r creithiau ar y corff: yr un ar waelod ei fol lle cawsai driniaeth pendics; y rhai ar ei fraich chwith a ddangosai ei fod ar un adeg wedi bod yn chwistrellu cyffuriau'n rheolaidd; y sgathriadau ar draws ei ysgwyddau a'i gefn a a adawyd gan sawl crasfa ag erfyn caled; a'r rhwygiadau o gwmpas yr anws a dystiai i'w arferion rhywiol. Hen greithiau ar y cyfan, ond tystiolaeth barhaol o fywyd Andrew Marriner.

Roedd y rhain i gyd yn bethau gweladwy a nodwyd yn ystod yr archwiliad rhagarweiniol, ond roedd yn rhaid i'r Athro Anderson wneud sawl prawf ar gynnwys y stumog, y gwaed a'r ymennydd cyn darganfod y pethau anweledig. Ac i glywed canlyniadau'r profion hynny roedd yr arolygydd wedi dychwelyd i'r marwdy y bore hwn.

Dros y blynyddoedd roedd Ken Roberts wedi bod yn bresennol mewn sawl archwiliad *post mortem* ac wedi elwa ar ddysg a phrofiad sawl patholegydd, ond heddiw roedd yn ddiamynedd iawn. Roedd am gael y canlyniadau cyn gynted ag y gallai er mwyn bwrw ymlaen â'r ymchwiliad.

'Ac un trywaniad oedd yn gyfrifol am farwolaeth Andrew Marriner hefyd,' meddai'r patholegydd, fel petai ganddo ef ddigon o amser. 'Ond yn wahanol i Julius Caesar, does dim tystiolaeth o ragor o ergydion. Roedd un trywaniad ar yr ochr chwith o dan y frest yn ddigon i niweidio'r organau mewnol ac achosi ei farwolaeth.'

Cafwyd y cadarnhad hwn o sylw Dr Mason yn ystod archwiliad y noson cynt, ond unwaith eto fe fynnai'r patholegydd wneud môr a mynydd o'r hyn oedd yn hollol amlwg.

'O, ie, gyda llaw,' meddai Anderson gan droi a gwenu.

'Nid du yw lliw naturiol ei wallt. Coch, fwy na thebyg, neu felyngoch beth bynnag, ond roedd e'n ei liwio'n ddu. Roedd e hefyd yn defnyddio lliw goleuach o gwmpas ei glustiau er mwyn ymddangos yn fwy urddasol; dwi'n credu mai dyna'r ymadrodd.'

'Ma' sawl potel a thiwb o liw gwallt gwahanol yn y stafell molchi,' meddai Ken Roberts, gan gofio'i ddarganfyddiadau y diwrnod cynt. 'A llond y lle o boteli o olew ac eli o bob math.'

'O, mae'n amlwg ei fod yn gofalu amdano'i hun; mae ei groen fel croen babi mewn mannau,' chwarddodd y patholegydd. 'Ond doedd hynny'n ddim lles iddo yn y diwedd, nagoedd?'

'Hy!' chwyrnodd yr arolygydd yn ddifrifol.

'Ydych chi wedi astudio'r cleddyf, inspector?' gofynnodd Anderson.

'Nadw. Dwi wedi'i weld e, ond ddim wedi'i *astudio*.'

'Mae e gan y dynion fforensig nawr, ond fe ges i gyfle i'w astudio fe ddoe. Does fawr ddim awch arno, a phetai'r llofrudd wedi ei ddefnyddio fel bwyell neu bladur i dorri Marriner fe fyddai wedi gwneud cryn lanast iddo cyn llwyddo ei ladd. Ond mae yna flaen digon miniog iddo. Ddim yn ddigon miniog i wneud llawer o niwed petaech chi'n ei ddefnyddio i ymladd yn erbyn rhywun a allai symud allan o'r ffordd, ond digon o fin i wneud niwed sylweddol o'i wasgu yn erbyn rhywbeth soled, sefydlog.'

Yr hollol amlwg eto, meddai Ken Roberts wrtho'i hun.

'Doedd dim arwydd o ymladd yn yr ystafell wely, oedd e?' gofynnodd Anderson.

'Nago'dd.'

'Felly roedd rhywbeth wedi atal Marriner rhag ymladd yn ôl pan ymosodwyd arno.'

Yr hollol amlwg.

'Do'dd Dr Mason ddim yn meddwl 'i fod e'n ymwybodol pan drywanwyd e.'

'Na, dyw hi ddim yn edrych felly, ond yn bwysicach, mae'r canlyniadau tocsicolegol yn cadarnhau hynny.'

O'r diwedd, rhywbeth newydd.

'Mae ôl cymysgedd o gyffuriau yn y corff.'

'O?'

'Alcohol, wrth gwrs. Dwi'n credu i rywun sôn rhywbeth am win?'

'Ro'dd potel wag yn y gegin.'

'Wel, yn ogystal ag yn ei waed, mae olion ei chynnwys yn gymysg â'r gweddillion bwyd sy yn ei stumog: llysiau, pasta, caws a chig – pryd Eidalaidd, ddweden i. A chanabis, ond mae hynny bron mor gyffredin ag alcohol erbyn hyn, on'd yw e? O, ie, ac mae yna olion o *barbituric acid* – tabledi cysgu – hefyd.'

'Faint o ddos?'

'Ddim un fawr.'

'Ond digon i'w neud e'n anymwybodol?'

'Hen ddigon. Fel tawelydd mae rhywbeth rhwng deg a saith deg miligram yn gallu bod yn ddigon, ond drwy ei orddefnyddio mae'r corff yn cyfarwyddo â'r cyffur, wrth gwrs, ac mae angen mwy o ddos iddo fod yn effeithiol.'

'O'dd hi'n ddigon i'w ladd e?'

'Na. Digon i achosi trwmgwsg ond ddim i'w ladd.'

'Odi hynny'n 'yn helpu ni 'da'r amser y cafodd 'i lofruddio? Pryd ma'r tabledi ar 'u mwya effeithiol? Yn syth ar ôl 'u cymryd neu peth amser wedyn? Os mai'n syth ar ôl 'u cymryd, ma' hynny'n tynnu'r amser mla'n i'r adeg a'th e i'r gwely a chysgu . . .'

'Hanner munud, inspector,' a gwenodd y patholegydd. 'Dwi ddim yn gwybod pryd aeth e i'r gwely, ond dwi yn gwybod nad aeth i gysgu'n syth.'

'O?'

'Mae olion cyfathrach rywiol a semen ar y corff. Dwi wedi anfon sampl i ffwrdd am brofion DNA i weld i ba grŵp gwaed mae'n perthyn ac fe gewch chi wybod cyn gynted ag y caf y canlyniad.'

Tynnodd Carol Bennett fisor haul y car i lawr i gysgodi ei llygaid rhag y pelydrau llachar a ddisgleiriai yn ei hwyneb wrth iddi droi cornel y bryn. Arafodd a newid i gêr is. Roedd yr haul wedi ei dallu ar dro cynharach pan ddaeth un o lorïau mawr haliwr lleol i'w chyfarfod a rhoi ysgytwad arall i'w nerfau bregus wrth iddi geisio llywio'i char rhwng y cerbyd a'r clawdd cerrig ar y ffordd fynyddig gul.

Nid i ymgodymu â gyrwyr eraill roedd hi wedi mentro allan ar un o'i theithiau prin yn ei char ers iddi gael ei hanafu wrth arestio Graham Ward. Nid oedd Carol wedi dweud wrth Dr Helen Evans nad oedd hi wedi bod yn gyrru llawer ers y digwyddiad; nid oedd y meddyg wedi gofyn y cwestiwn hwnnw iddi ac roedd gan y ddwy hen ddigon i'w drafod heb gymhlethu pethau ymhellach. Diffyg awydd i fynd i unrhyw le yn hytrach nag ofn gyrru oedd i gyfrif am ei chyndynrwydd, ond heddiw daeth yr awydd drosti am ryw reswm, ac fe ildiodd iddo.

Cyflymodd y car unwaith eto wrth iddo ddisgyn ar hyd

y goriwaered a newidiodd Carol i gêr uwch. Goddiweddodd car arall hi heb iddi sylweddoli ei fod yn ei dilyn, a gwasgodd yn galed ar y brêc. Anaml iawn y bu Carol yn gyrru ar hyd y ffordd honno, ac roedd dan yr argraff nad oedd hi'n cael ei defnyddio ryw lawer, ond roedd yn amlwg ei bod wedi gwneud camgymeriad. Cysurodd ei hun â'r ffaith bod y ffordd fawr ond rhyw ddwy filltir i ffwrdd.

Edrychodd yn y drych rhag ofn bod yna gar arall yn nesáu. Roedd y ffordd yn glir a gollyngodd ei hanadl.

'Ie, Mrs Barbara Harris. Diolch.'

Rhoddodd Gareth y ffôn dan ei ên unwaith eto ac aros i system ffôn Ysbyty Brenhinol Gwent ei gysylltu â'r ward gywir. Tra oedd yn disgwyl edrychodd ar ei nodiadau o'r sgwrs a gafodd gyda Peter Harris, ond ni fu'n rhaid iddo aros yn hir.

'Ie, dyna hi,' meddai wrth y llais newydd. 'Ie, Mrs Barbara Harris. Ie. Na, na, dwi ddim ise siarad â hi, dim ond . . .' Ond roedd hi'n rhy hwyr, roedd y nyrs ar y pen arall wedi torri'r alwad ac yn amlwg yn y broses o gysylltu Gareth â mam Peter Harris.

Treuliodd Gareth y deng munud nesaf yn dymuno'n dda i'r wraig ac yn gobeithio y byddai'n gadael yr ysbyty'n fuan. Ond yn ystod y sgwrs fe gadarnhaodd Mrs Barbara Harris amserlen ei mab dros y penwythnos blaenorol; ei fod wedi cyrraedd Casnewydd brynhawn dydd Sadwrn ac wedi mynd yn syth i'r ysbyty i weld ei fam, ac yna roedd wedi bod gyda hi am y rhan fwyaf o'r Sul ac eto ar y nos Lun. Roedd e wedi aros yn ei chartref hi nos Sadwrn, nos

Sul a nos Lun, ond gan ei fod yn gadael am adref yn gynnar fore Mawrth, nid oedd wedi ymweld â'i fam y diwrnod hwnnw.

Diolchodd Gareth iddi am ei chymorth, a chan ddymuno'n dda iddi unwaith eto am wellhad buan a llwyr, rhoddodd y ffôn i lawr. Gwnaeth nodyn o'r cadarnhad. Roedd y wybodaeth a gawsai Wyn Collins gan y dyn yn y siop bapurau y noson cynt yn cadarnhau'r amser y cyrhaeddodd Harris 'nôl, ac o roi'r cyfan at ei gilydd roedd hi'n ymddangos bod stori cymar Andrew Marriner yn dal dŵr.

Y cam nesaf felly oedd dod o hyd i'r dyn roedd y ferch a weithiai yn y Spar wedi ei weld yn mynd i mewn i'r fflat am ugain munud wedi naw nos Lun. Ar wahân i'r cwestiwn amlwg o bwy oedd y dyn hwnnw, fe godai sawl cwestiwn arall yn ei sgil. Pryd gadawodd y dyn y fflat? Oedd yna dystion a allai gadarnhau neu wrthddweud hyn? A alwodd rhywun neu rywrai arall ar ôl iddo adael? Os oedd y siop Spar ar agor am bedair awr ar hugain, a oedd y staff a weithiai dros nos, neu un o'r cwsmeriaid, efallai, wedi gweld rhywbeth? Roedd Wyn wedi cael cymaint o wybodaeth ag oedd gan berchennog y siop bapurau, ond beth am yrrwr y fan a ddaeth â'r papurau iddo? A beth am y siopau eraill yn y stryd? A'r fflatiau?

Taflwch garreg i lyn ac mae'r cylchoedd yn cynyddu ac yn lledu am amser wedyn. Mae'r un peth yn wir am lofruddiaeth, ac ar adegau mae'n anodd gwybod pryd y byddan nhw'n peidio, os o gwbl.

Roedd gan Gareth ddigon i'w wneud, felly deuparth gwaith . . .

Cododd o'i gadair, ac ar yr union eiliad honno curodd rhywun ar ei ddrws.

'Ie?'

Cerddodd Kevin Harry i mewn a gwên lydan ar ei wyneb, a heb wybod pam fe wenodd Gareth hefyd. Efallai fod pethau'n argoeli'n dda am ddechrau addawol i'r diwrnod.

'Y gwa'd 'na ar lawr y capel,' meddai Kevin.

'O, ie,' meddai Gareth, ychydig yn siomedig. Roedd y staen yna'n ei ddilyn fel gwynt drwg; bob tro y llwyddai i'w wthio naill ochr roedd rhywun yn siŵr o'i atgoffa amdano. Edrychodd ar ei oriawr yn ddiamynedd. 'Iawn, beth yw e?'

'Gwa'd dynol.'

Cododd Gareth ei ben. 'Wyt ti'n siŵr?'

'Wrth gwrs 'mod i'n siŵr. Ro'n i'n ame 'ny o'r dechre.'

Doedd Gareth ddim yn cofio iddo ddweud hynny, ond ta waeth, roedd y wybodaeth hon yn newid pethau.

'O's 'da ti adroddiad?'

Estynnodd Kevin amlen iddo.

'Iawn,' meddai Gareth, gan geisio rhoi trefn ar ei feddyliau a phenderfynu sut roedd y newyddion hwn yn mynd i effeithio ar y domen oedd ar ei blât yn barod.

'Nest ti gynnal archwiliad manwl o'r capel i gyd?'

'Naddo, dim ond y staen ofynnest ti i fi'i archwilio,' meddai Kevin yn amddiffynnol.

'Wel, ma'r canlyniad 'ma'n newid pethe, on'd yw e? Pryd alli di . . . ?'

Canodd y ffôn.

'Ddim heddi. Ma' 'da fi sawl peth arall ar y gweill.'

Daliai'r ffôn i ganu.

'Pryd, 'te?'

'Dwi ddim yn gwbod. Ma' Inspector Roberts am i fi neud rhwbeth draw ar faes carafanne Marine Coast.'

Estynnodd Gareth am y ffôn.

'Dwi'n gwbod ond . . .'

'Ddo i 'nôl atat ti.'

'Wel bydd ise . . . Helô?'

Gwelodd Kevin ei gyfle i ddianc.

'Sarjant Lloyd?'

'Ie,' meddai Gareth, gan syllu'n ddigalon ar y drws yn cau.

'Peter Harris sy 'ma.'

'Mr Harris. Bore da.'

'Ma' 'da fi restr i chi o enwe'r bobol o'dd wedi dangos diddordeb yn y cleddyfe ry'n ni'n 'u gwerthu.'

'O, iawn, diolch yn fawr, ond do'n i ddim yn disgwl i chi neud hynny ar gymaint o frys.'

'Wel, ro'dd yn rhaid i fi, gan 'ych bod chi'n bwriadu mynd â'r cyfrifiaduron i ffwrdd.'

'Ie, wrth gwrs.'

'Ac os bydd yn help i chi ddal y llofrudd, ma'n well 'ych bod chi'n 'i cha'l hi heddi.'

'Odi, chi'n iawn.'

'Beth y'ch chi am i fi'i neud â hi?'

'Em . . .' Edrychodd Gareth ar ei oriawr. 'Ble y'ch chi nawr?'

'Yn y siop.'

'Tan pryd fyddwch chi 'na?'

'Arhosa i tan y dewch chi draw. Do's unman arall 'da fi i fynd.'

'Rhywun ar frys,' meddai Eifion Rowlands wrtho'i hun pan welodd gefn car Gareth Lloyd yn troi cornel y stryd i gyfeiriad canol y dref. Amseru da, meddyliodd. Hanner munud yn gynharach ac fe fyddai wedi cael ei ddal a'i dynnu i mewn i'r rhuthr. Gyrrodd i mewn i'r maes parcio a gadael ei gar yng nghysgod fan fawr ddu.

Roedd Eifion wedi ailymweld â'r siopau a'r fflatiau ar ei ochr ef o Ffordd y Farchnad, ond roedd yn dal heb gael ateb mewn dwy o'r fflatiau ac fe fyddai'n rhaid iddo ddychwelyd rywbryd eto.

Dringodd y grisiau cefn i'w swyddfa. Tynnodd ei lyfr nodiadau o'i boced a chynnau'r cyfrifiadur. Tra oedd y peiriant yn mynd trwy ei bethau edrychodd Eifion ar y tudalennau lle'r oedd wedi cofnodi'r hyn roedd trigolion Ffordd y Farchnad wedi'i ddweud wrtho. Petai rhywun yn dod i mewn i'r ystafell, teipio'i adroddiad o'r cyfweliadau hynny y byddai, ond mewn gwirionedd roedd ei feddwl ymhell o Ffordd y Farchnad.

Roedd adroddiadau'r bore hwnnw wedi bod yr un mor negyddol – a chadarnhaol, o safbwynt Eifion – â phob bore arall, heb unrhyw gyfeiriad at Brian Pressman. Ychwanegai hynny at y teimlad fu'n tyfu'n raddol ers iddo siarad â Sean Macfarlane y diwrnod cynt, sef bod ei sefyllfa'n dechrau newid. Roedd hi'n llawer rhy gynnar i ddatgan bod pethau'n mynd i fod yn iawn, ond o leiaf nid oedd mor bryderus bellach o'r gafael oedd gan Ryan arno a'r hyn a allai fygwth ei wneud.

Gwir, roedd y fideo ohono'n derbyn yr arian yn dal i fod ym meddiant Ryan, ond faint o fygythiad oedd y lluniau hynny mewn gwirionedd heb eiriau i gefnogi ei haeriad? Er gwaetha'r hyn roedd pobl yn ei ddweud, fel tystiolaeth roedd mil o eiriau yn llawer pwysicach nag unrhyw lun. Mater o ddehongliad a pherswâd oedd y cyfan, a phetai'n gallu profi bod Ryan yn gysylltiedig â rhyw drosedd neu'i gilydd, yna pwy mewn gwirionedd fyddai'n derbyn ei air ef o flaen gair heddwas â gyrfa ddilychwyn?

Ac i goroni'r cyfan, roedd llofruddiaeth Andrew Marriner fel ateb i weddi ac yn siŵr o gadw sylw pawb i ffwrdd o garafannau Marine Coast. Roedd pethau'n bendant yn gwella, a theimlai Eifion yn llawer mwy hyderus ynghylch y dyfodol.

Ymddangosodd bwydlen y cyfrifiadur ar y sgrin. Teipiodd Eifion ei gyfrinair i agor ei e-bost ac arhosodd i'r peiriant lwytho'r negeseuon roedd wedi eu derbyn ers iddo ddefnyddio'r cyfrifiadur ddiwethaf. Pan fflachiodd y golau i ddynodi diwedd y llwytho, symudodd Eifion y saeth i fyny drwy'r deunaw neges newydd. Aeth heibio i'r rhai digymell oddi wrth Clare, Vicky a Nicole. Fe fu yna adeg pan fyddai Eifion wedi eu hagor i weld pa ddanteithion roedd y merched yn eu cynnig iddo, ond ers ymgyrch Ore, sef ymchwiliad yr heddlu ym Mhrydain a'r Unol Daleithiau i weithgareddau paedoffiliaid ar y we, roedd ef a sawl un o'i gyd-weithwyr yn llawer mwy gofalus o'r safleoedd gwe amheus yr ymwelent â hwy – yn enwedig gan fod pawb erbyn hyn yn argyhoeddedig eu bod nhw'n cael eu monitro. Gwelodd yr un roedd yn ei disgwyl a chliciodd arni ddwywaith; llanwyd y sgrin â neges Malcolm John.

'Dyma'r wybodaeth ofynnest ti amdano,' darllenodd Eifion yn frysiog. 'Mae'n weddol gyflawn, dwi'n meddwl, ond gan ei fod yn fyd cystadleuol iawn mae busnesau'n newid eu cwmnïau diogelwch yn eitha rheolaidd, felly alla i ddim bod yn hollol siŵr os yw'r wybodaeth yma am

Stylus Security yn dal i fod gant y cant yn gywir. Bydd yn ofalus sut wyt ti'n defnyddio'r wybodaeth, rhag ofn i . . . Ie, ie,' meddai Eifion wrtho'i hun gan anwybyddu gweddill y rhybudd a symud y saeth i lawr y sgrin at y rhestr o fusnesau.

Roedd yno dri busnes masnachol, sef cwmni cyflenwi adeiladwyr, iard goed, a busnes gwerthu ceir ail-law, ynghyd â phedwar clwb – Stepneys, Heat, Silverglade a Rise Seven Five. Darllenodd Eifion ymlaen at enwau perchnogion a rheolwyr y cwmnïau, ac roedden nhw i gyd yn ddieithr iddo nes iddo gyrraedd Rise Seven Five, a sylwi ar enw'r rheolwr: Michael Ryan.

Cyneuodd Eifion sigarét a phwyso'n ôl yn y gadair. Cyd-ddigwyddiad? Go brin. Mae'n rhaid bod y dyn yn berthynas i Richie Ryan, ac mai ar ei ran ef roedd Ryan wedi gofyn am wybodaeth am ymchwiliadau cyfredol yr Uned Gyffuriau. Doedd hi ddim yn anarferol i sawl aelod o'r un teulu fod yn gweithio yn yr un math o fusnes, ac os oedd Michael Ryan rywbeth yn debyg i berchennog Marine Coast, roedd yn debygol iawn ei fod yntau'n ymhél ag ochr amheus, anghyfreithlon y busnes hwnnw. Ac os mai dim ond am y rheswm hwnnw, roedd yn haeddu sylw. Bu ond y dim i Eifion rwbio'i ddwylo wrth feddwl am y posibiliadau oedd o fewn ei gyrraedd.

Edrychodd Carol yn y drych ac arwyddo ei bod yn gadael y draffordd. Dilynodd ddau gar arall ar hyd yr allanfa fer ac o gwmpas y cylchdro; roedd hi'n amlwg bod y tri ohonynt yn anelu am yr un lle.

Allan am dro, gyrru'n ddigyfeiriad heb unman

arbennig mewn golwg, dyna oedd ei bwriad gwreiddiol; dianc rhag y pedair wal a'i cadwai'n gaeth i'w meddyliau. Dim mwy na hynny. Ac wrth i'r milltiroedd wibio heibio dychwelodd ei hyder, a phrofodd sawl gyrrwr mwy anystyriol na'i gilydd fin ei chorn. Ond wrth iddi yrru yn ei blaen a throi o'r naill ffordd i'r llall, sylweddolodd yn raddol fod ei hisymwybod yn gwybod ers amser i ble'r oedd hi'n mynd.

Dilynodd y ffordd am ychydig cyn cyrraedd cylchdro arall a throi o'r A48 i'r A473. Roedd wedi gweld sawl arwydd cyn hynny ond cyfeiriai'r rheini at rywle yn y pellter, rhywle yn y dyfodol. Roedd hwn yn wahanol, roedd hwn yn derfynol. Roedd hi wedi cyrraedd Pen-y-bont ar Ogwr.

Pedair wal neu beidio, doedd dim dianc i'w gael.

'Mae e lan yn y stafell fyw,' meddai'r Cwnstabl Michael Davies ar ôl agor y drws ochr i Gareth.

Edrychodd Gareth i fyny'r grisiau. 'Dim ond ti sy 'ma?'

'Ie. Gadawodd y dynion fforensig ryw hanner awr 'nôl.'

'Odyn nhw wedi gorffen?'

Nodiodd Davies. 'Hyd y gwn i, ond dy'n nhw ddim yn gweud lot wrth 'yn siort i.'

'Pryd gyrhaeddodd Peter Harris?'

'Tua chwarter i ddeg, ond o'dd raid iddo fe aros lawr fan hyn nes bod y dynion fforensig wedi gorffen.'

'Be fuodd e'n neud?'

'Cerdded rownd y siop ac edrych ar y stoc er mwyn gweld os o'dd rhwbeth wedi'i ddwyn, medde fe. Gofynnodd wedyn os alle fe fynd i'r stafell gefn i tsieco'r stoc ar y cyfrifiadur.' Yn sydyn cymylodd wyneb yr heddwas. 'Ro'dd hynny'n iawn, on'd o'dd e?' gofynnodd, gan ddechrau poeni nad oedd wedi bod yn ddigon gofalus o fan y drosedd.

'O'dd, siŵr o fod. Ro'dd e wedi addo rhoi enwe rhai o gwsmeriaid y busnes i fi, ac ma'n siŵr y bydde'n rhaid iddo fe ddefnyddio'r cyfrifiadur i neud 'ny, beth bynnag. Wyt ti'n gwbod ble gysgodd e neithiwr?'

'Yn y Dderwen Ddu, dwi'n meddwl.'

'Ai fan'ny ma' fe'n mynd i aros am y tro?'

'Dwi ddim yn gwbod, ond wedodd e 'i fod e am gasglu rhagor o'i stwff o'r fflat.'

'Iawn, ofynna i iddo fe beth yw 'i gynllunie. Dy'n ni ddim am iddo fe ddiflannu heb adel 'i gyfeiriad i ni.'

Anadlodd Michael Davies ychydig yn rhwyddach ac edrychodd ar ei oriawr.

'Pryd wyt ti'n gorffen?' gofynnodd Gareth, gan glywed yr ergyd yn taro'r post.

'Dau o'r gloch.'

'Alli di fynd nawr; gad yr allweddi 'da fi.'

'Diolch,' meddai Davies, gan drosglwyddo allweddi'r adeilad a'r cyfrifoldeb am y lle â rhyddhad. Clodd Gareth y drws ochr ar ôl i'r heddwas adael a dringo'r grisiau i'r llawr cyntaf.

Roedd yr ystafelloedd ar y llawr hwnnw a mwyafrif yr ystafelloedd ar yr ail lawr ar gael i'w defnyddio bellach; yr unig eithriad oedd yr ystafell wely lle y llofruddiwyd Andrew Marriner. Roedd honno wedi ei chloi a'i selio rhag ofn y byddai'n rhaid i'r gwyddonwyr fforensig neu'r patholegydd ddychwelyd i'w harchwilio ymhellach.

Deuai sŵn o'r ystafell wely arall uwch ei ben a dyfalodd

Gareth fod Peter Harris yn casglu rhywfaint o'i eiddo ynghyd. Penderfynodd adael llonydd iddo nes y byddai wedi gorffen.

Safodd ar y landin gan geisio dychmygu beth yn union oedd wedi digwydd yn y fflat ar y nos Lun. Roedd y llestri brwnt, y botel win a'r ddau wydr yn y gegin yn dystiolaeth weddol bendant fod rhywun ar wahân i Marriner wedi bwyta yn y fflat y noson honno. Roedd ganddynt dyst a welodd rywun yn cyrraedd y fflat am ugain munud wedi naw, felly roedd yn rhesymol casglu mai hwnnw oedd yr ail berson.

Ond yr hyn na wyddent hyd yn hyn oedd ai ar hap roedd y person hwnnw wedi galw, neu drwy wahoddiad? Os trwy wahoddiad, yna doedd Andrew Marriner ddim wedi nodi hynny yn ei ddyddiadur. Roedd wedi nodi absenoldeb Peter Harris o ddydd Sadwrn hyd ddydd Mawrth, ond doedd dim wedi ei nodi ar gyfer dydd Llun.

Dim ond un tyst oedd wedi gweld yr ail berson yn cyrraedd, a doedd neb wedi ei weld yn gadael. Felly pryd gadawodd e? Ac, yn bwysicach, a oedd Andrew Marriner yn fyw pan adawodd?

Roedd yn edrych yn debygol iawn mai'r ymwelydd oedd y llofrudd, ond hyd yn oed os nad ef a lofruddiodd Marriner, pe gallai brofi bod perchennog y siop yn fyw pan adawodd e, fe fyddai cael gwybod pryd y gadawodd o help mawr i ymchwiliadau'r heddlu. Ond os na ddoi neb ag enw'r ail berson iddynt yn fuan, yna fe fyddai'n rhaid iddyn nhw apelio arno i gysylltu â nhw. Ac fe allai hynny gymryd amser.

Roedd tystion yn hollbwysig i unrhyw ymchwiliad, nid yn unig er mwyn i'r heddlu allu rhoi trefn ar y digwyddiadau ac esbonio ambell fwlch a chrych, ond hefyd er mwyn iddynt dystio gerbron llys barn fod pethau wedi digwydd yn union fel roedd yr heddlu a'r erlyniad yn honni iddynt ddigwydd. Ond pan oedd ymchwiliad yn dibynnu cymaint ar barodrwydd tystion i wirfoddoli'r hyn a wyddent, golygai fod llwyddiant yr ymchwiliad ar eu trugaredd, ac am y rheswm hwnnw doedd Gareth Lloyd ddim yn or-hoff o orfod apelio am dystion.

Pan glywai am droseddau roedd heddluoedd wedi bod yn ymchwilio iddynt am fisoedd os nad blynyddoedd heb ddim llwyddiant, ac yna'n sydyn yn cael sylw unwaith eto yn y cyfryngau am fod rhywun wedi datgelu rhyw wybodaeth newydd, fe synnai Gareth sut y gallai'r person hwnnw fod wedi cadw'n dawel cyhyd. Os nad oedd wedi sylweddoli pwysigrwydd yr hyn a wyddai yn syth ar ôl i'r drosedd gael ei chyflawni a chael tipyn o sylw ar y cyfryngau, beth allai fod wedi newid fisoedd yn ddiweddarach? Ond eto gwyddai fod sawl achos wedi cael eu datrys drwy dystiolaeth tystion fu'n hwyrfrydig iawn i ddatgelu'r hyn a wyddent.

Clywodd sŵn rhywbeth yn disgyn ar y llawr uwchben a fe'i hysgydwyd o'i synfyfyrio. Aeth i mewn i'r ystafell fyw; roedd yr un mor foethus a moel â'r diwrnod blaenorol – digon o chwaeth ond ychydig iawn o gysur. Cerddodd at y silff lyfrau dal ar ochr chwith yr ystafell. Nid oedd Gareth yn ddarllenwr mawr, ond roedd rhai llyfrau ac awduron roedd hi bron yn amhosib osgoi clywed amdanynt; nid oedd un o'r rheini'n cael eu cynrychioli yma. Syllodd ar hyd y silffoedd ar y llyfrau clawr papur, ond roedd y teitlau a'r enwau i gyd yn ddieithr iddo.

Plygodd i edrych ar y silffoedd isaf lle'r oedd nifer o

lyfrau mawr clawr caled. Tynnodd ei fys ar hyd y meingefnau a sylweddoli o'r teitlau ac ambell lun mai casgliadau o luniau o ddynion oedd cynnwys y mwyafrif ohonynt, a boed y lluniau'n cael eu hystyried yn gelfydd neu beidio, nid oedd diddordeb gan Gareth ynddynt. Roedd ganddo lawer mwy o ddiddordeb yn y dyrnaid o lyfrau ar y silff waelod.

Roedd y llyfrau hynny hefyd yn ddieithr iawn, ond roedd testun ambell un ohonynt wedi dod yn lled gyfarwydd iddo yn ystod y dyddiau diwethaf: *The Encyclopedia of Magick*, *The Contents of the Cauldron*, *The Book of Wicca*. Tynnodd un neu ddau ohonynt allan, ac edrych drwyddynt.

Faint o hyn roedd Andrew Marriner yn ei gredu? meddyliodd Gareth. Ai dim ond ar gyfer dibenion ei fusnes yr ymddiddorai ynddo, neu a âi ei ddiddordeb yn ddyfnach na hynny? Pe bai'r llyfrau i lawr yn y siop, yna mae'n bosibl mai ar gyfer ei fusnes roedd yn eu cadw, ond roedd y ffaith eu bod yn yr ystafell fyw ymhlith llyfrau personol eraill yn awgrymu bod ganddo ef, neu Peter Harris, ddiddordeb ynddynt. Ond wedyn, os nad oedd ganddo ddiddordeb yn yr ocwlt, pam cadw siop oedd yn gwerthu nwyddau'n ymwneud a'r byd hwnnw?

Gadawodd Gareth i'r tudalennau droi'n araf rhwng ei fysedd, ac roedd ar fin cau'r llyfr pan sylwodd ar nifer o luniau o gyllyll a chleddyfau. Trodd yn ôl at y tudalennau hynny a dechrau darllen.

Athame oedd yr enw swyddogol ar y cyllyll ac roeddynt yn bwysig yn seremonïau'r grefydd Wicca; nid i dorri pethau nac ar gyfer aberthu, ond i gyfeirio egni wrth lunio'r cylchoedd seremonïol. Roedd y cleddyfau yn y lluniau yn rhai lliwgar a chain ac edrychai ambell un yn debyg i'r cleddyf a laddodd Andrew Marriner. Unwaith eto, gellid eu defnyddio i lunio cylchoedd seremonïol, ond roeddynt hefyd yn cynrychioli'r deall a alluogai'r meddwl i ladd anwybodaeth, yn union fel y lladdai cleddyf elynion.

Yn union fel y lladdai cleddyf elynion!

Ai dyna oedd wedi digwydd i Andrew Marriner? A oedd ganddo ef elynion a oedd wedi ei ladd fel rhan o ryw seremoni? Byddai mwy o achos gan Gareth i gredu hynny pe bai Marriner wedi cael ei lofruddio ddiwrnod yn gynharach, ar noson Calan Gaeaf. Cofiodd am y gwaed yng nghapel Penuel a meddwl tybed a oedd yna gysylltiad rhwng y ddeubeth.

'Sarjant? O'n i ddim yn gwbod bod chi 'ma.'

Trodd Gareth i weld Peter Harris yn sefyll yn y drws. Roedd wedi ymgolli cymaint yn ei feddyliau fel nad oedd wedi ei glywed yn disgyn o'r llawr uchaf.

'Newydd gyrra'dd.'

'Ma'r rhestr ofynnoch chi amdani yn y gegin.'

'Diolch yn fawr.'

Dilynodd Gareth ef allan o'r ystafell fyw a sylwi ar ddau ges ar ganol y landin.

'Ble fyddwch chi'n aros?'

'Yn y Dderwen Ddu am y tro, ond wedyn . . . dwi ddim yn siŵr. Ma' fe i gyd yn dibynnu ar faint o amser byddwch chi am 'y nghadw i o'r fflat. Falle af i i aros 'da Mam pan ddaw hi mas o'r ysbyty. Gymerwch chi rwbeth i' yfed, sarjant?'

'Na, dim diolch.'

'Dwi'n mynd i neud paned i'n hunan. Chi'n siŵr na chymerwch chi rwbeth?'

'Odw, diolch.'

Edrychodd Gareth ar Peter Harris yn llenwi'r tegell ac yn dechrau hwylio'i baned. Edrychai mewn llawer gwell cyflwr heddiw na phan welodd ef gyntaf, fel petai'n dechrau dygymod â'i sefyllfa. Ond roedd hi'n dal yn gynnar, a dim ond y camau cyntaf oedd y rhain; fe wynebai wythnosau o addasu cyn y câi ryw fath o drefn ar ei fywyd. A hyd yn oed wedyn, ni fyddai pethau byth yr un fath eto.

'O's teulu 'da Mr Marriner?' gofynnodd Gareth, wrth i'r tegell ferwi.

'Wha'r yn Awstralia, hi yw'r agosa, dwi'n meddwl.'

'Neb yma'n y dre? Yma ga'th e'i eni, yntefe?'

'Ie, ond do's 'na neb dwi'n gwbod amdano. Os o's 'na, do'n nhw ddim am nabod Andrew pan o'dd e'n fyw, ond wrth gwrs neith hynny ddim 'u cadw nhw rhag cysylltu â'i gyfreithiwr e nawr, ma'n siŵr.'

'Odych chi'n gwbod be sy'n mynd i ddigwydd i'r siop?'

'Pwy fydd yn elwa o farwolaeth Andrew, chi'n feddwl? Fi, sarjant. Pan ddechreuon ni'r busnes ddwy flynedd 'nôl, fe lunion ni gytundeb busnes a neud 'yn hewyllysie'r un pryd. Fy eiddo i iddo fe a'i eiddo fe i fi.'

'A beth am 'i chwaer?'

'Do'n nhw ddim wedi gweld 'i gilydd ers blynydde; dwi ddim yn credu'u bod nhw erio'd wedi bod yn agos.' Trodd Harris i dynnu cwpan allan o un o'r cypyrddau.

'Dwi'n deall 'ych bod chi wedi edrych o gwmpas stoc y siop.'

'Do, gynne.'

'O's rhwbeth wedi'i ddwyn?'

Siglodd Harris ei ben. 'Nago's, dim. Ac ma' rhai o'r tlyse ry'n ni'n 'u gwerthu'n werthfawr.'

'Felly dim lladrad o'dd y cymhelliad.'

Cododd Harris ei ysgwyddau. 'O ie, dyma chi, cyn i fi anghofio, yr enwe ofynnoch chi amdanyn nhw,' ac estynnodd ddarn o bapur wedi ei blygu i Gareth.

Agorodd Gareth y papur a darllen y pymtheg enw oedd wedi eu hargraffu arno.

'Odych chi'n nabod rhain?'

'Ddim i gyd. Ma' enw ambell un yn gyfarwydd, a dwi'n nabod un neu ddau o'r lleill.' Arllwysodd ddŵr berwedig i'r cwpan.

'Shwd y'ch chi'n gwbod am 'u diddordeb yn y cleddyfe?'

'Nodiade Andrew ar y cyfrifiadur. Ma' cadw diddordeb y prynwyr yn rhan bwysig o werthu. Ma'n syndod sut y gallwch chi berswadio rhai pobol i brynu pethe dy'n nhw ddim hyd yn o'd yn gwbod bod 'u hangen arnyn nhw.'

'Ac o gyfrifiadur y siop gethoch chi'r rhain?'

'Ie.'

'O's angen *passwords* i ddefnyddio'r cyfrifiaduron?'

'O's.'

'Bydd raid i ni'u ca'l nhw 'da chi.'

'Dwi ond yn gwbod fy rhai i; do'dd Andrew ddim yn rhannu popeth 'da fi,' a gwenodd yn ymddiheurol.

'Wel, ma'n siŵr y byddwn ni'n gallu'u hagor nhw, beth bynnag.'

'Pob un? O's rhaid i chi edrych ar bob ffeil?'

'Dwi'n ofni nad o's y fath beth â chyfrinache mewn achos o lofruddiaeth.'

'Llofruddiaeth. Dwi'n dal 'i cha'l hi'n anodd credu y galle rhwbeth fel hyn ddigwydd.' Plethodd Peter Harris ei freichiau o gwmpas ei frest a siglo'i ben.

'Dy'ch chi ddim wedi meddwl am unrhyw reswm pam y llofruddiwyd Mr Marriner?'

Parhaodd Harris i siglo'i ben a dechreuodd ei lygaid lenwi. Efallai nad oedd pethau wedi gwella cymaint â hynny wedi'r cyfan.

Gadawodd Gareth i'r distawrwydd dyfu am ychydig cyn penderfynu ei bod hi'n amser iddo newid y pwyslais.

'Ro'n i'n gweld bod 'na nifer o lyfre ar yr ocwlt yn y stafell fyw. Ac o ystyried y ffordd ga'th Mr Marriner 'i ladd, tybed a o'dd 'da hynny rwbeth i' neud ag e.'

Peidiodd Peter Harris â siglo'i ben a syllodd ar Gareth yn fud am rai eiliadau.

'Beth y'ch chi'n feddwl?'

'Tybed a o'dd y cleddyf wedi ca'l 'i ddewis am reswm arbennig. Fel rhan o seremoni.'

'Na, na,' a dechreuodd y pen siglo unwaith eto, ond yn gyflymach ac yn fwy pendant na chynt. 'Na, alla i ddim credu 'ny.'

'Ond ma'r cleddyf yn ca'l 'i ddefnyddio mewn seremonïe, on'd yw e?'

'Odi, ond ddim i ladd.'

'Ond fe alle fe.'

'Wel, wrth gwrs, ond . . .'

'O'dd Mr Marriner yn credu yn yr ocwlt?'

Yfodd Peter Harris y te yn dawel am ychydig. 'Ddim yn yr ochor dywyll, yr hyn ma'r rhan fwya o bobol yn meddwl amdano pan y'ch chi'n sôn am yr ocwlt.'

'Mewn beth yn hollol o'dd Mr Marriner yn credu, 'te?'

Ochneidiodd Peter Harris a dal ei anadl, fel pe bai'n trio ffrwyno'i deimladau rhag iddynt ei drechu eto. 'Ro'dd e'n credu bod 'na ddimensiwn ysbrydol i fywyd, rhwbeth mwy na'r hyn ry'n ni'n 'i weld o'n cwmpas, a bod 'na ffordd i ni gysylltu â hwnnw a dod yn rhan ohono.'

'Yn rhan o beth?'

'Y pwere sy o'n cwmpas.'

'Shwd fath o bwere yw'r rheini?'

'Nerthoedd cadarnhaol sy i'w ca'l ym mhob peth byw.'

'A shwd o'dd e'n gallu neud 'ny?'

'Drwy fyfyrio'n gadarnhaol a dod yn un â'r grymoedd hynny.'

'O'dd rhaid iddo fe neud rhwbeth neu roi rhwbeth am y pwere hyn?'

'Be chi'n feddwl?'

'Chi'n gwbod,' meddai Gareth, yn ymwybodol ei fod ymhell allan o'i ddyfnder ond ddim am ddangos hynny. 'O'dd rhaid iddo roi . . . aberthu rhwbeth i ga'l y pŵer hwn?'

'Ma'n rhaid i chi ildio'ch hunan, rhoi'r gore i'ch dyheade pitw a hunanol cyn y gallwch chi fod yn rhan o'r greadigaeth gyfan. Ma' hynny'n gallu bod yn aberth i rai, yn fwy o aberth na ma'n nhw'n barod i' neud. Ond allwch chi ddim disgwl derbyn ysbryd y cread heb gyrra'dd lefel ysbrydol 'ych hunan gynta, a rhan bwysig o hynny yw gwaredu'ch hunan o'r holl bethe hunanol a negyddol ry'ch chi wedi'u casglu yn ystod 'ych bywyd. Ond unwaith ry'ch chi wedi cyrra'dd y lefel ysbrydol honno, a dim ond wedyn, ma'n bosib i'ch ysbryd chi fod yn un â'r greadigaeth gyfan.'

Roedd Peter Harris wedi hen golli Gareth, ond nid oedd ei angerdd wedi ei golli arno.

'O's 'na ryw seremoni ynghlwm wrth hyn?'

Gwenodd Harris. 'Dawnsio'n noeth yng nghanol cae am hanner nos, chi'n feddwl?'

'Gwedwch chi.'

'Na, dim byd fel'ny. Fel dwedes i, rhwbeth personol i'r unigolyn fyfyrio amdano yw e.'

'Ac ry'ch chi'n credu hynny hefyd; yn credu'r un peth â Mr Marriner?'

'O, odw, dyna dda'th â'r ddau ohonon ni at 'yn gilydd gynta. Cwrdd mewn canolfan ysbrydol yn Llundain nethon ni; ro'dd y ddau ohonon ni am agor canolfan debyg 'yn hunen ac fe dda'th y cyfle pan ga'th Andrew y lle 'ma. Dim ond y cam cynta yw'r siop, adeiladu ymwybyddiaeth yn yr ardal a chysylltu pobol sy'n credu'r un peth â ni â'i gilydd. 'Yn breuddwyd gydag amser o'dd agor canolfan lle alle pobol astudio'r dimensiwn ysbrydol.'

'Chi'n meddwl bod galw am hynny yma'n y dre?'

'O o's, yn bendant, yn y dre ac yn yr ardal o gwmpas. Ma' lot o bobol sy'n chwilio am ffordd symlach o fyw, yn agosach at natur, wedi symud i'r ardal hon yn ystod y blynydde dwetha. Ma' llawer ohonyn nhw'n gwsmeriaid i ni'n barod.'

'O's 'na enw ar yr hyn ry'ch chi'n 'i gredu?'

Gwenodd Peter Harris, braidd yn nawddoglyd yn nhyb Gareth, cyn ateb.

'Ma'n siŵr y bydde rhai pobol yn 'yn galw ni'n ddisgyblion yr Oes Newydd, ond ma' hwnna'n rhy gyffredinol. Do'dd Andrew a fi ddim yn dilyn un ffordd arbennig. Rhwbeth ro'n ni wedi'i ddatblygu droson ni'n hunen o'dd e, drwy gymryd y gore o sawl dysgeidiaeth, y pethe o'dd yn gweddu i'n personoliaethe ni. Ac am y rheswm 'ny, am 'yn bod ni wedi dewis a dethol, ro'dd yn ateb 'yn hanghenion ni i'r dim.'

'Ry'ch chi'n gwerthu pob math o bethe yn y siop. Odyn

nhw i gyd yn ymwneud â'r hyn o'ch chi a Mr Marriner yn 'i gredu?'

'O, na. Ry'n ni'n darparu ar gyfer anghenion pawb. Ma' pobol yn credu pethe gwahanol a fydden ni ddim yn breuddwydio dweud wrth neb bod rhaid iddyn nhw gredu'r un peth â ni; mae e lan i bawb i ddod o hyd i'r hyn sy'n gweddu iddyn nhw, i ffeindio'u ffordd 'u hunen.'

'A'r cleddyfe, ma'n nhw'n gallu bod yn rhan o gred rhai pobol, on'd y'n nhw?'

Ochneidiodd Peter Harris wrth i'r sgwrs droi mewn cylch cyfan. 'Odyn, ond dim ond fel pethe positif, cadarnhaol,' mynnodd, o gofio'r hyn roedd Gareth wedi'i ddweud yn barod.

'Ond ma' 'na nerthoedd negyddol i' ga'l hefyd.'

'O's.'

'A'r rheini yw'r ochor dywyll y sonioch chi amdani gynne?'

'Ie.'

'Ac os yw rhai, fel chi a Mr Marriner, yn gallu dod yn un â'r nerthoedd cadarnhaol, ma'n bosib i rywun ddod yn un â'r nerthoedd negyddol hyn hefyd, on'd yw hi?'

Nodiodd Peter Harris yn araf.

'Ac os mai dyna y'ch chi'n chwilio amdano, mai dyna y'ch chi ise, dyna gewch chi, ie?'

'Beth y'ch chi'n feddwl?'

'Os yw rhywun am gyflawni gweithred negyddol yna nerthoedd negyddol sy'n ca'l 'u defnyddio.'

'Dim ond ar gyfer dibenion cadarnhaol ma'r cleddyfe'n ca'l 'u defnyddio.'

'Falle mai ar gyfer hynny ma'r cleddyfau *yn* ca'l 'u

defnyddio, ond fe *allen* nhw ga'l 'u defnyddio at ddibenion negyddol hefyd.'

'Na, dim ond rhai cadarnhaol.'

Siglodd Gareth ei ben mewn penbleth. 'Odych chi'n gweud petai rhywun am ddefnyddio'r cleddyfe ar gyfer gweithred ddrwg fydde fe ddim yn gallu neud 'ny?'

'Ma' egni'r cleddyf yn aros yr un peth.'

'Ond shwt? Os yw'r weithred yn ddrwg, yn un negyddol, yna fe fyddai'r egni hefyd yn ddrwg ac yn negyddol, oni fydde?'

Nid atebodd Harris, dim ond syllu'n galed ar Gareth.

'Ma' hi *yn* bosib ca'l egni negyddol, on'd yw hi? Egni sy'n cyd-fynd â'r nerthoedd negyddol? Yn union fel ma'n bosib i weithredoedd pobol fod yn ddrwg neu'n dda.'

'Chi'n swnio fel petai daioni a drygioni yn bethe absoliwt.'

'Ond ma'n nhw,' meddai Gareth. 'Dyna pam ma' 'da ni ddeddfe a chyfreithie.'

Chwarddodd Peter Harris. 'Allwch chi ddim cyfyngu ysbryd pobol â rhyw ddeddfe mympwyol ma' rhai pobol yn 'u gosod ar erill.'

'Ond be sy'n fwy mympwyol na phobol yn dewis ac yn dethol yr hyn ma'n nhw'n credu ynddo? On'd yw hynny'r un mor fympwyol?'

Syllodd Harris arno'n dawel am rai eiliadau.

'Yw e?' mynnodd Gareth.

'Chi'n camddehongli pethe, fel pob un arall sy'n canolbwyntio ar y materol a'r gweladwy yn unig. Chi'n meddwl 'ych bod chi'n gweld ond ry'ch chi'n ddall, ac felly allwch chi ddim deall.' Yna arllwysodd Peter Harris weddill ei de i lawr y sinc a cherdded allan o'r gegin.

'Ond dwi'n trio 'ngore i ddeall, Mr Harris; i ddeall pam y cafodd Mr Marriner 'i lofruddio,' galwodd Gareth ar ei ôl. Ni wyddai beth oedd wedi digwydd, ond am ryw reswm roedd ymarweddiad Peter Harris tuag ato wedi newid. A oedd ef wedi cyffwrdd â rhyw glwyf, rhyw fan tyner oedd yn agos i'r wyneb, neu â rhywbeth yn ymwneud â'i gred, efallai? Rhywbeth yr oedd ef ei hun wedi sylweddoli ond nad oedd am ei gydnabod?

Hanner awr? Tri chwarter awr? Awr? Ni wyddai Carol am faint y bu'n eistedd yno. Doedd amser ddim yn cyfri a hithau wedi ymgolli yn ei meddyliau, yn synfyfyrio am yr hyn a fu ac yn ceisio dyfalu beth fyddai.

Daethai Carol o hyd i'r stryd yn weddol ddidrafferth; un troad anghywir cyn cyrraedd, dyna i gyd. Roedd hi wedi meddwl am y lle droeon ond doedd hi erioed wedi bod yno cyn heddiw, ac o ystyried hynny doedd un troad anghywir yn ddim byd; yn sicr doedd e'n ddim byd y dylid ei gymryd fel arwydd naill ffordd na'r llall.

Syllai i fyny'r stryd o hen dai cerrig cadarn a oedd eisoes wedi sefyll am yn agos i ganrif, a gyda gofal fe fyddent yno ymhen canrif arall. Pwy fydd yma ymhen can mlynedd? Ai dyna roedd ei thad-cu wedi arfer ei ganu? Yn fwy iddo'i hun nag i neb arall; rhywbeth yn debyg iddi hi heddiw, meddyliodd. Gwneud rhywbeth i'w phlesio'i hun roedd hi, a waeth iddi fod wedi cyfaddef hynny oriau ynghynt.

Byddai Glyn yn dychryn o wybod ble'r oedd hi. Gwenodd wrth feddwl am hynny a'r olwg fyddai ar ei wyneb; efallai ei fod yn haeddu cael ei ddychryn, efallai y gwnâi les iddo, meddyliodd, a diflannodd y wên.

Ymddangosai'r cyfan mor hawdd i Glyn. Llwyddai i gadw gwahanol rannau ei fywyd ar wahân: ei deulu'n ddiogel fan hyn, a hithau hyd braich fan draw. Y ddau yn ddigon pell oddi wrth ei gilydd. Popeth yn ei le a lle i bopeth. Ond faint o le oedd ganddo iddi hi yn ei fywyd? Dim llawer, os oedd y pythefnos diwethaf yn unrhyw fath o linyn mesur. Un alwad ffôn fer i ddymuno gwellhad buan iddi ac i ddweud y deuai i'w gweld yn fuan. Ond ddaeth e ddim, ac ni ddaeth galwad arall chwaith.

Am faint oedd hi i fod i ddisgwyl amdano? Am faint oedd hi i fod i aros nes y byddai'n penderfynu cysylltu â hi? A pha hawl oedd ganddo i ddisgwyl i'w fywyd ef barhau mor drefnus a pherffaith tra oedd ei bywyd hi ar chwâl yn llwyr? Curodd y llyw â chledr ei llaw. Sut allai fod mor hunanol?

Sychodd Carol yr anwedd oedd wedi ffurfio ar ffenest y car â'i llaw a thanio'r peiriant er mwyn i'r gwresogydd ei chlirio'n llwyr.

Ond onid oedd hi wedi hoffi cadw Glyn a'i gwaith ar wahân? Onid oedd ei alwadau a'i ymweliadau mynych pan ddechreuodd eu carwriaeth wedi mynd yn dreth arni mewn dim amser, a hithau'n gorfod gofyn iddo arafu a'i ffonio cyn disgyn yn ddirybudd ar ei rhiniog? Oedd, ond roedd hi wedi trafod hynny gydag ef, tra oedd Glyn wedi ei hanwybyddu hi'n llwyr. A phe bai ef wedi dod i'w gweld neu wedi ei ffonio, yna fe fyddent wedi cael cyfle i drafod pethau eto, ac ni fyddai'n rhaid iddi barcio o flaen ei dŷ er mwyn cael gwybod a oedd yn dal yn fyw ai peidio.

Duw a ŵyr, roedd hi wedi ceisio cysylltu ag e'n ddigon aml dros y pythefnos diwethaf, heb gael ateb unwaith ar ei ffôn symudol a chael dim byd ond esgusodion gan ei ysgrifenyddes ei fod allan o'r swyddfa neu mewn cyfarfodydd. Roedd wedi ystyried ei ffonio gartref, ond nid oedd am i hynny fod yn asgwrn arall iddynt ymladd drosto.

Roedd y ffenest yn glir bellach, ac wrth iddi ddiffodd y peiriant edrychodd ar gloc y car a sylweddoli na fyddai Glyn yn dychwelyd o'i waith am oriau eto. A phe bai ar un o'i ymweliadau â Bryste, fe allai fod yn hwyrach byth arno'n cyrraedd adref, os o gwbl. Allai hi ddim aros yno drwy'r nos; byddai rhywun yn siŵr o sylwi ar gar dieithr wedi ei barcio yno. Yn sicr nid oedd am i heddlu'r dref ddod ar ei thraws a dechrau ei holi.

Gadael fyddai'r peth doethaf i'w wneud; mynd, a pheidio ag edrych 'nôl. Roedd Glyn wedi dangos yn ddigon clir beth roedd e'n ei feddwl ohoni hi; ei thro hi oedd gweithredu nawr. Roedd Carol wedi penderfynu, roedd yn bendant ei meddwl, ac estynnodd am yr allwedd i danio'r peiriant unwaith eto. Ond ar yr union eiliad honno fe agorodd drws y tŷ a chamodd Sheila Stewart allan.

Taflodd Peter Harris y bag i gefn y Cougar, dringo i mewn iddo a gyrru i ffwrdd. Arhosodd Gareth i weld cefn y car yn diflannu cyn troi yn ôl i gloi drws yr adeilad. Ar yr union eiliad honno fe yrrodd car arall i mewn i'r lôn.

'Hei, Gareth!' galwodd y Rhingyll Ian James drwy'r ffenest agored.

'Gyda munud i fynd,' meddai Gareth Lloyd, gan roi'r allweddi yn ei boced a cherdded yn ôl i mewn i'r adeilad.

'Ie, wel, ges i'n rhwystro, ond dwi 'ma nawr,' meddai Ian James, gan adael ei gar ar ganol y lôn a dilyn Gareth Lloyd i mewn i'r siop. 'Ble ma'r cyfrifiadur?'

'Cyfrifiaduron. Ma' dau; un ar gyfer y busnes yn y swyddfa tu ôl i'r siop ac un arall lan sta'r.'

'Dau? Gobeithio bod *zip drives* arnyn nhw. Do's dim llawer o amser 'da fi.'

'Dwi ddim yn credu bod 'na rai,' meddai Gareth. 'Bydd raid i ti fynd â'r uned gyfan.'

'Ma'n well 'da fi gopïo'r ffeilie.'

'Iawn, os o's 'da ti ddigon o ddisgie ac amser.'

'Nago's,' meddai'r rhingyll, gan edrych ar ei oriawr. 'Nago's wir. Bydd raid i ti'n helpu i i'w cario nhw.'

'Â'r pleser mwya. Pam ti'n meddwl 'mod i 'ma?'

'Hm,' meddai James, yn amau bod Gareth yn gwneud hwyl am ei ben.

Eisteddai'r ddau yn mar cefn y Llew Du yn golchi briwsion eu cinio i ffwrdd ag ychydig o ddiod. Er gwaetha'i holl fwriadau da i dorri 'nôl a cholli ychydig o'i bwysau helaeth, yfai'r Prif Arolygydd Clem Owen beint o lager, oherwydd yn ei farn e nid oedd pei a sglodion yn blasu'r un peth heb lager i'w golchi nhw i lawr. Whisgi pur a yfai'r Arolygydd Ken Roberts, a doedd e ddim yn poeni taten a oedd y ddiod yn cyd-fynd â brechdanau ham ai peidio.

'Allwn ni ddim, Ken,' meddai'r prif arolygydd am y trydydd tro. 'Do's 'da ni mo'r dynion, a beth bynnag, dwi'n ame'n fawr a roddith David Peters sêl 'i fendith ar wario rhagor o arian ar yr ymchwiliad.'

'Ond allwn ni ddim rhoi'r gore iddo fe, Clem. Ro'n ni'n meddwl 'yn bod ni wedi cytuno mai'r cam nesa fydde chwilio'r carafanne, ac ma'n bwysicach nag erio'd nawr a dim byd wedi dod o'r profion DNA.'

'Ond allwn ni ddim, Ken,' meddai Clem Owen am y pedwerydd tro. 'Do's 'da ni ddim digon o ddynion i' sbario.'

Syniad y prif arolygydd oedd i'r ddau gael cinio tawel rywle i ffwrdd o'r swyddfa lle na fyddai galwadau'r gwaith a mân siarad-siop eu cyd-weithwyr yn tarfu arnynt. Byddai'n gyfle iddo sgwrsio â'i ddirprwy i weld sut oedd ei ddeuddydd cyntaf yn ôl yn y tresi wedi mynd, a holi a oedd yna unrhyw beth y gallai ef ei wneud i hwyluso'i ddychweliad. Byddai rhai'n siŵr o alw'r cyfarfod yn ymarferiad da o ddyn-reolaeth, ond roedd yn well gan Clem Owen ei alw'n gyfeillgarwch.

Ond roedd un arall o fwriadau da'r prif arolygydd wedi suro'n gyflym wrth i Ken Roberts droi'r sgwrs oddi wrtho ef ei hun at y modd amhroffesiynol, yn ei farn ef, roedd Gareth Lloyd wedi bod yn cynnal yr ymchwiliad i lofruddiaeth Lisa Thomas. Eu hunig obaith o ddod o hyd i'w llofrudd bellach – eto ym marn yr arolygydd – oedd rhoi awenau'r ymchwiliad hwnnw yn llwyr yn ei ddwylo ef.

'Allwn ni ddim.' Y pumed tro. 'Yn enwedig nawr a llofruddiaeth arall ar 'yn dwylo ni.'

'Mwy o reswm byth i ti adel i fi ymchwilio i lofruddiaeth Lisa Thomas.'

Crychodd Clem Owen ei drwyn a siglo'i ben yn araf. Ond sylwodd Ken Roberts nad oedd ei bennaeth wedi gwrthod ei awgrym, ac fe benderfynodd wasgu ei bwynt.

'Drycha, Clem, dwi'n gwbod bod David Peters am 'y nghadw i mas o lygaid y cyhoedd, ac ma'n amlwg o'r croeso ges i 'da Timothy Morris pan es i gyda Lloyd i'r siop Rites 'na ddoe, bod gydag e bwynt. Os wyt ti am i fi weithio ar y llofruddiaeth 'ma do's dim gobaith caneri 'da ti o 'nghadw i mas o'r ffordd. Bydd Morris a phob gohebydd arall yn neud llwybr tarw ata i bob cyfle gewn nhw, i'n holi i am bopeth dan haul. Bydd hynny'n tynnu sylw oddi wrth yr ymchwiliad. Fi, a ddim Andrew Marriner fydd yn ca'l y sylw, ac er gwaetha dymuniad sawl un, ma'n siŵr, Marriner, a ddim fi sy'n gorwedd yn gelain yn oergell yr Athro Anderson.'

Ochneidiodd Clem Owen. Gadael i Ken Roberts gael penrhyddid i ddilyn ei drywydd ei hun oedd wedi ei arwain i drafferthion yn gynharach yn y flwyddyn, ac yn bendant nid oedd am i unrhyw beth tebyg ddigwydd eto. Ond gwyddai'n iawn bod dadl yr arolygydd ynglŷn â'r sylw a gâi gan y cyfryngau yn un gref. Beth oedd corff marw rhywun dinod o'i gymharu â phersonoliaeth fyw? Ac yn achos Ken Roberts fe wyddai Owen pe bai'r cyfryngau'n ei ddal ar yr adeg anghywir fe gaen nhw ddigon o ddyfyniadau i lenwi tudalennau'r papurau am ddyddiau – pe meiddien nhw eu cyhoeddi. Agorodd ei geg, ond cyn iddo gael cyfle i ddweud dim, roedd Ken Roberts wedi ailgydio yn ei ddadl.

'Os wyt ti am i fi ddod i gyfarfodydd ymchwiliad Andrew Marriner i edrych yn wrthrychol ar y cyfan ac i holi cwestiyne lletchwith, fe wna i hynny, ond dwi ddim ise bod yn rhwystr i ti ac yn esgus i neb i gicio'r adran.'

Roedd yr arolygydd wedi taro'r nodyn, neu'r nerf, cywir.

'Iawn, Ken, wi'n cytuno 'da ti; ddim ar bob pwynt, ond dwi'n ofni dy fod ti'n iawn am y sylw gei di 'da'r papure.'

Gwenodd yr arolygydd. 'Ro'n i'n gwbod y gwelet ti synnwyr yn y pen draw.'

'Ond Ken, a dwi'n meddwl hyn,' meddai Clem Owen

heb arlliw o wên ar ei wyneb. 'Dwi ise adroddiad dyddiol 'da ti o'r hyn rwyt ti wedi bod yn 'i neud a'r hyn rwyt ti'n mynd i' neud; y bobol rwyt ti wedi bod yn siarad â nhw a pwy wyt ti'n mynd i siarad â nhw nesa. Iawn? Dwedodd Tony Stephens yn ystod yr ymchwiliad, trueni na fydde 'da fi lwybr papur i ddangos fod pethe wedi ca'l 'u gneud yn iawn. Wel dwi'n bendant ddim yn mynd i ga'l 'y ngadel yn ddiamddiffyn eto, fel rhyw . . . rhyw forlo'n gorwedd ar dra'th.'

Ac ni welai'r un o'r ddau unrhyw beth doniol yn y ddelwedd.

Pymtheg enw: rhai â chyfeiriad a rhif ffôn, eraill â rhif ffôn yn unig, ond pob un yn galw am sylw. Roedd Gareth Lloyd wedi cysylltu â'r chwe enw cyntaf ar y rhestr ac wedi diystyru dau ohonynt o safbwynt yr ymchwiliad am y tro am nad oedd ganddyn nhw gleddyfau. Gwadodd un yn bendant iddo erioed ddangos unrhyw ddiddordeb mewn cleddyfau gan mai heddychwr ydoedd, ac na fyddai'n cael dim i'w wneud ag arfau o unrhyw fath a allai beryglu bywyd unrhyw beth byw, boed yn anifail neu'n blanhigyn. Ni fyddai'n gwisgo lledr am ei draed hyd yn oed. Ac a fyddai rhywun na allai ddioddef cael croen anifail am ei draed yn berchen cleddyf? Doedd e hyd yn oed ddim yn gallu cerdded ar laswellt. A fyddai rhywun nad oedd yn gallu cerdded ar laswellt yn berchen cleddyf? Wel, fydde fe? Diolchodd Gareth iddo am ei barodrwydd i'w cynorthwyo gyda'u hymchwiliadau a rhoi'r ffôn i lawr.

Gwadodd yr ail hefyd ei fod yn berchen ar gleddyf, ond roedd Gareth yn amau'n fawr ai am resymau heddychol neu amgylcheddol oedd hynny. Yn ôl Martin Ware, nerth bôn braich oedd yr unig arf fyddai ei angen arno ef i ddelio ag unrhyw un – neu ddau, os dôi i hynny. Diolchodd Gareth iddo yntau am ei gymorth, a chan ei rybuddio i beidio â chymryd y gyfraith i'w ddwylo'i hun fe ffarweliodd ag ef.

Bachgen ysgol pymtheg oed oedd wedi mynd dros ben llestri ynghylch y ffilm *The Lord of the Rings* oedd y trydydd enw ar y rhestr. Yn ôl mam Lee Darlow, a atebodd yr alwad, roedd ei ystafell yn llawn hyd yr ymylon o bosteri, mapiau, cylchgronau, modelau, mygiau a chant a mil o drugareddau eraill a oedd yn gysylltiedig â'r ffilm.

'Beth am gleddyf?' gofynnodd Gareth ar ôl i Mrs Darlow orffen rhestru.

'Cleddyf?'

'Ie, ma' lot o ymladd â chleddyfe'n digwydd yn y ffilm.'

'O's e?'

'O's.'

'O wel, do's dim cleddyf 'da Lee.'

'Chi'n siŵr?'

'Wrth gwrs 'mod i'n siŵr. 'Se cleddyf 'dag e yn 'i stafell fydden i'n gwbod 'ny. Ro'dd un plastig 'dag e flynydde 'nôl ond torrodd hwnnw pan eisteddodd 'i dad-cu arno fe.'

'Ddim un plastig yw hwn. Un go iawn, rhyw ddwy droedfedd, dwy droedfedd a hanner o hyd.'

'Beth? Os y'ch chi'n meddwl bod Lee ni . . .'

'Mrs Darlow, fyddech chi'n barod i fynd i stafell Lee i weld a o's 'na gleddyf yno? O dan y gwely, falle, yn y wardrob, neu tu ôl i'r wardrob hyd yn o'd.'

'Dwi'n gweud 'thoch chi . . .'

'Nethech chi hynny drosta i, Mrs Darlow?'

'O, o'r gore. Dalwch mla'n, fydda i ddim yn hir.'

'Diolch.'

Clywodd Gareth y ffôn yn cael ei roi i lawr a sŵn Mrs Darlow, yn dal i gwyno, yn gadael yr ystafell. Tra oedd yn disgwyl, edrychodd unwaith eto ar y rhestr roedd Peter Harris wedi ei rhoi iddo. Yn ôl y nodyn roedd Harris wedi ei ysgrifennu ar y dudalen, nid oedd pob un o'r pymtheg ar y rhestr wedi prynu cleddyf, ond os nad oedden nhw wedi prynu un, roedden nhw wedi dangos mwy o ddiddordeb na'r cyffredin ynddynt. Efallai eu bod wedi gofyn am gatalog a rhestr brisiau a bod Andrew Marriner wedi nodi eu henwau er mwyn ateb ar yr ymholiad. Ond wedyn beth am yr heddychwr? Pam roedd Andrew Marriner wedi cynnwys ei enw ef gyda'r gweddill?

Synnai Gareth fod pobl yn gallu prynu cleddyfau go iawn ac mai dim ond gwahardd eu cario mewn mannau cyhoeddus a wnâi'r Ddeddf Arfau Troseddol. Roedd hi'n amlwg nad oedd gan y gyfraith ddim diddordeb yn yr hyn a wnâi pobl ym mhreifatrwydd eu cartrefi. Ond wedyn go brin y byddai rhywun am gario cleddyf dwy droedfedd o hyd mewn man cyhoeddus. Ar y llaw arall roedd yna bobl ryfedd i'w cael; gwyddai Gareth hynny, oherwydd roedd newydd fod yn siarad ag un ohonyn nhw.

'Helô! Helô!'

Gwasgodd Gareth y ffôn at ei glust. 'Helô?'

'Shwd o'ch chi'n gwbod?'

'Ma' 'da fe gleddyf?'

'O, o's. Ma' 'dag e gleddyf, ac ma' fe bron yn fwy nag e. Beth ar y ddaear ma' fe ise gyda chleddyf, e? Gwedwch y gwir . . .'

'Mrs Darlow?'

'. . . do's dim synnwyr yn y peth!'

'Mrs Darlow?'

'Pwy fydde'n gwerthu cleddyf i fachgen, e? Gwedwch y gwir! Wel pwy bynnag o'dd e, fe geith e lond pen 'da fi, alla i . . .'

'Mrs Darlow!'

'Ie?'

'Fydd hi ddim yn bosib i chi ddychwelyd y cleddyf i'r siop ar hyn o bryd, os mai dyna'ch bwriad.'

'Dwi ddim yn mynd i' gadw fe, odw i? Cleddyf? Yn 'y nhŷ i? Gwedwch y gwir!'

'Os nad y'ch chi am 'i gadw fe, fe anfona i blismon draw i'w gasglu fe. Odi hynny'n iawn?'

'Odi, sbo, ond pidwch dod rhwng saith a naw heno; fydda i ddim 'ma bryd 'ny.'

Nododd Gareth amserlen Mrs Darlow, yn ddiolchgar nad ef fyddai'n galw i gasglu'r cleddyf.

Roedd Joseph Howard, yr enw nesaf ar y rhestr, ddeng mlynedd yn hŷn na Lee Darlow, ond er y gwahaniaeth oedran, fe allai'r ddau fod yn eneidiau hoff cytûn gan ei fod yntau hefyd yn ddwl bared bost am *The Lord of the Rings*. Y llyfr, nid y ffilm.

'Dyw'r ffilm ddim yn dal anferthedd dychymyg Tolkien fel y llyfr, ac yn rhyfedd iawn mae'r ffilm hefyd wedi llwyr golli pwysigrwydd manylder ei greadigaeth ym mhob rhan o fywyd a diwylliant y gwahanol wledydd, heb sôn am . . .'

Gwrandawodd Gareth ar y llifeiriant hwn am sawl munud cyn torri ar ei draws i ofyn a oedd ganddo gleddyf.

'Na, ddim eto; dwi wedi dewis un ac rwy'n cynilo amdano ar hyn o bryd. Dwi wedi gofyn i'r siop gadw'r cleddyf i fi, a dwi'n gobeithio y gwnawn nhw. Os na fyddan nhw, ydych chi'n credu y galla i fynd â nhw i'r llys?'

Diolchodd Gareth iddo a rhoi'r ffôn i lawr gan feddwl trueni na fyddai gan hwn fam i gadw trefn arno. Deialodd y pumed rhif ar y rhestr a'i fwstro'i hun ar gyfer wynebu'r un math o sgwrs eto.

'Mr John Richards?'

'Ie.'

'Dwi'n ffonio ynglŷn â chleddyfe sy wedi'u prynu o siop Rites.'

'Ie.'

'Ry'ch chi wedi prynu cleddyf yn y siop?'

'Odw.'

'Pryd brynoch chi'ch cleddyf?'

'Pa un?'

'Pa . . . ? Sawl cleddyf sy 'da chi?'

'Pump.'

'Pump! Pam y'ch chi ise pump cleddyf?'

Clywodd John Richards yn anadlu'n ddiamynedd ar ben arall y ffôn. 'Ma' diben gwahanol i bob un. Ma' rhai ar gyfer pob dydd, rhai ar gyfer brwydre, a rhai ar gyfer seremonïe. Allwch chi ddim . . .'

'Seremonïe?'

'Ie, ma'n rhaid ca'l cleddyf gwahanol i'r un sy'n ca'l 'i ddefnyddio mewn brwydr.'

'Chi'n cynnal seremonïe?'

'Odyn, o bryd i'w gilydd, ar achlysuron arbennig – pan fydd pawb yn gallu dod at ei gilydd.'

'Pawb? Faint ohonoch chi sy i' ga'l?'

'Yn y cylch, chi'n feddwl?'

'Cylch? Pa gylch?'

'Tarian Teyrnion.'

Tynnodd Gareth ei law ar draws ei dalcen. Gallai deimlo'i ymennydd yn troi'n driog. Ers dyddiau bellach roedd yr hyn roedd pobl yn ei ddweud wrtho yn golygu llai a llai iddo nes erbyn hyn nid oedd yn siŵr ai ef neu nhw oedd yn dod o blaned arall. Efallai ei fod yn deall y geiriau unigol, ond o'u rhoi at ei gilydd, doedden nhw'n gwneud dim synnwyr.

'Mr Richards, beth neu pwy yw Tarian Teyrnion?'

'Grŵp o bobol sy'n gwerthfawrogi arferion a bywyd o'r cynoesoedd hyd at y canol oesoedd ac ry'n ni'n ail-greu digwyddiade o'r cyfnode hynny. Ry'n ni hefyd yn ymddiddori yn y Mabinogion a'r chwedle Arthuraidd gan actio allan stori neu *scenario* yn ein *alter egos* o fewn y grŵp *role-play* . . .'

'Wow! Wow! Daliwch arno. Allwch chi esbonio un neu ddau o bwyntie i fi?'

Deng munud – ac wyth pwynt – yn ddiweddarach rhoddodd Gareth y ffôn i lawr. Roedd e nid yn unig wedi cael esboniad o *role-playing*, ond roedd hefyd wedi llwyddo i groesi pedwar enw arall oddi ar ei restr heb orfod gwastraffu amser yn eu ffonio, gan eu bod hwythau hefyd yn aelodau o Darian Teyrnion.

Roedd Gareth wedi ychwanegu'n rhyfeddol at ei wybodaeth yn ystod yr oriau diwethaf, ac amheuai'n fawr a fyddai'n clywed unrhyw beth arall am ddiddordebau pobl a fyddai'n ei synnu. Cydiodd yn y rhestr ac edrych ar yr enw nesaf: Alarkon Fychan. Ar y llaw arall, ni fyddai'n barod i fentro'i fywyd ar hynny.

Dydd Mercher 3 Tachwedd
14:30 – 20:45

Gyrrodd Ken Roberts drwy glwydi uchel Marine Coast, llywio'i gar i gyfeiriad y clwstwr o adeiladau gwyn, coch a glas ar yr ochr dde, a pharcio y tu allan i adeilad ac arwydd DERBYNFA uwch ei ben. Agorodd y drws gwydr a chamu i mewn i ystafell hir, gul, a chownter o bren a phlastig yn rhedeg o un pen i'r llall. Y tu ôl i'r cownter eisteddai gwraig yn ei phumdegau yn llenwi amlenni â thaflenni gwyliau. Cododd ei phen pan glywodd sŵn sawdl Ken Roberts ar y llawr pren.

'Prynhawn da,' cyfarchodd yr arolygydd hi.

'Prynhawn da,' meddai'r wraig, gan ychwanegu amlen arall at y pentwr o amlenni llawn oedd ar ben y cownter.

'Mrs Enid Powell, ie?'

'Ie,' atebodd yn araf, gan syllu'n fanylach arno.

'Inspector Roberts, Heddlu Dyfed-Powys,' ac fe ddaliodd ei gerdyn gwarant o'i blaen.

'O, dwi ddim wedi'ch gweld chi o'r bla'n.'

'Na, dwi ddim wedi bod 'ma o'r bla'n,' meddai Ken Roberts, gan edrych o gwmpas y swyddfa fechan yn chwilfrydig.

'Ma' sawl plismon wedi bod mewn a mas o fan hyn yn ystod y pythefnos dwetha, er, ma' pethe wedi tawelu'n ddiweddar, 'fyd. Ro'n i'n meddwl 'ych bod chi wedi cwpla gyda ni,' ychwanegodd a thinc gwyliadwrus yn ei llais.

'Ddim eto.'

'Dy'ch chi ddim wedi'i ddal e, 'te?'

'Ma'n dal yn gynnar a sawl llwybr ar ôl i'w ddilyn.'

'Hm,' meddai Enid Powell yn amheus.

'A dyna pam dwi 'ma heddi.'

'O?'

'Ie, i daro un golwg ola dros y carafanne.'

'O?'

'Dwi'n gwbod bod un o 'nghyd-weithwyr wedi bod trwyddyn nhw gyda Mr Ryan yn barod, ond nawr dwi ise'u harchwilio nhw.'

'I gyd?'

Nodiodd Roberts.

'Nawr?'

'Ie. Os rhowch chi'r allweddi i fi fe garia i mla'n a gadel llonydd i chi.'

'Wel, dwi ddim yn gwbod beth fydd Mr Ryan yn gweud.'

'Dwi ddim yn mynd i neud dim byd ond edrych trwyddyn nhw.'

'Wel . . .'

'Awr neu ddwy ac fe fydda i wedi gorffen.'

'Wel . . .' Ond fe agorodd un o ddrariau'r cownter a thynnu dyrnaid o allweddi allan. 'Ma'r rhain yn agor y carafanne i gyd, ond os nad y'ch chi'n gwbod pa allwedd sy'n agor pa deip o garafán falle bydd raid i chi drio mwy nag un.'

Cymerodd Ken Roberts yr allweddi oddi wrthi.

'Dwyawr, wedoch chi?' gofynnodd Enid Powell yn bryderus.

'Fan pella,' ac allan ag ef, gan hepgor sôn am y criw o wyddonwyr fforensig y gobeithiai a fyddai'n ei ddilyn ymhen dim.

Cerddodd Carol rhwng rhesi silffoedd yr archfarchnad, ond nid oedd y cynigion arbennig oedd wedi eu gosod ar lefel ei llygaid bob ochr iddi yn ddigon i'w themtio i dynnu ei sylw oddi wrth Sheila Stewart. Cerddai hithau ddecllath o'i blaen gan wthio troli oedd yn llenwi fesul eiliad. Edrychai fel pe bai Sheila'n gwneud ei siopa wythnosol ar un ymweliad, rhywbeth na fyddai Carol ei hun byth yn ei wneud. Siopa yn ôl ei hangen a'i hawydd fyddai hi. Prynu dim ond digon yn ystod y dydd ar gyfer pryd i un y noson honno – oni bai fod ganddi gwmni i swper, wrth gwrs, rhywun fel Glyn. Dim ond pan fyddai Glyn yn dod y gwnâi Carol unrhyw fath o ymdrech a phrynu llwyth ymlaen llaw.

Roedd hi wedi mwynhau'r siopa hwnnw; wrth ei bodd yn dewis y cynhwysion gorau, neu rywbeth gwahanol na fyddai fel arfer yn ei brynu, rhywbeth arbennig a fyddai'n rhoi pleser iddi ei baratoi yn ogystal â boddhad o'i fwyta. Yn union fel roedd Sheila Stewart yn ei wneud yn awr.

Roedd hi'n amlwg ei bod hi'n gyfarwydd â'r siop ac yn gwybod yn union ble'r oedd popeth. Taflai'r anghenion sylfaenol a'r nwyddau bob dydd i'r troli yn gwbl ddiseremoni; gwyddai beth oedd ei angen arni ac ni wastraffai amser yn chwilio am unrhyw beth arall. Ond yna, bob hyn a hyn, yn enwedig wrth ddewis llysiau a ffrwythau ffres, fe dreuliai fwy o amser yn dethol y rhai gorau.

Ymhen deugain munud roedd y troli'n llawn a Sheila Stewart yn aros i dalu am y cynnwys. Dewisodd Carol ddwy botel o win o fasged cynigion arbennig a mynd i sefyll y tu ôl iddi. Gwyliodd hi'n codi ei siopa allan o'r troli: pacedi, poteli a thuniau yn gymysg â'r llysiau a'r ffrwythau a'r sebon a'r powdr golchi a'r chwistrellwyr aer ffres. Roedd yno hefyd boteli Coca-Cola a Sprite, bisgedi siocled, pacedi creision tatws, a losin; bwydydd oedd yn amlwg yn fwy at ddant plant nag ar ei chyfer hi a Glyn. Doedd yno ddim o'r cynhwysion ecsotig ar gyfer y prydau y dywedodd Glyn ei fod yn eu paratoi gartref. Ond wedyn, fe ddywedodd mai ef fyddai'n gwneud y siopa ar gyfer y rheini. Efallai mai ei dro ef oedd hi i baratoi swper heno.

Edrychodd Carol ar ei horiawr. Byddai'r ysgol yn gorffen cyn bo hir, meddyliodd, a Sheila Stewart fwy na thebyg yn mynd yn syth o'r archfarchnad i gasglu'r merched. A beth wedyn? Pa weithgaredd fyddai'r merched yn ymgymryd ag ef heno? Bale? Marchogaeth? Neu wersi ffidil? Gwyddai Carol eu bod yn gwneud y pethau hyn. Onid oedd Glyn wedi sôn wrthi droeon am eu datblygiad, a'r ganmoliaeth roedd eu hathrawon yn ei phentyrru arnynt?

'Ai dyna'r cyfan sy 'da chi?'

Deffrodd Carol o'i synfyfyrio a sylweddoli bod Sheila Stewart wedi troi tuag ati ac yn siarad â hi.

'Beth?'

'Allwch chi fynd o 'mla'n i os mai dim ond rheina sy 'da chi.'

Edrychodd Carol yn hurt ar y ddwy botel win yn ei dwylo. 'Diolch,' mwmialodd a symud heibio iddi. Talodd am y gwin a phrysuro allan i'w char heb edrych 'nôl.

*

Agorodd y drws ar y trydydd cynnig â'r drydedd allwedd. Gwichiodd y colfachau bychain wrth i Ken Roberts ei wthio ar agor a'i dynnu ei hun i mewn i'r garafán. Cyneuodd y golau trydan a sefyll yno gan astudio'r ystafell hir.

Ochneidiodd wrth ystyried undonedd cynlluniau carafannau, gan fod hon eto yn union yr un fath a'r ugain carafán arall roedd ef wedi eu gweld y prynhawn hwnnw: gan ddechrau ar ei chwith ac yn troi mewn hanner cylch o'i flaen roedd soffa y gellid ei throi yn dri gwely; bwrdd a gwely-soffa arall ar ei phwys, ac yna ar yr ochr dde, y gegin. Erbyn hyn fe wyddai'r arolygydd fod yna dŷ bach, ystafell molchi a dwy ystafell wely tu ôl a thu hwnt i'r gegin. Tybiai y byddai yna wahaniaethau sylfaenol rhwng yr holl garafannau i lygaid arbenigwr, ond iddo ef roedden nhw i gyd yn union yr un fath, o'r papur wal hafaidd i'r gwynt llychlyd, difywyd. A chanolbwyntio ar arogli'r gwynt llychlyd, difywyd hwnnw a wnâi yn awr.

Yn y mwyafrif o'r carafannau eraill roedd y gwynt i'w glywed yn glir, ond mewn pedwar ohonynt roedd aroglau pren, glud, llenni a charpedi newydd hefyd yn gryf; arwyddion pendant fod gwaith cynnal a chadw wedi ei wneud ynddynt yn ddiweddar. Ond nid oedd hynny ynddo'i hun yn ddigon o reswm dros ganolbwyntio'i sylw arnynt hwy yn unig ac anwybyddu'r lleill, a threuliodd Ken Roberts yr un faint o amser yn archwilio pob carafán.

Chwiliodd ar hyd ymylon y carpedi a'r muriau, o dan y clustogau, tu ôl i'r addurniadau, ac yng nghefn y cypyrddau am unrhyw arwydd o Lisa Thomas, gan roi pob blewyn a gewyn, ynghyd â phob matsien, botwm a darn o arian mewn amlenni bychain a nodi ble yn union ac ym mha garafán y daeth ar eu traws.

Gan fod y carafannau wedi cael eu glanhau ar ddiwedd y tymor ymwelwyr, roedd Ken Roberts wedi disgwyl y bydden nhw i gyd yn weddol lân, ond tystiai ei helfa nad oedd y glanhawyr wedi bod yn arbennig o drwyadl. Serch hynny, nid oedd wedi dod o hyd i ddim a fyddai'n awgrymu bod Lisa Thomas wedi cael ei llofruddio yn un o'r ugain carafán roedd wedi eu harchwilio.

Er gwaethaf hynny, nid oedd wedi ei siomi gan ei ymdrechion dros y ddwy awr a hanner diwethaf. Efallai mai yn un o'r deugain carafán nad oedd wedi eu harchwilio eto y llofruddiwyd Lisa Thomas. Roedd yfory'n ddiwrnod newydd, a phetai'n ailgydio yn y gwaith yn gynnar fe fyddai wedi gorffen y cyfan erbyn yr un amser drannoeth. Pedair awr ar hugain arall ac fe ddylai fod ganddo well syniad ymhle y bu Lisa farw.

Cerddodd yn ôl i gyfeiriad y golau a lifai drwy ffenest y dderbynfa. Agorodd y drws fel roedd Enid Powell yn rhoi'r olaf o'r amlenni i mewn i gwdyn plastig.

'O, chi wedi cwpla,' meddai a'r rhyddhad yn amlwg yn ei llais.

'Odw,' meddai'r arolygydd, gan roi'r allweddi i lawr ar y cownter. 'Am heddi.'

'Am heddi? Wedoch chi mai dim ond dwyawr fyddech chi i gyd,' ac edrychodd ar ei horiawr i ddangos ei fod wedi torri ei air unwaith yn barod.

Cododd Roberts ei ysgwyddau. 'Mae e'n fwy o waith nag o'n i'n meddwl.'

Siglodd y wraig ei phen. 'Dwi ddim yn gwbod beth fydd Mr Ryan yn meddwl o hyn.'

'Do's dim gwahaniaeth beth fydd e'n meddwl. Ry'n ni'n ymchwilio i lofruddiaeth a gafodd 'i chyflawni, fwy na thebyg, yma ar y maes carafanne, a dwi'n benderfynol o ddod o hyd i le yn union ga'th y ferch 'i llofruddio.'

'Beth? Allwch chi ddim bod o ddifri. Os y'ch . . .'

Ond roedd Ken Roberts wedi cael digon o'i chwynion a thorrodd ar ei thraws a gofyn, 'Do's neb wedi bod yn aros yn y carafanne ers diwedd mis Medi, o's e?'

Siglodd Enid Powell ei phen. 'Nago's.'

'Ac ar ddiwedd y tymor ma'r carafanne i gyd yn ca'l 'u glanhau a'u gadel yn segur nes bydd y gwersyll yn ailagor.'

'Odyn.'

'A dyna pryd ma' unrhyw waith cynnal a chadw'n ca'l 'i neud arnyn nhw?'

'Ie.'

'Fel beth?'

'Trwsio pethe, dryse neu gypyrdde sy'n rhydd neu wedi torri, rhoi ambell i bâr o lenni newydd ar y ffenestri neu garped newydd ar y llawr. Y math 'na o beth, dim byd mawr.'

'O's rhwbeth wedi ca'l 'i neud yn ddiweddar, ar ôl y gwaith arferol ar ddiwedd y tymor ymwelwyr?'

'Nago's, dwi ddim yn . . .' Oedodd.

'Ie?'

Edrychai'n fwy nerfus nag erioed nawr, ond doedd Ken Roberts ddim yn poeni am ei chyflwr nerfol.

'Ie? Beth y'ch chi newydd gofio?'

'Wel, o'dd ise carped newydd yn un ohonyn nhw.'

'Pa un?'

'Dwi ddim yn cofio.'

'Odych chi'n gwbod pam ro'dd ise carped newydd?'

'Nadw.'

'Pryd ga'th y gwaith 'i neud? Cyn neu ar ôl i Lisa Thomas ga'l 'i llofruddio?'

'Dwi ddim . . .'

'Dewch mla'n, pryd? Meddyliwch. Cyn neu ar ôl?'

'Cyn, dwi'n meddwl.'

'Chi'n siŵr?'

'Odw, dwi'n meddwl.'

'Ma'n rhaid bod 'da chi daflen waith ac anfoneb.'

'O's, wrth gwrs.'

'Allen i 'u gweld nhw?'

'Mr Ryan sy'n cadw pethe fel'ny, a do's 'da fi ddim allwedd i'w swyddfa.' Edrychodd ar ei horiawr eto, codi ar ei thraed a chydio yn y cwdyn plastig llawn amlenni. 'Ma'n rhaid i fi fynd â'r rhain i'r swyddfa bost cyn hanner awr wedi pump.'

'Fory, 'te. Pryd y'ch chi'n agor yn y bore?'

'Deg o'r gloch.'

'Wela i chi am ddeg o'r gloch bore fory, 'te, Mrs Powell. Nos da.'

Roedd hi'n dal i eistedd yn ei char, yn synnu ati hi ei hun. Ni allai gredu ei bod wedi dilyn Sheila Stewart o gwmpas y dref, gan geisio dyfalu beth roedd hi'n ei wneud ac i ble roedd hi'n mynd, busnesa yn ei siopa, dyfalu am weithgareddau'r plant. Beth ar y ddaear ddaeth drosti? Beth mewn difri roedd hi'n meddwl roedd hi'n ei wneud?

Wrth iddi ddianc o'r archfarchnad sylweddolodd Carol pa mor wrthun oedd ei hymddygiad. Cofiodd mai tra oedd hi'n siopa mewn archfarchnad y daeth Susan Richards yn ymwybodol gyntaf bod Graham Ward yn ei dilyn, ei fod yn sylwi ar bobman yr âi, ac yn cadw llygad ar bopeth a wnâi. Ei fod yn ei ymwthio'i hun yn raddol i mewn i'w bywyd. Ei fod yn ei stelcian.

Ac roedd yn rhaid i Carol wynebu'r gwirionedd noeth mai dyna'n union roedd hi wedi bod yn ei wneud gyda Sheila Stewart. Roedd hi wedi bod yn ei stelcian!

Cuddiodd ei hwyneb â'i dwylo. Teimlai gywilydd. Roedd am ymddiheuro iddi, a phe bai wedi ei phasio'r eiliad honno fe fyddai wedi neidio allan o'r car a chrefu arni i faddau iddi. Ond gwyddai nad oedd hynny'n bosib ac na fyddai dim i'w ennill o wneud y fath beth. Ac fe wnâi hynny iddi deimlo'n waeth fyth.

Gwyddai Carol nad ar Sheila oedd y bai fod Glyn wedi ei thrin hi mor sâl. Os rhywbeth roedd e wedi trin ei wraig yn salach o lawer; roedd ef wedi ei bradychu hi, a gwyddai Carol fod ôl ei llaw hithau ar hynny. Wel, dyna'r tro olaf. Roedd wedi cau ei llygaid a byw ei bywyd bach hunanol ei hun yn rhy hir; dim mwy.

Taniodd y peiriant a chyfeirio'r car allan o'r maes parcio a thuag adref.

Pum munud ar ôl iddo adael Marine Coast canodd ffôn symudol yr Arolygydd Ken Roberts a thynnodd i mewn i fynedfa tŷ cyfleus a'i ateb.

'Inspector Roberts?'

'Ie.'

'Dwi wedi bod yn trio ca'l gafel arnoch chi ers amser cinio.'

Roedd rhywbeth yn gyfarwydd yn y llais, ond ni allai Roberts roi enw iddo.

'Wel, beth y'ch chi moyn, ac yn bwysicach, pwy y'ch chi?'

'Timothy Morris, o'r *Dyfed Leader* . . .'

'Dwi ddim yn gwbod shwd gethoch chi afel ar rif y ffôn 'ma, Mr Morris, ond do's 'da fi ddim diddordeb o gwbwl mewn siarad â chi. Hwyl, a pheidiwch ffonio . . .'

'Na, peidiwch diffodd y ffôn, Inspector Roberts. Do's 'da hyn ddim byd i' neud â'r ymchwiliad, na Daniel Morgan, na dim byd fel'ny.'

'Chi'n disgwl i fi'ch credu chi?'

'Wir, dwi ddim ise'ch holi chi am ddim byd.'

'O?'

'Nadw. Ise gweud rhwbeth wrthoch chi odw i.'

'Beth?'

'Bydde'n well 'da fi siarad wyneb yn wyneb na dros y ffôn.'

'Am beth y'ch chi ise siarad?'

'Am lofruddiaeth.'

'Llofruddiaeth pwy, Lisa Thomas?'

'Nage, Andrew Marriner.'

Rhoddodd Gareth Lloyd y ffôn i lawr a rhoi tic gyferbyn â'r enw olaf. Ers iddo siarad â John Richards roedd wedi cael gafael ar y pedwar person olaf oedd wedi eu henwi ar y rhestr, dwy wraig a dau ddyn oedd wedi prynu cleddyfau yn Rites. Roedd rhesymau'r pedwar dros gael cleddyfau yn swnio'n ddigon rhesymol, iddynt hwy o leiaf, os nad i Gareth; ond wedyn, waeth iddo gyfaddef, roedd ei ddiffiniad ef o'r hyn oedd yn rhesymol wedi newid yn sylweddol yn ystod y prynhawn.

Roedd hefyd wedi dod o hyd i ddau berson arall oedd yn gwadu'n bendant iddynt ddangos unrhyw ddiddordeb mewn prynu cleddyfau, ac ychwanegodd eu henwau hwy at yr enw arall ar ei restr fer ef ei hun. Efallai nad oedd cynnwys enwau'r tri yma gyda'r deuddeg enw arall yn ddim mwy na chawlach cofnodi ar ran Andrew Marriner neu gamgymeriad copïo ar ran Peter Harris, ond eto efallai y talai iddo ymholi ymhellach i'w cefndir a'u perthynas ag Andrew Marriner.

Teimlai Gareth yn fodlon iawn ei fod wedi llwyddo i ddod o hyd i bob un o'r pymtheg person ar y rhestr ar y cynnig cyntaf; anaml iawn yr âi pethau mor hwylus â hynny iddo. Ond er gwaethaf ei lwyddiant, nid oedd yn siŵr pa werth fyddai'r ymarferiad i'r ymchwiliad. Roedd y teimlad ei fod yn gwastraffu ei amser wedi ei daro gydag arddeliad hanner ffordd drwy'r prynhawn wrth iddo wrando ar ddamcaniaeth Alarkon Fychan – fel y mynnai'r dyn ei alw ei hun – mai system cysylltu â phlanedau y tu hwnt i'n bydysawd ni oedd ford gron y Brenin Arthur ac mai'r cleddyf Caledfwlch oedd allwedd y system honno, a'i fod ef, mewn breuddwyd, wedi cael y gorchwyl o ddod o hyd i Caledfwlch er mwyn achub dynoliaeth. Dyna pam, yn ôl Alarkon Fychan, y dangosai'r fath ddiddordeb mewn cleddyfau. A doedd dim o'i le ar hynny, nagoedd?

Oni bai iddo lwyddo i gael gafael ar bawb mor ddidrafferth, mae'n bosibl y byddai Gareth wedi rhoi'r gorau i'r ffonio. Yn bendant roedd wedi blino holi a chlywed am gleddyfau. Nid oedd cleddyf fel gwn yr oedd yn rhaid i'r heddlu ei gael er mwyn profi mai hwnnw oedd yr un a ddefnyddiwyd i gyflawni'r drosedd. Yn wir, roedd yr arf a ddefnyddiwyd i ladd Andrew Marriner ym meddiant yr heddlu'n barod, ac nid oedd unrhyw bosibilrwydd y byddai unrhyw un yn codi amheuaeth am y ffaith honno. Ond eto, rywbryd, rywle, roedd hwn wedi taro Gareth fel trywydd synhwyrol i'w ddilyn.

Ond wedyn, fel gyda nifer o bethau eraill yn ddiwedd[illegible] ni wyddai Gareth bellach beth a wnâi synnwyr mewn gwirionedd. Roedd diddordeb Andrew Marriner yn yr ocwlt a'r digwyddiadau rhyfedd yng nghapel Penuel wedi cysylltu â'i gilydd yn ei feddwl ac fe'i câi hi'n anodd eu gwahanu. Nid oedd Gareth mor ffôl â meddwl mai cynneddf neu reddf heddwas oedd wedi cysylltu'r ddeubeth ac mai yno yn y cysylltiad oedd y rheswm pam y llofruddiwyd perchennog Rites. Heb dystiolaeth i'r gwrthwyneb, cyd-ddigwyddiad a dim ond cyd-ddigwyddiad oedd y cyfan.

Ond eto . . .

Cododd Gareth ei freichiau uwch ei ben ac yna tynnu ei ddwylo ar draws ei war. Teimlai'n flinedig iawn yn sydyn.

Roedd cymaint nad oedd yn ei ddeall. Efallai nad oedd hynny'n ddim byd newydd, meddyliodd, ond os oedd ceisio dod o hyd i'r gwirionedd am yr hyn a ddigwyddodd i Andrew Marriner er mwyn gweithredu cyfiawnder yn dibynnu ar yr hyn roedd e'n ei ddeall, yna roedd lle i ofidio nad oedd yn gwneud ei waith yn iawn.

Ymddangosai bron pob un y cyfarfu â nhw yn ystod y dyddiau diwethaf yn bobl ddigon cyffredin a synhwyrol a allai siarad yn rhesymol a dealladwy un eiliad ond yna'r eiliad nesaf yn siarad am y pethau mwyaf rhyfedd na wyddai ef ddim byd amdanynt. Nid dyma'r tro cyntaf yn ei fywyd i Gareth deimlo'i fod yn boddi; roedd rhai o'r pethau y gorfu iddo'u hastudio mewn gwyddoniaeth yn yr ysgol yn ddigon dieithr a'r tu hwnt i'w amgyffred, ond roeddynt yn bethau y gwyddai oedd yn gysylltiedig â'i fyd a'i fywyd bob dydd. Nid felly'r rhain. Teimlai fod y gymdeithas o'i gwmpas wedi ei gwahanu'n gannoedd o ddarnau bach digyswllt, a phob un ohonynt yn bodoli ar wahân ac yn annibynnol ar ei gilydd.

Roedd Gareth yn hen gyfarwydd â'r is-fyd troseddol lle'r oedd pobl yn byw yn ôl eu rheolau eu hunain heb falio dim am y safonau a'r cyfreithiau roedd gweddill cymdeithas yn eu harddel a'u parchu, ond eto pan fyddai'r troseddwyr hynny'n cael eu dal fe fyddent, ar y cyfan, yn cydnabod eu bod wedi torri cyfreithiau a rheolau cymdeithas, yn ildio i'r drefn ac yn derbyn eu cosb. Ond roedd hyn yn rhywbeth gwahanol, yn rhywbeth . . . rhywbeth nad oedd ef yn ei ddeall.

Diffoddodd sgrin ei gyfrifiadur a chodi o'r tu ôl i'w ddesg. Roedd ganddo un neges arall i'w gwneud cyn gorffen ac yna fe alwai ar Carys. O leiaf roedd e'n ei deall hi, ac yn bwysicach na hynny, roedd hi'n ei ddeall ef.

Roedd hi wedi hen dywyllu erbyn i Eifion Rowlands gyrraedd Llanelli. Nid bod hynny'n ei boeni; wedi'r cyfan, go brin fod y bobl roedd ef am eu gweld yn cadw oriau naw tan bump, ac roedd ganddo ef weddill y noson i ddod o hyd iddynt.

Gyrrodd drwy'r strydoedd lle'r oedd y goleuadau lliwgar a ymestynnai ar draws y ffordd yn cyhoeddi bod y Nadolig ond ychydig wythnosau i ffwrdd. Byddai'r Nadolig yn adeg ddelfrydol i gymryd gwyliau, meddyliodd. Roedd yn siŵr y byddai Siân yn gwerthfawrogi wythnos o ymlacio heb orfod meddwl am siopa a'r holl halibalŵ dros-ben-llestri arall oedd yn gysylltiedig â'r ŵyl. Ac os âi popeth yn iawn dros yr oriau nesaf, fe fyddai yntau'n gallu mwynhau ychydig ddyddiau i ffwrdd heb orfod edrych dros ei ysgwydd bob eiliad.

Arafodd wrth iddo yrru heibio'r adeilad lle'r oedd Malcolm John wedi dweud roedd swyddfeydd Stylus Security, a gweld golau'n llewyrchu drwy nifer o'r ffenestri. A hithau'n amser i'r siopau a'r swyddfeydd gau, ni chafodd Eifion unrhyw drafferth dod o hyd i le i barcio'i gar. Erbyn iddo gerdded yn ôl at yr adeilad roedd mwy o'r ffenestri wedi tywyllu, ond roedd pob ffenest ar yr ail lawr yn dal ynghyn, ac arnynt, mewn llythrennau coch tywyll, roedd y geiriau Stylus Security.

Roedd yr un llythrennau coch ar hanner uchaf y drws ar droad y grisiau ar yr ail lawr hefyd. Gwthiodd Eifion ef ar agor a gweld cyntedd bychan a dwsin neu ddau o blanhigion llydanddail wedi eu gosod yn drefnus o'i gwmpas. Y tu hwnt iddynt roedd desg o bren golau a merch ifanc yn eistedd wrthi. Roedd dau ddrws yn arwain o'r cyntedd, y naill ar yr ochr dde a'r llall ar yr ochr chwith, ond nid oedd yr un llythyren goch, nac unrhyw liw arall o ran hynny, ar yr un ohonynt.

Sychodd Eifion gledrau ei ddwylo ar ymyl ei got. Roedd cymaint yn dibynnu ar yr hyn a ddigwyddai yn ystod y munudau nesaf. Anadlodd yn ddwfn a cherdded i mewn i'r cyntedd.

Cododd y ferch ifanc y tu ôl i'r ddesg ei phen a gwenu ar Eifion.

'Helô. Alla i'ch helpu chi?'

Tynnodd Eifion ei gerdyn gwarant o'i boced a'i ddangos iddi.

'Ie,' meddai'r ferch gan edrych y cerdyn, a heb unrhyw newid yn ei llais na'i gwên, gofynnodd, 'Beth alla i 'i neud i chi?' Roedd hi'n amlwg yn gyfarwydd â chael yr heddlu'n galw heibio; wedi'r cyfan, onid cwmni diogelwch a ystyriai ei fod mewn partneriaeth â'r heddlu oedd Stylus Security?

'Dwi'n chwilio am wybodaeth am ddau ddyn o'dd yn arfer gweithio i chi.'

'O'r gore. Beth yw 'u henwe nhw?' Ac estynnodd am bad papur.

'Sean Macfarlane a Brian Pressman.'

Gwgodd. 'Na, dyw'r enwe 'ny ddim yn canu cloch. Chi'n siŵr 'u bod nhw'n arfer gweithio i Stylus Security?'

'O, odw, yn berffaith siŵr.'

'Hm. Gadewch i fi weld,' ac fe drodd at y cyfrifiadur yn ei hymyl gan wenu.

'Siôn . . .'

'Nage. Sean, Sean Macfarlane.'

'Sean Macfarlane,' ailadroddodd, gan deipio'r enw ar yr allweddell. 'Mac . . . Mac . . .' meddai, gan syllu i fyny ac i lawr y sgrin a siglo'i phen. 'Na, na, wela i ddim Sean Macfarlane yma.'

'Beth am Brian Pressman?'

'Brian Pressman.' Ac fe aeth y ferch drwy'r un broses eto o ailadrodd, syllu a siglo'i phen cyn troi yn ôl at Eifion a gwenu'n ymddiheurol arno.

'Na, ma'n ddrwg 'da fi, do's da fi ddim cofnod o'r un o'r ddau enw yna.'

'Chi'n siŵr?'

'Odw, dwi wedi mynd drwy'r ffeil i gyd a dyw'r un o'r ddau enw yna ynddi.'

Tynnodd Eifion ei ffôn allan o'i boced. Gwasgodd rif ei ffôn ef ei hun ar ei ddesg yn yr orsaf a chyfrif i bump cyn dechrau siarad. 'Syr? Ie. Dwi yn swyddfa Stylus Security nawr ac ma'n nhw'n gweud nad y'n nhw wedi clywed am Sean Macfarlane a Brian Pressman . . . Ie, dyna ro'n i'n feddwl hefyd, syr . . . Dwedodd y *super* gethen ni ddim trafferth ca'l *search warrant* . . . Na, wrth gwrs . . . Ac ry'ch chi am i fi aros fan hyn nes i'r tîm gyrra'dd . . . ?'

Agorodd y drws ar y dde a chamodd dyn ifanc drwyddo. Roedd yn dal a golygus a chanddo wallt du byr. Gwisgai siwt ddu a chrys glas tywyll heb dei. Edrychai'n llewyrchus a phwysig ac yn awyddus i bawb arall wybod hynny hefyd.

'Sharon, odi'r llythyr 'na'n barod?' gofynnodd, heb edrych ar Eifion, ond yna cyn i'r ferch gael cyfle i'w ateb, fe drodd at Eifion a gofyn, 'Alla i'ch helpu chi?'

Daliodd Eifion ei law i fyny i'w dawelu a pharhau â'i sgwrs unochrog ar y ffôn. 'Rhyw dair neu bedair stafell, ddweden i, syr. Bydd ugain o ddynion yn hen ddigon.'

'O's 'na broblem?' gofynnodd y dyn, gan godi ei lais fymryn.

'Un eiliad, syr, ma' rhywun arall 'ma nawr . . . Iawn, syr, arhosa i 'ma amdanoch chi. Hanner awr?' Edrychodd ar ei oriawr. 'Iawn, syr.'

'Pwy y'ch chi?' gofynnodd y dyn yn heriol.

'A chi yw?' gofynnodd Eifion, gan ddiffodd ei ffôn a'i baratoi ei hun am y ddawns oedd yn siŵr o ddilyn.

Gwgodd y dyn a syllu ar Eifion am rai eiliadau cyn troi at Sharon. Roedd ei gwên wedi gwywo ac edrychai ychydig yn bryderus.

'Plismon yw e, Mr Marks.'

Trodd Marks yn ôl at Eifion a ddaliai ei gerdyn gwarant o'i flaen.

'Ie? A beth y'ch chi moyn?'

'Ychydig o wybodaeth.' A phan na ddywedodd Eifion fwy bu'n rhaid i Marks droi at Sharon unwaith eto.

'Ro'dd e'n gofyn am Brian Pressman a Sean Macfarlane.'

'Cof da 'da ti, Sharon,' meddai Eifion, 'am enwe o'dd ddim yn canu cloch funud 'nôl.'

Ni ddangosodd y ferch unrhyw gywilydd o gael ei dal yn ei chelwydd a throdd Eifion ei sylw at y dyn.

'A pwy y'ch chi, Mr Marks?' gofynnodd, gan dynnu sigarét o'i boced a'i chynnau. 'Odych chi'n gweithio i Stylus Security?'

'Dwi'n un o'r cyfarwyddwyr.'

'Ddylech chi fod yn fwy *cyfarwydd* â'r bobol sy wedi bod yn gweithio i'r cwmni nag yw Sharon, 'te.'

'Pam y'ch chi ise gwbod amdanyn nhw?'

'Alla i ddim datgelu 'ny, Mr Marks. Ond fe alla i ddweud y bydd 'ych cydweithrediad o help mawr i ni yn 'yn hymchwiliade i achos difrifol iawn.'

'Achos o beth?'

'Dwi'n ofni na alla i ddweud.'

'Dyw hi ddim yn bolisi 'da ni i ddatgelu gwybodaeth am 'yn staff.'

'Call iawn, os ga i ddweud, ond fel cyfarwyddwr cwmni diogelwch ma'n siŵr 'ych bod chi'n awyddus i'n cynorthwyo.'

Edrychodd Marks ar ei ddwylo yn feddylgar am eiliad neu ddwy cyn codi ei ben a syllu'n galed ar Eifion.

'Wel, syr, odych chi'n mynd i wirfoddoli'r wybodaeth, neu o's raid i fi aros nes bydd fy mòs yn cyrra'dd gyda *search warrant*?'

Siglodd Marks ei ben yn araf a throi at y ferch.

'Sharon, rho'r wybodaeth ma' fe ise iddo fe. Ma'r ffeilie yn yr ail gwpwrdd.'

Cododd Sharon a diflannu drwy'r drws ar y dde.

'Ma'n siŵr 'ych bod chi'n cadw at reole trwyddedu swyddogion diogelwch, Mr Marks,' meddai Eifion, gan edrych ar ei oriawr.

'Wrth gwrs 'ny. Welwch chi ddim byd o'i le ar reini.'

'Faint o swyddogion sy 'da chi i gyd?'

Ond cyn i Marks gael cyfle i ateb, os oedd yn bwriadu ateb o gwbl, dychwelodd Sharon a dwy ffeil yn ei llaw. Cymerodd Marks y ddwy oddi wrthi ac edrych ar eu cynnwys. Ochneidiodd Eifion a chodi ei lygaid tua'r nenfwd. Estynnodd Marks y ffeiliau iddo.

'Diolch.'

Prin iawn oedd y wybodaeth yn y ffeiliau; doedd dim mwy nag ugain tudalen rhwng y ddwy. Llythyr yr un oddi wrth gyn-gyflogwyr yn cymeradwyo Brian Pressman a Sean Macfarlane i Stylus Security fel gweithwyr dibynadwy; cofnodion o daliadau cyflog y ddau a nodai i ba fusnes roeddynt wedi bod yn gweithio fel swyddogion diogelwch ar ran Stylus Security; cofnod iddynt orffen gweithio i'r cwmni ddiwedd mis Mawrth y flwyddyn honno, a nodyn i ble'r aethant i weithio ar ôl iddynt adael. Roedd y ddau wedi ymuno â'r cwmni ar adegau gwahanol ac wedi dod yno o drefi gwahanol – Macfarlane o Gasnewydd a Pressman o Fanceinion – ond roedd hi'n amlwg bod tipyn o gyfeillgarwch wedi tyfu rhyngddynt yn ystod eu hamser gyda Stylus Security, gan eu bod wedi gadael ar yr un pryd i fynd i weithio i Richie Ryan.

Buasai Eifion wedi hoffi cael llungopi o'r tudalennau ond gwyddai na fyddai Marks yn cytuno i hynny, a gan nad oedd ganddo warant i fynnu cael copïau, fe gofnododd y wybodaeth y credai ef oedd yn bwysig.

'Diolch yn fawr, Mr Marks,' meddai Eifion, gan roi'r ffeil yn ôl iddo. 'Dwi'n gweld bod y ddau wedi gweithio am gyfnod o dri mis yng nghlwb Rise Seven Five, i Mr Michael Ryan.'

Ymgynghorodd Marks â'r ffeiliau cyn cydnabod hynny. 'Do.'

'A'u bod wedi gorffen gweithio gyda chi ar ddiwedd mis Mawrth i fynd i weithio i Richie Ryan.'

'Do.'

'O ran diddordeb, Mr Marks, odych chi'n gwbod shwd ma' Michael Ryan a Richie Ryan yn perthyn?'

Disgwyliai Eifion ddawns fach arall, ond fe'i synnwyd gan ateb parod Marks. 'Ma'n nhw'n ddau frawd.'

'Ro'n i'n meddwl mai dyna ro'n i wedi'i glywed. Wel, diolch yn fawr i chi'ch dau; dwi'n gwerthfawrogi'ch help,' ac fe drodd am y drws.

'Beth am y plismyn erill?'

'E? O, do's dim ise i chi boeni, chewch chi mo'ch trwblu rhagor heno.'

'Gareth, yntê?' meddai'r wraig a atebodd y drws.

'Ie,' atebodd Gareth Lloyd ychydig yn ddryslyd. Gwnaeth ei orau i geisio cofio a oedd wedi cyfarfod â'r wraig o'r blaen, ond doedd ei hwyneb ddim yn gyfarwydd o gwbl.

'Dewch i mewn.'

Derbyniodd Gareth y gwahoddiad a chamu i mewn i'r tŷ.

'Welais i Carys ddoe.'

'O?' A dechreuodd y niwl glirio. Wedi byw yn y dref drwy ei hoes, roedd Carys yn adnabod pawb a phawb yn ei hadnabod hithau.

Ymddangosodd y Parch. Jonathan Williams ym mhen pella'r cyntedd.

'Helô, sarjant.'

'Noswaith dda.'

'Wyt ti'n nabod Sarjant Lloyd, Sioned?'

'Newydd gwrdd,' meddai Sioned Williams.

'Tynnwch eich cot,' ac estynnodd Jonathan Williams amdani.

'Gymerwch chi baned?' gofynnodd ei wraig.

'Em, na, dwi ddim yn aros,' meddai Gareth gan deimlo'i fod yn cael ei lethu gan groeso'r ddau. Ond cyn iddo sylweddoli ei fod yn gwneud hynny, roedd yn tynnu ei got ac yn dilyn y gweinidog i mewn i'r ystafell fyw gynnes, gysurus. Amneidiodd y gweinidog arno i eistedd yn un o'r cadeiriau esmwyth a suddodd Gareth yn ddiolchgar i'r clustogau cyfforddus.

'Diwrnod blinedig?'

'Ddim mwy na phawb arall,' atebodd Gareth, gan ei dynnu ei hun i fyny a cheisio canolbwyntio cyn i'w flinder fynd yn drech nag ef. 'Galw ydw i i ddweud 'yn bod ni wedi ca'l canlyniad y profion ar y staen yng nghapel Penuel.'

'O, diolch.'

'Ac mae'n cadarnhau mai gwa'd dynol yw'r staen.'

Crychodd Jonathan Williams ei dalcen. 'O, wel,' meddai, gan ystyried goblygiadau'r newyddion. 'Beth yw'r cam nesa? Siarad â'r bobl sy'n byw yn yr ardal yn y gobaith eu bod nhw wedi gweld rhywbeth?'

Carthodd Gareth ei wddf. Roedd yn ymwybodol iawn mai dim ond newyddion drwg oedd ganddo. 'Yn anffodus do's 'da ni mo'r adnodde i neud hynny.'

'O, pam? Am nad yw'r drosedd yn un sy'n haeddu treulio llawer o amser arni, ie?'

Nodiodd Gareth yn araf. 'Ie, dwi'n ofni.'

'Ond dydych chi ddim yn gwybod beth yw'r drosedd eto.'

'Ma' hynny'n wir, ond ma'n rhaid i ni weithio yn ôl yr hyn ry'n ni'n 'i wbod. Ar hyn o bryd ma'n edrych fel petai'r sawl a dorrodd i mewn i'r capel wedi'i dorri'i hun â gwydr y ffenest. Os cewn ni unrhyw wybodaeth a alle'n harwain at y person hwnnw, yna fe fyddwn ni'n ymchwilio i'r achos.'

'Ond fyddwch chi ddim yn cynnal ymchwiliad i ddod o hyd i'r person hwnnw?'

'Na fyddwn.'

'Am nad oes gyda chi adnoddau digonol?'

'Ie, ma'n ddrwg 'da fi,' atebodd Gareth, gan deimlo'n hollol annigonol.

Siglodd Jonathan Williams ei ben. 'Mae'n drist, on'd yw hi. Dwi'n deall yn iawn nad yw'r achos hwn mor ddifrifol â'r llofruddiaethau rydych chi'n ymchwilio iddyn nhw ar hyn o bryd, ond roeddwn i wedi gobeithio y byddai rhywbeth yn cael ei wneud, os mai dim ond er mwyn rhybuddio'r sawl oedd yn gyfrifol bod yr heddlu'n ymwybodol o'u trosedd.'

'Bydden i'n hoffi ymchwilio 'mhellach hefyd, ond ma'n mynd yn fwy anodd o hyd, yn enwedig 'da'r prinder plismyn a'r cynnydd mewn trosedde difrifol.'

Gwenodd Jonathan Williams a sylweddolodd Gareth ei fod yn swnio fel datganiad i'r wasg.

'Wel, fel'na mae hi. Rwy'n ddiolchgar i chi am y cyfan rydych chi wedi ei wneud. Mae'n amlwg mai ein cyfrifoldeb ni fydd gofalu am y lle yn well o hyn ymlaen.'

Agorodd y drws a daeth Sioned Williams i mewn gan gario hambwrdd. Symudodd ei gŵr fwrdd bychan i ganol y llawr a gosodwyd yr hambwrdd arno. Gwyddai Gareth y dylai adael rhag ofn i'r lletygarwch ei orfodi i gynnig gwneud rhywbeth pellach ynglŷn â chapel Penuel, ond roedd yn rhy flinedig i symud. Ac roedd y sbwng siocled yn ormod o demtasiwn o lawer i'w gwrthod.

Canodd y ffôn.

'Esgusodwch fi,' meddai Jonathan Williams, gan godi a gadael yr ystafell.

'Roedd Carys a fi yn yr ysgol gyda'n gilydd,' meddai Sioned Williams, gan ddosbarthu'r mygiau a'r platiau o'r hambwrdd.

'O, dwi'n gweld,' a chliriodd y niwl yn llwyr.

'Mae Carys ddwy flynedd yn iau na fi ond roedd y ddwy ohonon ni yn y tîm hoci gyda'n gilydd. Oeddech chi'n gwybod ei bod hi'n dipyn o athletwraig?'

'Na, ma' hi wedi cadw hwnna'n dawel.'

'O, wel, ry'ch chi'n gwybod nawr. Dwedodd hi mai newydd symud i'r dre ydych chi.'

'Ie, ers dechre'r flwyddyn.'

'Sut gwrddoch chi â Carys? Drwy'r capel?'

Siglodd Gareth ei ben ac aros nes ei fod wedi llyncu'r deisen oedd yn ei geg cyn mentro ateb. 'Nage. Yn ystod ymchwiliad ro'n i'n 'i gynnal.'

'Ac roedd Carys yn rhan o'r ymchwiliad.'

'Dim ond fel rhywun o'dd yn gweithio i gymdeithas adeiladu.'

'O, diddorol.'

Dychwelodd Jonathan Williams i'r ystafell ac ymddiheuro am yr alwad, ond cyn iddo aileistedd clywyd sŵn rhywun yn rhedeg ar hyd y landin uwch eu pennau ac yna'n disgyn yn herciog i lawr y grisiau.

'O, na,' meddai Sioned Williams. 'Steffan.'

'Y mab,' meddai ei gŵr wrth Gareth. 'Mae e i fod yn cysgu. Rhaid bod y ffôn wedi ei ddihuno.'

'Mae aelodau'r capel yn gwneud cymaint o ffws ohono, mae e'n meddwl fod pob galwad ffôn ac ymwelydd iddo fe.'

Yr eiliad nesaf rhedodd bachgen bach i mewn i'r ystafell yn hyderus gan wenu o glust i glust, ond pan welodd Gareth trodd yn dalp o swildod a rhedeg at ei dad, gan guddio'i wyneb yn ei goesau. Cododd Jonathan Williams ef i fyny yn ei freichiau. 'Dewch mla'n, mistar, 'nôl i'r gwely â chi.'

'Dere ag e i fi,' meddai ei wraig. 'Fe a' i ag e.'

'Ti'n siŵr?'

Estynnodd Sioned Williams am ei mab a chusanodd Jonathan Williams ef ar ei dalcen cyn i'r ddau adael yr ystafell.

'Mae'n ddrwg da fi,' ymddiheurodd y gweinidog unwaith eto. 'Mae'r tŷ 'ma'n debyg i ffair yn aml.'

'Na, fi sy'n cymryd 'ych amser ac yn torri ar draws 'ych noson,' meddai Gareth, gan orffen ei de a rhoi'r mẁg i lawr ar y bwrdd. Edrychodd ar ei oriawr a dod i'r casgliad pe na bai'n gofyn nawr efallai na châi gyfle arall.

'Jonathan, dwi ddim yn credu bod 'na gysylltiad rhwng yr hyn ddigwyddodd yn y capel a llofruddiaeth Andrew Marriner . . .'

'Perchennog Rites?'

'Ie.'

'Beth am y gloch ddaeth Megan Griffiths o hyd iddi yn Penuel? Ai o'r siop y daeth honno?'

'Ma'n bosib iawn mai o Rites dda'th hi; ma' rhai tebyg iddi yn y siop. Ond er gwaetha hynny do's 'da ni ddim byd sy'n cysylltu'r ddau beth ar hyn o bryd. Ma' 'na ambell i beth arall ynglŷn â llofruddiaeth Andrew Marriner sy'n neud i fi deimlo 'mod i'n mynd rownd a rownd mewn cylchoedd, a bydden i'n gwerthfawrogi help i ddeall rhai pethe'n well.'

'Wel, fe wna i 'ngore.'

'Chi'n gyfarwydd â'r math o bethe sy'n ca'l 'u gwerthu yn Rites, on'd y'ch chi, ar wahân i addurniade tebyg i'r gloch?'

'Dwi ddim wedi bod yn y siop fy hunan, ond oes, mae gen i syniad beth maen nhw'n ei werthu, ac at bwy maen nhw wedi'u hanelu.'

'Wel, yn ôl Peter Harris, partner Marriner, nid dim ond gwerthu'r pethe hynny i bobl erill o'n nhw'n 'i neud; ro'dd y ddau ohonyn nhw hefyd yn credu yn yr hyn ro'n nhw'n 'i werthu.'

'Mae hynny'n swnio'n ddigon rhesymol.'

Pwysodd Gareth ymlaen yn ei gadair; dyma lle roedd pethau'n debygol o droi'n gymhleth. 'Ro'n nhw'n credu mewn rhyw fyd ysbrydol, neu mewn rhyw ddimensiwn arall y tu hwnt i'n byd ni lle ma' 'na bwere ro'dd hi'n bosib iddyn nhw gysylltu â nhw a'u rheoli.' Chwifiai Gareth ei freichiau mewn ymgais i esbonio'n glir, ond nid oedd yn siŵr ei fod yn llwyddo. 'Iawn?'

Nodiodd Jonathan Williams. 'Iawn.'

'Dwedodd Harris fod Marriner yn cysylltu â'r pwere

hyn drwy fyfyrio arnyn nhw a dod yn un â nhw. Odi hynny'n neud synnwyr i chi?'

'Ydy, cyn belled â'i fod e'n gwneud unrhyw fath o synnwyr o gwbl.'

'Wel,' ac oedodd Gareth cyn mentro ymlaen. 'Ro'dd y ffordd gafodd Andrew Marriner 'i lofruddio yn awgrymu falle, a dim ond falle, 'i fod e wedi ca'l 'i ladd fel rhan o seremoni.'

'O?'

'Alla i ddim rhoi manylion 'i farwolaeth i chi, ond ma'r amgylchiade'n awgrymu'r posibilrwydd hwnnw – ond ddim mwy na phosibilrwydd, ma'n rhaid i fi bwysleisio 'ny.'

'Iawn, dwi'n deall.'

'Ond odi hi'n bosib fod seremoni fel'ny yn rhan o gred rhywun? 'U bod nhw'n gweld mantais iddyn nhw 'u hunain drwy aberthu Andrew Marriner? Y bydden nhw'n ca'l rhwbeth mas ohono fe?'

'Elwa'n ysbrydol yn hytrach nag yn faterol, fel mae rhywun yn meddwl am y cymhelliad arferol i lofruddiaeth?'

'Ie. Ma'n swnio'n ddwl, on'd yw e?'

'Wel,' ochneidiodd Jonathan Williams a chodi ei ysgwyddau. 'Chi'n gofyn rhywbeth nawr. Dwi ddim yn arbenigwr ar gredoau'r Oes Newydd, ac fe fydden i'n meddwl ei bod hi'n anodd iawn deall y cyfan sy'n dod o dan y teitl hwnnw. Mae'r enw'n gallu cwmpasu pob math o gredoau, o addoli natur a gofalu am yr amgylchedd i gysylltu â'r meirw i wneud aberth i dduwiau cynhanesyddol paganaidd. Ac er bod rhai pobl yn dilyn eu crefydd yn gaeth, mae'r mwyafrif helaeth ohonyn nhw'n dewis a dethol o sawl traddodiad yr hyn sy'n apelio atyn nhw, ac yn creu eu cred newydd ar eu cyfer nhw'u hunain.'

'Dyna wedodd Harris ro'dd e a Marriner wedi'i neud.'

'Mae hynny'n un o'r pethau am yr Oes Newydd sy'n apelio at bobl; gall unrhyw un ddewis yr hyn maen nhw am ei gredu, ac anwybyddu'r pethau sy ddim yn apelio atyn nhw, neu sy'n gofyn am ormod o ymrwymiad neu hunanddisgyblaeth. Drwy wneud hynny does dim rhaid iddyn nhw newid dim amdanyn nhw eu hunain; mae ganddyn nhw grefydd sy'n cyfiawnhau'r ffordd maen nhw'n byw. Mae pobl wedi eu creu gydag angen am Dduw, ac os nad ydyn nhw'n credu ynddo fe, fe ffeindia nhw rywbeth, unrhyw beth, arall i gredu ynddo fe. A does dim rhaid iddo fe fod yn rhywbeth ysbrydol chwaith; mae eu gyrfa, eu teulu, eu heiddo, eu gwlad, unrhyw beth, yn gwneud y tro.'

Nodiodd Gareth. Canai'r hyn roedd Jonathan Williams yn ei ddweud sawl cloch yn ei feddwl, yn enwedig yn dilyn yr holl sgyrsiau roedd wedi eu cael yn gynharach y diwrnod hwnnw. 'Ond beth am y pwere 'ma soniodd Harris amdanyn nhw? Odyn nhw'n bod?'

'O, ydyn, yn bendant, Gareth. Ac rydyn ni i gyd yn rhan o'r frwydr yn erbyn y drygau ysbrydol hynny yn y nefolion leoedd, os ydyn ni'n ymwybodol o hynny neu beidio. Pam wyt ti'n meddwl bod cymaint o sôn am wrachod, dewiniaid a phob math o bethau eraill sy'n ymwneud â'r ocwlt ym mhob diwylliant – rhai cyntefig a rhai sydd i fod yn wareiddiedig – ac yn enwedig yn ein cyfnod ni? Am eu bod nhw'n real, yr un mor real â'r byd rydyn ni'n byw ynddo.'

'Chi'n swnio o ddifri,' meddai Gareth, wedi ei anesmwytho gan yr hyn roedd yn ei glywed.

'Yn gwbl o ddifri. Nid pethau i chwarae â nhw yw'r rhain, a dwi'n ofni bod unrhyw un sy'n credu y gallan nhw reoli bodau ysbrydol yn eu twyllo'u hunain, a'r bodau hynny fydd yn eu rheoli nhw yn y diwedd.'

'Ond os yw rhywun yn credu yn hyn i gyd, allen nhw hefyd gredu 'i bod hi'n bosib iddyn nhw ga'l gafel ar y pwere hyn drwy ladd Andrew Marriner fel rhan o seremoni?'

Ystyriodd Williams hynny am ychydig. 'Gallen, mae'n debyg. Pan ydych chi ond yn credu mewn pethau sy'n apelio atoch chi, pethau y mae gennych chi hawl i'w cael a'u gwneud, fe allwch chi dwyllo'ch hunain fod unrhyw beth yn bosibl a chyfiawnhau'r ffordd rydych chi'n meddiannu pethau.'

'Ie, dyna beth o'n i'n ofni,' meddai Gareth.

'Ond,' meddai Williams yn araf, 'os ydych chi'n amau bod Andrew Marriner wedi cael ei lofruddio fel rhan o ryw seremoni, oni allai hynny gysylltu ei lofruddiaeth â'r hyn ddigwyddodd yn y capel?'

'Wel . . .' meddai Gareth gan godi ei ysgwyddau, yn ymwybodol iawn ei fod yn dal i fynd rownd a rownd mewn cylchoedd.

'Hei, dere mewn! Dere mewn!'

Ufuddhaodd Lunwen Thomas ac aros i Carol Bennett gau drws y fflat ar ei hôl. Llwyddodd ar y trydydd cynnig.

'Paid sefyll fan'na fel plismon â newyddion drwg, cer mewn i'r stafell fyw. Dwi 'di dechre'n barod ac ma' 'da ti dipyn o waith dala lan i' neud.'

Roedd hynny'n amlwg o'i lleferydd a'i hosgo, ond ceisiodd Lunwen gadw'r wên ar ei hwyneb a'r feirniadaeth o'i llais.

'Pen-blwydd hapus i ti,' meddai, gan estyn parsel bychan iddi.

'Diolch. Stedda os cei di le. Symuda'r annibendod 'na.'

Cododd Lunwen y papurau newydd o'r gadair a'u rhoi ar y llawr yn ymyl y soffa, ar ben y pentwr taclus o bapurau oedd yno eisoes, y mwyafrif llethol ohonyn nhw heb eu hagor o gwbl. Ar y bwrdd ar bwys y gadair esmwyth lle'r eisteddai Carol roedd dwy botel o win, y naill yn wag a'r llall o fewn diferion i'w dilyn.

'O, diolch, Lunwen,' meddai Carol, gan dynnu'r cryno ddisg allan o'r papur.

'Gobeithio nad yw e 'da ti'n barod.'

'Nagyw.'

'Brynes i un i'n hunan ryw fis 'nôl a meddwl falle y byddet ti'n 'i licio fe.'

'Diolch, diolch yn fawr.' Rhoddodd yr anrheg i lawr ar y bwrdd yn ei hymyl. Yna diflannodd ei gwên a suddodd ei hysgwyddau. 'Ti yw'r unig un sy wedi cofio.'

Edrychodd Lunwen ar y rhes o gardiau ar y silff ben tân.

'Rhai llynedd yw'r rheina, ife?'

'Teulu, a dy'n nhw ddim yn cyfri,' meddai Carol, gan gydio yn ei gwydr ac yfed. 'Ti'n cofio llynedd pan ethon ni i gyd mas am ddrinc ar ôl gwaith – Clem Owen, Ken Roberts a'r lleill?'

'Odw.'

'Ro'dd honna'n noson dda, on'd o'dd hi, noson i'w chofio, a dwi'n dal i'w chofio, on'd ydw i, neu fydden i ddim wedi cofio amdani nawr, fydden i?' a chwarddodd yn uchel.

'Ma' Clem a pawb arall yn cofio atot ti, ac yn dymuno pen-blwydd hapus i ti, hyd yn o'd os nad anfonon nhw garden,' meddai Lunwen gan raffu celwyddau. 'Ti'n gwbod fel ma' hi gyda'r llofruddiaeth ddiweddara 'ma ar 'u dwylo; do's dim lot o amser rhydd 'da nhw.'

'Llofruddiaeth arall?'

Syllodd Lunwen arni'n hurt. 'Ie, perchennog Rites, y siop ryfedd 'na yn Ffordd y Farchnad.'

'O, ie, wi'n gwbod. Es i mewn 'na unwaith i chwilio am anrheg i Mam. Alli di gredu 'ny? Anrheg i Mam yn y lle 'na!' ac fe chwarddodd yn groch ac yfed yn hir unwaith eto.

'Wyt ti wedi ca'l rhwbeth i' fyta?'

'Pryd?'

'Heno.'

Siglodd Carol ei phen. 'Na, dwi ddim yn credu. Ond dwi'n iawn, ges i rwbeth amser . . . amser . . . na, wir, dwi'n iawn.'

'Wel dwi ddim,' meddai Lunwen, gan dynnu ei ffôn symudol o'i bag. 'A dwi'n ffansïo pitsa. Beth amdanat ti?'

'Na, dwi'n iawn, dwi wedi ca'l . . . ges i rwbeth amser . . . gynne.'

'Wel, dwi ddim yn mynd i fyta ar 'y mhen 'yn hunan; bydd raid i ti gadw cwmni i fi. Iawn?'

Chwifiodd Carol ei braich yn llipa. 'Ie, iawn, beth bynnag ti moyn.'

Archebodd Lunwen fwy na digon ar eu cyfer cyn codi a mynd i'r gegin i ferwi'r tegell. Dychwelodd i'r ystafell fyw lle'r oedd Carol yn dal i eistedd ac yn magu ei gwydr. Cydiodd Lunwen yn y cryno ddisg a'i roi yn y peiriant.

'Pa anrhegion erill gest ti?'

'Em . . . em . . .' Ceisiodd Carol gofio, ac yna cododd ei phen a throi at Lunwen. 'Ches i ddim byd 'da Glyn. Dim. Dim carden hyd yn o'd.'

'Falle gei di rwbeth gydag e 'to.'

Siglodd Carol ei phen. 'Na, ddim 'to. Byth 'to.'

'Ti ddim yn gwbod.'

'O odw, dwi'n gwbod. Ffonies i fe gynne, ac ar ôl pythefnos o drio fe ges i fe. Ro'dd raid i fi brynu ffôn newydd fel na fydde fe'n gwbod pwy o'dd yn 'i ffonio, ond fe ges i afel arno fe o'r diwedd. Ac, wel, ar ôl siarad am y tywydd fe wedes i wrtho fe 'i bod hi'n amser i ni symud mla'n. A ti'n gwbod beth? Nath e ddim anghytuno o gwbwl. Ro'n i'n gallu clywed 'i ryddhad dros y ffôn.'

'Ma'n ddrwg 'da fi.'

'Ond dyw hi ddim yn ddrwg 'da fi. Dere, ma' rhagor o win yn y gegin. Ma'n amser dathlu.'

Pan gerddodd Ken Roberts i mewn i'r gwesty roedd Timothy Morris yn ei ddisgwyl. Eisteddai wrth fwrdd yng nghefn yr ystafell fwyta; plât gwag ei swper yn ei ymyl a'i lyfr electronig yn agored o'i flaen. Gohebwyr a phlismyn, dyw'r naill na'r llall ddim yn gallu gadael llonydd i'w gwaith.

Roedd y ddau wedi adnabod ei gilydd ers blynyddoedd, ac er nad oedden nhw'n gyfeillion, roeddynt wedi llwyddo i fod yn gyfeillgar – tan yr ymchwiliad i ymosodiad yr arolygydd ar Daniel Morgan. Roedd darllen amdano'i hun a chael ei ddyfynnu'n dweud pethau na fyddai'n breuddwydio eu dweud wedi suro'r berthynas. Pan oedd yr helynt ar ei anterth ac yntau ar ei isaf, roedd Ken Roberts wedi taeru na fyddai byth eto'n anadlu'r un aer â'r gohebydd, ond dyma fe nawr yn dewis anghofio'r datganiad hwnnw.

Arhosodd wrth y drws am ychydig eiliadau eto gan

astudio'r hanner dwsin o bobl eraill a eisteddai wrth bedwar bwrdd gwahanol yn yfed eu coffi-ar-ôl-pryd yn dawel. Dau bâr yn ciniawa a dau ddyn busnes yn lladd amser; neb roedd ef yn eu hadnabod. Cerddodd at fwrdd y gohebydd a sefyll o'i flaen.

'Wel?'

Cododd Timothy Morris ei lygaid pŵl ac edrych ar yr heddwas. 'Beth gymerwch chi i' yfed, inspector?'

'Dwi ddim yn sychedig.'

Gwenodd y gohebydd. 'Do's ddim ise bod fel'na. Ro'n i'n meddwl 'yn bod ni ar yr un ochor.'

'O? A pa ochor yw honno?'

'Gwirionedd, cyfiawnder a'r hen ffordd Gymreig o fyw. Pa ochor arall sy 'na?'

Ochneidiodd Roberts ac eistedd.

'Ti'n gallu'i malu hi gyda'r gore, on'd wyt ti.'

'Dyna 'ngwaith i: pum cant o eirie ar fwyd maethlon mewn ysgolion; mil o eirie ar bolisi tai'r cyngor; dwy fil o eirie ar blismon sy wedi ca'l 'i gyhuddo ar gam.'

'Dim gobaith.'

'O, ma' wastad gobaith. Pwy ŵyr beth all . . .'

'Ar ôl y cyfan rwyt ti wedi'i sgrifennu amdana i'n ddiweddar?'

'Ma' hynny drosodd nawr; hen newyddion. Ma' fory'n ddiwrnod newydd.'

Siglodd Ken Roberts ei ben yn araf. 'Paid twyllo dy hunan.'

'Peidiwch bod yn rhy fyrbwyll, a falle y byddwch chi'n . . .'

'Whisgi, dwbwl, gan mai ti sy'n talu. Gwyddelig . . .'

'Pisio Albanwyr,' meddai Morris, gan godi a cherdded at y bar.

Edrychodd Ken Roberts ar gefn crwm Morris. Roedd y gohebydd yn dirywio'n gyflym, meddyliodd. Roedd y ddau yn eu pedwardegau diweddar ond roedd ffordd o fyw'r gohebydd yn bendant yn gadael ei ôl arno.

Agorodd yr arolygydd fotymau ei got a chiledrych ar y llyfr electronig ar y bwrdd, ond roedd y sgrin yn ddu. O dan y teclyn roedd amlen lwyd blaen, maint A4. Pwysodd Ken Roberts 'nôl yn ei gadair ac ystyried y sefyllfa. Efallai fod gan Timothy Morris wybodaeth, ond roedd hi'n amlwg nad oedd y gohebydd yn mynd i'w rhoi yn anrheg iddo. Ac edrychai'n debygol mai ei hanes ef dros y misoedd diwethaf oedd y tâl a ddisgwyliai am y wybodaeth honno. Ond pa wybodaeth fyddai werth hynny? Gâi weld.

'Ma' cof da 'da ti,' meddai'r arolygydd pan ddychwelodd y gohebydd a rhoi'r gwydr o'i flaen.

'Dim ond am y pethe pwysig.'

Cododd Ken Roberts y gwydr i'w wefusau ac aros i Timothy Morris agor y drafodaeth.

'Shwd ma'r ymchwiliad i lofruddiaeth Andrew Marriner yn siapo?'

'Dyddie cynnar, ymateb da gan y cyhoedd, sawl trywydd addawol; 'na i adel i ti lenwi'r bylche drosot dy hunan.'

'Chi'n gwbod pam ga'th e'i ladd?'

'Rhywun ddim yn 'i lico fe gymaint ag ro'dd e'n 'i feddwl, fwy na thebyg.'

'Ond ddim cymhelliad amlwg?'

Yfodd Ken Roberts ychydig ragor o'i ddiod, a dyna'r cyfan a wnaeth ei wefusau a'i dafod.

'Chi'n gwbod 'i fod e'n hoyw?' gofynnodd Morris.

'Cer o 'ma, a 'na lle'r o'n i'n meddwl mai am 'u

pwysigrwydd celfyddydol o'dd 'da fe'r holl fideos a'r llyfre 'na.'

'Ac fe gethon nhw dipyn o wrthwynebiad pan agoron nhw'r siop.'

'Beth, Safeway yn ofni cystadleuaeth?'

'Gwrthwynebodd rhai o warcheidwaid moesol y dre'r cais cynllunio ar sail y stwff ro'n nhw'n bwriadu'i werthu yn y siop. Ro'n nhw'n credu y bydden nhw'n ca'l dylanwad drwg ar ieuenctid yr ardal.'

'Ond ddim am fod y ddau ohonyn nhw'n wrywgydwyr?'

'Do'dd neb yn gweud 'ny, wrth gwrs; gwrthwynebu'r hyn ro'dd y siop yn 'i werthu o'n nhw, ond falle mai defnyddio hynny fel esgus o'n nhw.'

'Gwrthwynebu'u rhywioldeb nhw drwy'r drws cefn, ti'n feddwl?'

Syllodd y gohebydd yn galed ar Ken Roberts.

'Mewn ffordd o siarad,' ychwanegodd yr arolygydd, gan ddrachtio'i ddiod yn ddi-hid.

'Ro'dd sôn am y gwrthwynebiad yn y *Dyfed Leader*.'

'Pum cant o eirie?'

'Mil.'

'O'dd e'n haeddu hynny, neu o'dd hi'n wthnos wan? Ddarllenes i mo'r un ohonyn nhw beth bynnag.'

'Odych chi ise neud iawn am hynny nawr?' A rhoddodd Timothy Morris ei law ar yr amlen lwyd.

'O's rhwbeth o werth yn yr erthygl?'

'Enwe'r rhai mwya huawdl 'u gwrthwynebiad.'

'A beth wyt ti'n gobeithio'i ga'l amdani?' gofynnodd Ken Roberts heb edrych ar yr amlen.

'Atebion i ddwsin o gwestiyne am yr ymchwiliad disgyblu.'

'Fydd Mr Peters byth yn cytuno i hynny.'

'Do's dim rhaid iddo fe wbod.'

'Paid siarad dwli. Wyt ti'n meddwl y bydd e'n anfon blode i ni'n dau ar ôl darllen fy sylwade i am ymchwiliad mewnol? Ma' 'da fi ddigon ar 'yn sgwydde i fel ma' hi.'

'Ry'ch chi *yn* ca'l 'ych disgyblu, 'te?'

Cnodd Roberts ei dafod ac estyn am ei wydr.

'Os nad y'ch chi'n meddwl bod yr ymchwiliad wedi bod yn un teg, dyma'ch cyfle i roi'ch ochor chi.'

Siglodd Ken Roberts ei ben. 'O't ti'n meddwl o ddifri y bydden i'n agor 'y nghalon i ti, ac yna'n gadel i ti droi 'ngeirie i fel wyt ti'n dewis, a gweud diolch yn fawr am y cyfle?'

'Gewch chi weld y darn cyn iddo ga'l 'i gyhoeddi.'

'Hy!' ebychodd yr arolygydd yn ddirmygus. 'Sawl un sy wedi credu 'ny a difaru, gwed?'

'Dwi wedi ca'l ochor y Parchedig Emrys Morgan i'r ymchwiliad yn barod.'

'Ti ac unrhyw un arall sy'n barod i wrando arno fe,' meddai'r arolygydd, gan dynnu ei got amdano. 'Wel, diolch am y ddiod, ac os dei di ar draws rhwbeth diddorol arall, ti'n gwbod beth alli di'i neud ag e.'

'Dy'ch chi ddim ise gweld yr erthygl?'

Cododd Ken Roberts. 'Fydd hi ddim yn anodd ca'l gafel ar dy bwt am y siop; ma'n siŵr 'i fod e'n dal ar waelod caets rhyw ganeri yn rhywle, ond os wyt ti am arbed pum munud o waith i fi fory . . .'

'Yn ogystal â'r erthygl, ma' 'da fi'r nodiade gymeres i ar 'i chyfer hi,' meddai Morris ar ei draws.

'Paid gweud dy fod ti wedi gadel y darne gore mas o'r erthygl?'

'Ddim fi, y golygydd. Do'dd e ddim ise i'r papur fod yn rhy ddadleuol; cofnodi newyddion yw'n gwaith ni, medde fe, nid creu cynnen.'

'A be sy yn y nodiade hyn?'

'A, wel, dyna'r cwestiwn mawr, yntefe?'

'Stori ddwy flwydd o'd, 'na gyd sy 'da ti?'

'Ynghyd ag ambell i beth mwy diweddar – diddorol, 'fyd.'

Syllodd Ken Roberts arno'n dawel am rai eiliadau ac yna eistedd eto, yn agosach at y gohebydd y tro hwn. 'Dwi ddim yn mynd i roi cyfweliad i ti, a man a man i ti sylweddoli 'ny nawr,' meddai'n dawel.

'Wel, do's dim mwy . . .'

Rhoddodd Roberts ei law ar fraich y gohebydd. 'Gwranda. Ma'n siŵr bod dy waith di'n ddigon anodd fel ma' hi, ond os wyt ti'n mynd i rwystro'r ymchwiliad drwy beidio â datgelu gwybodaeth bwysig, ma' fe'n mynd i fod yn dipyn mwy anodd o hyn mla'n. Nawr, fel arwydd o ewyllys da, os nei di roi'r amlen 'na i fi yn wirfoddol, fe wna i 'ngore i neud yn siŵr mai ti fydd y cynta i ga'l y newyddion am lofrudd Andrew Marriner pan ddaliwn ni fe. Ac os bydd dy nodiade di wedi bod o help i ni 'i ddal e, yna rhyngddyn nhw a'r hyn alla i 'i gynnig i ti, bydd 'da ti ddeunydd stori fawr, a dwi ddim yn golygu ar gyfer y *Dyfed Leader*. Ma' hi lan i ti.'

Dydd Iau 4 Tachwedd
08:45 – 13:55

'Iawn,' meddai'r Prif Arolygydd Clem Owen ar ôl i bawb eistedd a thawelu. 'Andrew Marriner. Ble y'n ni wedi cyrra'dd gyda'n hymchwiliade? Ma' bron pedwar deg wyth awr wedi pasio ers i'w gorff ga'l 'i ddarganfod, a dwi'n gobeithio, er mwyn popeth, bod 'da chi rwbeth cadarnhaol i'w rannu â fi,' ac edrychodd o gwmpas yr ystafell yn ddisgwylgar ar yr hanner dwsin oedd wedi ymgynnull. Roedd yn agos i ugain o swyddogion eraill oedd ynghlwm wrth yr ymchwiliad eisoes wedi ymgymryd â'u dyletswyddau am y dydd. 'Hyd yn hyn ry'n ni wedi bod yn dilyn trefn arferol came cynta'r ymchwiliad, ond gyda'r rheini tu cefn i ni fe ddylen ni nawr allu canolbwyntio'n hymchwiliade ar drywydd neu bobol benodol.'

Yfodd y prif arolygydd ddiferyn o'r te oedd ganddo yn ei ymyl cyn mynd ymlaen at bethau llai pleserus.

'Ma' syne'n dod o Gyfyrddin yn barod, yn gofyn a ydyn ni ise help gan fod dwy lofruddiaeth ar 'yn dwylo ni nawr. Ma' Mr Peters wedi llwyddo i'w cadw nhw'n hapus hyd yn hyn, ond bydd ise rhwbeth mwy sylweddol na geirie os y'n ni am osgoi gorfod derbyn 'u help nhw. Iawn?' Ac edrychodd o gwmpas ei gynulleidfa unwaith eto.

'Andrew Marriner,' meddai eto, gan godi'r ddalen gyntaf o'r ffeil o'i flaen. 'Pedwar deg saith o'd, perchennog siop Rites ac yn byw yn y fflat uwchben y siop gyda'i bartner – yn y busnes ac yn y gwely – Peter Harris. Harris dda'th o hyd i'r corff am hanner awr wedi naw bore echddo, dydd Mawrth, pan gyrhaeddodd e 'nôl ar ôl bod yn ymweld â'i fam yng Nghasnewydd. Ma' hi ar hyn o bryd – neu mi o'dd hi dros y penwthnos, beth bynnag – yn gwella yn Ysbyty Brenhinol Gwent ar ôl ca'l trinieth ar 'i chlun.

'Ro'dd Marriner yn gorwedd yn 'i wely a chleddyf wedi'i wasgu i mewn i'w frest rhwng y bedwaredd a'r bumed asen ar ochor chwith 'i gorff, ac yn ôl yr adroddiad *post mortem*, ac er dim syndod i neb, ma'n siŵr, dyna achosodd 'i farwolaeth. Ga'th e'i lofruddio rwbryd yn ystod orie mân bore dydd Mawrth. Ma'r Athro Anderson yn gweud yn 'i adroddiad hefyd fod olion cyffurie – canabis a thabledi cysgu – yn 'i wa'd, ac felly do'dd e ddim yn credu y bydde fe wedi bod yn ymwybodol adeg yr ymosodiad. Ma' cyflwr taclus y stafell wely'n dangos na fu ymladd rhyngddo fe a'i lofrudd. Iawn, dyna'r ffeithie, ond os ca i ddamcaniaethu am eiliad, ma'n bosib bod y tabledi cysgu wedi ca'l 'u rhoi iddo fe ymla'n llaw yn fwriadol gan y llofrudd er mwyn neud 'i waith e gymaint â hynny'n haws. Os felly, ma'n dangos rhywfaint o ragbaratoi ar 'i ran. Ond wedyn, ma'r ffaith i Marriner ga'l 'i ladd â chleddyf a gymerwyd o'r siop lawr llawr yn awgrymu nad o'dd y llofrudd wedi dod yno gyda'r bwriad o'i ladd.'

'Ma'n bosib 'i fod e'n gwbod am y cleddyfe yn y siop ac wedi bwriadu defnyddio un ohonyn nhw beth bynnag,' awgrymodd Gareth Lloyd a oedd, er gwaetha'r ffaith ei fod wedi cael digon i'w wneud â chleddyfau i bara oes, o'r farn y dylai godi'r pwynt.

Ochneidiodd Clem Owen. 'Beth yw e, 'te? Wedi'i gynllunio mla'n llaw neu wedi'i gyflawni yng ngwres y foment?'

'Dwi ddim yn gwbod,' cyfaddefodd Gareth.

'Unrhyw un arall â rhwbeth i' gynnig? Na?'

Siglodd ambell un ei ben tra edrychodd eraill ar eu traed. Ken Roberts oedd yr unig un oedd yn barod i fentro. 'Dyw hwnna ddim yn bwysig ar hyn o bryd, yw e? Ddyle fe ddod yn fwy amlwg pan ddaliwn ni'r sawl laddodd e.'

'*Os* daliwn ni fe,' mwmialodd Wyn Collins wrth Eifion Rowlands dan ei wynt.

'Ie?' gofynnodd Owen.

'Dim byd, syr.'

'Beth am y cleddyf? Odyn ni'n dal i gadw'n dawel am y ffordd y cafodd e'i lofruddio?' gofynnodd Gareth.

'Odyn, am y tro. 'I drywanu, 'na'r cyfan ry'n ni'n 'i weud ar hyn o bryd, rhag ofn bydd y wybodaeth am y cleddyf yn help i ni rwbryd 'to. Iawn?'

Nodiodd y gweddill ac aeth Clem Owen yn ei flaen.

'Nawr, yn naturiol, Harris yw'r person cynta i ddod dan amheuaeth, ond mae'i stori e'n dal dŵr. Ma' 'na nodyn yn nyddiadur Marriner, yn 'i lawysgrifen 'i hun, yn dweud bod 'i bartner yn mynd i fod yng Nghasnewydd o ddydd Sadwrn hyd ddydd Mawrth. Fe fuodd e'n ymweld â'i fam sawl gwaith dros y penwthnos, ond gan 'i fod e'n aros yn 'i thŷ hi ar 'i ben 'i hun, do's 'da ni ddim tystion i'r hyn ro'dd e'n 'i neud pan nad o'dd yn ymweld â hi. Ond ma' 'da ni brawf 'i fod e wedi bod yn byta mas bob nos gan 'i fod e wedi talu 'da carden gredyd bob tro ac ma' 'da ni gofnod o'r prydie 'ny.'

Cymerodd ddracht arall o'r mẁg.

'Ma' Gareth wedi cadarnhau hyn i gyd ac ma' un o gymdogion 'i fam o'dd yn cadw llygad ar y tŷ tra o'dd hi yn yr ysbyty, hefyd yn cadarnhau'r rhan fwya ohono fe. Wrth gwrs fe alle Harris fod wedi gyrru 'nôl 'ma nos Lun, ond yn ôl y cymydog ro'dd 'i gar e wedi'i barcio yn y stryd pan a'th hi i'r gwely am un ar ddeg nos Lun. Do'dd y car ddim yno pan gododd hi fore dydd Mawrth, ond wedyn fe fydde'n rhaid iddo fe adel Casnewydd yn weddol gynnar er mwyn cyrra'dd 'nôl 'ma erbyn hanner awr wedi naw pan gasglodd e'r papur o'r siop bapure gro's y ffordd i Rites. Ac fe wedodd Harris 'i hunan 'i fod e wedi gadel Casnewydd o gwmpas hanner awr wedi saith bore dydd Llun. Iawn? A dyna lle i ni gyda Peter Harris.'

'Beth am y dyn welwyd gan y ferch sy'n gweithio yn y Spar?' gofynnodd Eifion, yn awyddus i ddangos mai ef oedd wedi dod o hyd i'r tyst pwysig hwn.

'Ma'n dda i ti sôn amdano fe, Eifion, gan mai fe sy'n mynd i ga'l 'yn sylw ni nawr,' ac fe dynnodd Clem Owen ddalen arall o'r ffeil. Ond cyn iddo ddechrau ei darllen fe'i llygad-dynnwyd gan adroddiad arall. 'O, ie, cyn i ni fynd ar ôl hwnnw, ro'dd Marriner wedi bod mewn trwbwl pan o'dd e'n ifanc, ond dim byd ers hynny. Ro'n i wedi meddwl falle bod 'da'i orffennol rwbeth i' neud â hyn, ond ma'n ymddangos 'i fod e mor ddiniwed â chi a fi – os yw hynny'n gysur i unrhyw un,' a rhoddodd yr adroddiad hwnnw naill ochr.

'Iawn, Eifion, yr ymwelydd. Am ugen munud wedi naw nos Lun fe welodd Natalie Bowen, o'dd yn gweithio yn siop Spar, sy fwy neu lai gyferbyn â Rites, rywun yn mynd mewn drwy ddrws ochor y siop. Do'dd hi ddim yn gallu gweld yn iawn pwy o'dd 'na, ond cymerodd hi'n ganiataol mai dyn o'dd e. Hi yw'r unig dyst a welodd e'n cyrra'dd, ac yn anffodus dy'n ni ddim wedi dod o hyd i neb eto a welodd e'n gadel. Ry'n ni wedi holi o ddrws i ddrws yn y stryd ddwywaith yn barod, ond gan fod rhaid i ni ga'l gafel ar y person hwn, bydd raid i ni neud hynny unwaith 'to rhag ofn 'yn bod ni wedi colli rhywun. Iawn, Wyn? Eifion?'

Nodiodd Eifion. Roedd yn gas ganddo holi o ddrws i ddrws, yn enwedig gorfod mynd yn ôl dros yr un peth dro ar ôl tro, ond gwyddai nad oedd dim i'w ennill o ddadlau.

'Iawn,' meddai Wyn. 'Ond dwi'n disgwl i berchennog y garej 'na ar y draffordd lle'r o'dd dau ddyn wedi bygwth y staff nos 'da *shotgun* i ddod â'r fideo CCTV i fi rwbryd heddi.'

'Ie,' meddai Clem Owen, gan grafu'i foch. 'Ma' hwnna'n ddifrifol 'fyd, ond tra byddi di'n disgwl, alli di roi help llaw i Eifion?'

'Iawn.'

Edrychodd y prif arolygydd ar y ddalen yn ei law i'w atgoffa'i hun, a chafodd ei blesio gan yr hyn a ddarllenodd.

'O ie, ma' Kevin a'r bois fforensig wedi bod drwy'r fflat â chrib fân ac wedi dod o hyd i nifer fawr o olion bysedd ar wahân i rai Marriner a Harris. Ma'r rhan fwya ohonyn nhw'n weddol hen ac wedi'u cyfyngu i'r stafell fyw lle bydde dyn yn disgwl i ymwelwyr adel 'u hôl, ond ma' 'na un pâr arall diddorol iawn yno hefyd.'

Newydd dderbyn adroddiad Kevin Harry y bore hwnnw roedd Clem Owen ac oedodd nawr er mwyn gwneud yn siŵr bod ei gynulleidfa'n talu sylw.

'Da'th Kevin o hyd iddyn nhw yn y stafell wely, y tŷ bach, ac ar un o'r gwydre gwin o'dd ar bwys y sinc yn y gegin, ar y botel win 'i hunan ac ar rai o'r llestri o'dd yn y peiriant golchi llestri. Ma' hynny i gyd yn awgrymu mai olion bysedd ymwelydd nos Lun y'n nhw. Dyna pam ma'n bwysig 'yn bod ni'n dod o hyd i'r person 'ma. Ma' hefyd ôl semen ar y dillad gwely ac ar gorff Marriner sy'n dangos 'i fod e wedi ca'l cyfathrach rywiol ychydig orie cyn iddo ga'l 'i ladd. Ma' Kevin wedi anfon sample i ga'l adroddiad DNA, a gallwn ni ond gobeithio y cawn ni well hwyl 'da'r rheini nag y'n ni wedi bod yn 'i ga'l yn ddiweddar,' ychwanegodd y prif arolygydd heb swnio nac edrych yn obeithiol iawn.

'Yn ôl Natalie Bowen, ro'dd hi'n edrych fel petai Marriner yn nabod y dyn alwodd nos Lun,' meddai Eifion.

'Ac yn ei ddisgwl, os yw'r pryd bwyd yn dystiolaeth ddibynadwy,' meddai Clem Owen.

'Ond do's dim byd yn nyddiadur Marriner amdano fe,' meddai Gareth.

'Falle'i fod e am gadw'r cyfarfod yn gyfrinach,' awgrymodd Wyn Collins.

'Oddi wrth bwy?'

''I bartner, Harris.'

'A pam fydde fe am neud 'ny?'

Cododd Wyn ei ysgwyddau. 'Rhywun ro'dd e'n 'i wahodd i'r fflat tra bod Harris i ffwrdd yng Nghasnewydd.'

'Rhywun ro'dd e'n ca'l perthynas ag e, tu ôl cefn 'i gariad?' gofynnodd Eifion.

'Os taw e, fydde fe ddim ise nodi hynny yn 'i ddyddiadur,' meddai Wyn.

'A bod hynny wedi arwain at 'i lofruddiaeth,' meddai

Clem. 'Nid dyna'r tro cynta bydde rhwbeth fel'ny wedi digwydd. Rhywun hŷn yn gwahodd rhywun ifanc, dieithryn ro'dd e newydd 'i gyfarfod, 'nôl i'w dŷ am y nos a hwnnw'n 'i ladd e.'

'Neu rywun o'dd wedi galw yn y siop yn gynharach,' cynigiodd Wyn Collins.

'Ie, hynny 'fyd.'

'Ond do'dd dim byd wedi'i ddwyn o'r fflat nac o'r siop, ac ro'dd 'i arian a'i gardie credyd yn dal yn 'i waled,' meddai Gareth.

'Falle nad dwyn o'dd y cymhelliad,' meddai Wyn.

'Beth, 'te?' gofynnodd Owen. 'Cwilydd?'

'Hy!' ebychodd Ken Roberts a oedd, yn groes i'r arfer, wedi bod yn dawel iawn hyd yn hyn. 'Ma' 'na agwedd arall ddylen ni 'i ystyried.'

'O?'

'Pwy bynnag o'dd y person dda'th i swper, alle rhywun arall fod wedi galw ar ôl i hwnnw adel.'

Pwysodd Owen yn ôl yn ei gadair. 'Galle. O's 'da ti dyst i hynny?'

Siglodd Roberts ei ben. 'Nago's, ond gan mai yn orie mân bore dydd Mawrth ga'th Marriner 'i lofruddio, ro'dd digon o amser i rywun arall alw yno.'

'Do's dim arwydd bod neb wedi torri mewn i'r adeilad,' meddai Gareth. 'Ac ma'r ffaith nad o'dd dim wedi'i ddwyn yn awgrymu nad lladrad o'dd y cymhelliad.'

Syllodd Ken Roberts ar Clem Owen ac anwybyddu sylw Gareth.

'Hyd yn hyn ry'n ni wedi bod yn canolbwyntio ar y noson ga'th Marriner 'i lofruddio, gan rywun ro'dd e wedi'i wahodd yno neu o'dd wedi digwydd galw heibio.

Ond beth os o'dd y rheswm dros 'i lofruddio yn mynd 'nôl ymhellach na 'ny? Nad rhwbeth ddigwyddodd yng ngwres y foment o'dd e, ond 'i fod e wedi ca'l 'i gynllunio mla'n llaw?'

'Ofynnes i 'ny gynne,' atgoffodd Clem Owen yr arolygydd yn fyr.

'Do, dwi'n gwbod, ond ro'n i ise clywed beth o'dd 'da ni cyn dweud dim.'

'A beth wyt ti am 'i ddweud nawr, 'te?'

'Ma'n bosib bod 'na reswm arall dros 'i lofruddio.'

Ochneidiodd Clem Owen. 'Iawn, gwed be sy 'da ti.'

'Ro'dd Marriner a Harris mewn perthynas wrywgydiol agored a dyw hynny ddim yn dderbyniol gan bawb hyd yn o'd yn 'yn dyddie goleuedig ni. Gethon nhw dipyn o wrthwynebiad ddwy flynedd 'nôl pan agoron nhw'r siop. Falle'ch bod chi'n cofio; ro'dd sôn am y peth yn y *Dyfed Leader* ar y pryd, erthygl fawr a sawl llythyr. Na? Wel yn ôl y protestwyr, gwrthwynebu'r siop a'r holl bethe'n ymwneud â'r ocwlt a dewiniaeth o'n nhw. Ond ma'n ddigon posib mai esgus o'dd hynny i gyd, ac mai gwrthwynebu'r ddau am 'u bod nhw'n wrywgydwyr o'n nhw mewn gwirionedd.'

'Wyt ti'n gwbod pwy o'dd y protestwyr 'ny?'

'Ro'dd rhyw hanner dwsin ohonyn nhw i gyd, ond yr un ucha'i gloch o'dd gweinidog o'r enw Jonathan Williams.'

'Dyw 'i enw fe ddim wedi codi yn yr achos o'r bla'n, odi fe?' gofynnodd Clem Owen.

'Nagyw,' meddai Ken Roberts. 'Ond cofia'r olion bysedd 'na dda'th Kevin ar 'u traws yn y fflat; dy'n ni ddim yn gwbod pwy sy bia nhw 'to.'

'Dy'ch chi ddim o ddifri, y'ch chi?' gofynnodd Gareth yn anghrediniol.

'Am beth?'

'Am Jonathan Williams.'

'Pam?'

'Dwi'n 'i nabod e a dyw e ddim yn llofrudd. Byth!'

'Shwd wyt ti'n 'i nabod e?' gofynnodd Owen.

'Gwrddes i ag e yng nghapel Penuel ddydd Llun.'

'Penuel?'

'Mas ar bwys pentre Gors-ddu.'

'Ie, wi'n gwbod ble ma' fe. Beth o't ti'n neud 'na dwi ise gwbod.'

Ac fe ddechreuodd Gareth Lloyd adrodd y cyfan oedd wedi digwydd, o'r amser y gofynnodd Berwyn Jenkins iddo ymchwilio i'r alwad ffôn am y torri i mewn i'r capel ar y nos Sul, hyd at dderbyn adroddiad Kevin Harry ar y staen gwaed ar lawr yr adeilad.

'Dwi ddim yn gwbod dim byd am hyn,' meddai Clem Owen. 'Wyt ti wedi rhoi adroddiad ar bapur i fi amdano fe?'

'Ddim 'to. Neithiwr wedes i wrth Jonathan Williams 'i bod hi'n annhebygol y gallen ni neud dim am y peth.'

'Siaradest ti ag e neithiwr?' gofynnodd Ken Roberts.

'Do.'

'Am y busnes yng nghapel Penuel?'

'Ie.'

'Rhwbeth arall?'

Siglodd Gareth ei ben ac anesmwytho yn ei gadair. 'Na, ddim mewn gwirionedd.'

'A beth ma' hynny'n 'i olygu? Drafodoch chi lofruddiaeth Andrew Marriner?'

'Ddim mewn unrhyw fanylder,' meddai Gareth, gan gywiro'i wadiad ond yn benderfynol ar yr un pryd nad oedd yn mynd i'w gyfiawnhau ei hun i'r arolygydd.

'"Ddim mewn unrhyw fanylder",' dynwaredodd Ken Roberts ef. 'Paid hollti blew. Drafodoch chi lofruddiaeth Andrew Marriner?'

'Do, ond dim ond y wybodaeth cefndir . . .'

Cododd Ken Roberts ei ddwylo mewn rhwystredigaeth. 'Uffach gols, Clem, alli di gredu hyn? Sôn am amhroffesiynol!'

'Chi'n un da i sôn am fod yn amhroffesiynol,' poerodd Gareth. 'Ddim fi gafodd 'i wahardd o'r gwaith am bedwar mis tra bod rhywun yn ymchwilio i'w broffesiynoldeb.'

'Pwy ddiawl wyt ti'n meddwl wyt ti yn siarad â fi fel'na?'

'Ken!' rhybuddiodd Clem Owen.

'Ti'n dal yn dy glytie ac yn dod fan hyn yn meddwl dy fod ti'n gwbod popeth am y gyfraith!'

'O leia dwi ddim yn meddwl 'mod i uwchlaw'r gyfraith!'

'Gareth!'

'Be wedest ti?' ac fe gododd Ken Roberts o'i gadair.

'Hei! Ken! 'Na ddigon! Stedda!' bloeddiodd Clem Owen, gan stryffaglio i godi o'i gadair yntau, a tharo'i de drosodd yn ei ymdrech.

'Uffach!'

Chwarddodd Eifion Rowlands.

'Os na allwch chi ymddwyn fel dynion cyfrifol, mae ar ben arnon ni,' meddai Clem Owen, gan dynnu ei facyn poced a dechrau sychu'r ddiod oedd yn llifo ar draws y ddesg. 'Os y'n ni'n mynd i ga'l rhwbeth mas o hyn i gyd ma'n rhaid i ni gydweithio a rhoi pob anghydweld personol naill ochor. Iawn?'

Ddywedodd neb air ac fe dderbyniodd y prif arolygydd hynny yn arwydd fod pawb yn cytuno ag ef. 'Iawn,' meddai, gan syllu ar ei facyn poced gwlyb cyn ei daflu i'r bin sbwriel yn ei ymyl. 'Os allwn ni fynd 'nôl at y mater dan sylw. Ken, be sy 'da ti am y Jonathan Williams 'ma? Os o'dd y protestio am y siop wedi digwydd ddwy flynedd 'nôl a bod 'da hynny rwbeth i' neud â'r llofruddiaeth, pam mai nawr digwyddodd e?'

'Am fod yr holl ddadl wedi codi'i phen unwaith 'to.'

'Dadl? Pa ddadl?' gofynnodd Owen mewn penbleth.

Cododd yr arolygydd amlen lwyd o'i gôl a thynnu dyrnaid o bapurau allan ohoni.

'Rhyw fis 'nôl anfonodd Jonathan Williams bwt i'r *Dyfed Leader* yn sôn am gyfarfod ro'dd e'n bwriadu 'i gynnal yn 'i gapel lle bydde dyn o'r enw Gary Ellis yn siarad. Teitl y ddarlith o'dd "Gadael y Bywyd Gwrywgydiol", ac ynddi fe fydde Ellis yn dweud sut, a dwi'n dyfynnu, "y llwyddodd i ymwrthod â'r ffordd honno o fyw a chael heddwch cydwybod drwy Efengyl Iesu Grist". Yr wthnos ganlynol sgrifennodd Andrew Marriner lythyr at olygydd y *Dyfed Leader* yn cwyno bod yr erthygl wedi ca'l 'i chyhoeddi yn y papur ac yn lladd ar yr hyn ro'dd Williams wedi'i ddweud, gan fynnu nad o'dd hi'n bosib i rywun beidio â bod yn hoyw am mai ca'l 'u geni fel'ny o'n nhw. Ymddiheurodd y golygydd i Marriner am bwt Williams ac esbonio gan mai yng ngholofn wthnosol y capel o'dd e wedi'i gynnwys, do'dd neb o'r tîm golygyddol wedi'i ddarllen, a dyna shwd o'dd e wedi llithro mewn i'r papur. Wedodd e y bydde fe'n neud yn siŵr o hynny mla'n y bydde popeth o'dd capeli ac eglwysi'r dre'n anfon i'r papur yn ca'l 'i ddarllen yn fanwl ac yn ca'l 'i adel mas petai 'na unrhyw beryg y bydde fe'n tramgwyddo'r darllenwyr. Yr wthnos wedyn . . .'

'Uffach, Ken, am faint ma' hyn yn mynd i fynd mla'n?' gofynnodd Clem Owen.

Gwenodd yr arolygydd. 'Ddim yn hir. Yr wthnos wedyn ro'dd llythyr 'da Jonathan Williams yn y *Dyfed Leader* yn ateb llythyr Andrew Marriner. Ynddo ro'dd e'n anghytuno â'r hyn ro'dd Marriner wedi'i ddweud am bobol yn ca'l 'u geni'n hoyw, gan ddweud mai dewis y ffordd honno o fyw o'n nhw, a bod tystiolaeth miloedd o ddynion a merched o'dd wedi gadel y bywyd gwrywgydiol yn profi 'ny. Wedodd e bod ymweliad Gary Ellis yn gyfle i bobol glywed tystiolaeth un o'dd wedi cefnu ar y bywyd hwnnw 'i hun, a gwahoddodd ddarllenwyr y papur i ddod i wrando arno a barnu drostyn nhw'u hunain. Gorffennodd Williams drwy ddweud ei fod yn gresynu at fwriad y golygydd i sensro deunydd y bydde'r capeli a'r eglwysi'n 'u hanfon i'r papur yn y dyfodol, a'i fod yn hyderu y bydde fe'n ailystyried y penderfyniad.'

''Na'r diwedd?'

'Nage, un wthnos i fynd. Wthnos dwetha ro'dd llythyr arall 'da Marriner yn y papur yn ailadrodd lot o'r hyn ro'dd e wedi'i ddweud yn y llythyr cynta, ond ar y diwedd ma'n dweud y bydde fe'n derbyn gwahoddiad Williams i ddod i wrando ar Ellis, ac y bydde fe hefyd yn dweud wrth 'i ffrindie am y cyfarfod.'

'A beth am rifyn yr wthnos hon?'

'Dim byd. Ar ôl ail lythyr Marriner, fe wedodd y golygydd na fydde fe'n derbyn rhagor o lythyron ar y pwnc a bod y drafodaeth ar gau.'

'Gan atal Jonathan Williams rhag ca'l cyfle i ymateb,' meddai Gareth.

'Welodd rhywun arall y llythyron hyn?' gofynnodd Owen, gan edrych o'i amgylch.

'Do, nawr i chi sôn,' atebodd Wyn Collins. 'Ma' rhyw gof

’da fi i fi sylwi ar ateb cynta Marriner, ond ddim mwy na hynny.’

‘Neb arall?’ Siglodd y prif arolygydd ei ben at ddiffyg diddordeb ei gyd-weithwyr mewn materion lleol, ond wedyn, ni allai ef ddweud dim gan nad oedd yntau chwaith yn ddarllenwr brwd o lythyrau’r *Dyfed Leader* a oedd fel arfer yn llawn cwynion am faw ci a melinau gwynt.

‘Nawr, o roi’r cyfan hyn at ’i gilydd,’ meddai Ken Roberts, gan dynnu’r drafodaeth yn ôl at Jonathan Williams. ‘Dwi’n credu bod ’da ni reswm da dros holi Williams.’

Ond doedd Gareth ddim yn barod i roi’r gorau i’w wrthwynebiad. ‘Dy’ch chi ddim o ddifri’n meddwl y bydde fe’n lladd Marriner jest am ’u bod nhw wedi anghytuno, a hynny’n gyhoeddus? Dyw e ddim mor dwp â ’ny.’

‘Dy’n ni ddim yn gwbod eto pam y llofruddiwyd Marriner, ond ro’dd ’da rhywun reswm, neu’n credu bod ’da nhw reswm da dros ’i ladd e,’ meddai Ken Roberts wrth Clem Owen. ‘A fel ti’n gwbod, Clem, yng ngwres y foment dyw synnwyr cyffredin yn cyfri am ddim.’

‘Gareth, gad hi,’ meddai’r prif arolygydd pan welodd fod y rhingyll ar fin ymateb. ‘Ry’n ni’n dechre difaru na nethon ni archwilio carafanne Marine Coast yn fwy trylwyr pythefnos ’nôl, a dwi ddim ise bod yn yr un sefyllfa bythefnos i nawr pan fydd Cyfyrddin . . .’

Canodd y ffôn ar ei draws ac estynnodd amdano.

‘Ie . . . ? Nawr . . . ?’ ac edrychodd ar ei oriawr. ‘O’r gore, bydda i ’na mewn dwy funud,’ a rhoddodd y ffôn i lawr.

‘Allwch chi ddim . . .’ dechreuodd Gareth.

'Do's 'da fi ddim amser nawr, Gareth, ma'n rhaid i fi fynd i weld Mr Peters,' ac fe gododd ar ei draed. 'O'r gore, gyfeillion, ma'r cyfarfod ar ben, a Ken, gwell i ti fynd i nôl Jonathan Williams i ni ga'l 'i holi fe.'

Rhuthrodd Gareth allan o'r ystafell. Nid oedd am aros yno eiliad yn rhagor, ac yn bendant doedd dim awydd arno fynd gyda Ken Roberts i arestio Jonathan Williams. Byddai wedi mentro'i bensiwn y byddai'r arolygydd yn ei orchymyn i fynd gydag ef y funud y troai Clem Owen ei gefn.

Disgynnodd y grisiau i'r cyntedd mewn dau gam a chofio'n glir yr un rhuthr, yr un gwylltineb, pan ddisgynnodd y grisiau hynny dri mis a hanner yn gynharach a Ken Roberts wedi cael ei adael ar ei ben ei hun yn yr ystafell holi gyda Daniel Morgan. O'r hyn a ddigwyddodd rhwng y ddau yr adeg honno y deilliodd cwyn y Parchedig Emrys Morgan yn erbyn yr arolygydd. Roedd Gareth wedi rhoi tystiolaeth o'i blaid yn yr ymchwiliad a ddilynodd, ond roedd hi'n edifar ganddo nawr iddo erioed cymryd trueni drosto. Roedd Gareth wedi dweud y gwir wrth yr ymchwiliad, fel yr oedd wedi ei weld a'i gofio, ond petai'n cael ei gyfle eto ni wyddai beth fyddai'n ei wneud.

Arhosodd ar waelod y grisiau. Roedd ei waed yn dechrau oeri ac ystyriodd droi'n ôl, ond daeth Berwyn Jenkins i'r golwg y tu ôl i'r cownter a'i orfodi i symud.

'Gareth!'

'Dim amser, Berwyn, ar fy ffordd mas,' ac allan ag ef.

*

Tynnodd Clem Owen ddrws yr ystafell ar ei ôl a bwrw ar hyd y coridor i gyfeiriad swyddfa'r Uwch-Arolygydd David Peters, ond nid oedd wedi mynd tri cham cyn iddo glywed llais yn galw arno.

'Syr! Syr!'

Trodd y prif arolygydd a gweld Lunwen Thomas yn prysuro tuag ato o ben arall y coridor.

'Syr, odi hi'n bosib ca'l gair 'da chi?'

'Nawr?'

'Os yw hi'n gyfleus.'

'Dwi ar 'yn ffordd i weld Mr Peters.'

'Dwy funud, syr, 'na i gyd dwi moyn.'

Ystyriodd Clem Owen ei chais a chofio'r tro diwethaf yr oedd swyddog benywaidd wedi gofyn am gael gair gydag ef: Carol Bennett, i ddweud bod Ian James wedi ymosod arni. Uffach! meddyliodd, gan edrych ar yr olwg ddifrifol ar wyneb Lunwen Thomas, gobeithio nad yw'r diawl wedi bod lan i'w hen dricie 'to.

'Iawn,' meddai gan gerdded yn ôl at ei swyddfa. 'Beth alla i' neud i ti?'

Munud ar ôl i Gareth Lloyd gerdded allan o'r ystafell fe ddilynodd Eifion Rowlands ef i mewn i ystafell cydgordio'r ymchwiliad. Roedd Eifion am ofyn rhai cwestiynau iddo a chafodd ei synnu pan welodd fod yr ystafell CID yn wag.

'O, wel,' meddai wrtho'i hun, gan fynd i nôl ei gopi o'r rhestr etholwyr ar gyfer Ffordd y Farchnad. Fe dreuliai ychydig oriau'n holi o ddrws i ddrws ac yna efallai y byddai'r amser yn iawn iddo alw i weld Richie Ryan.

Roedd ei ymweliad â Llanelli y noson cynt wedi rhoi Eifion mewn hwyliau da, mewn hwyliau da iawn. Bellach doedd dim amheuaeth o gwbl yn ei feddwl mai holi ar ran ei frawd roedd Ryan wedi'i wneud. Roedd hwnnw fwy na thebyg yn ymhél â'r fasnach gyffuriau ac yn dechrau ofni ei fod wedi dod i sylw'r Uned Gyffuriau. Os felly, roedd Eifion yn siŵr y gallai ddefnyddio hynny i'w fantais ei hun. Faint, tybed, y byddai Richie Ryan yn barod i'w gynnig am y wybodaeth oedd ganddo? Tipyn, mae'n siŵr.

Canodd y ffôn ar draws ei freuddwydio.

'Ie?'

'Eifion, o'r diwedd.' Adnabu lais Ryan ar unwaith; doedd realaeth a breuddwyd ddim mor bell oddi wrth ei gilydd wedi'r cyfan.

'Do's dim amser 'da fi nawr. Ffonia i di wedyn.'

'Na, gwranda.'

'Do's dim . . .'

'Gwranda!'

'Dwy funud 'te.'

'Ma' Enid newydd weud wrtha i fod plismon wedi bod yn Marine Coast ddoe yn chwilio'r carafanne.'

'Do.'

'Beth? O't ti'n gwbod a nest ti ddim 'yn rhybuddio i?'

'Pa les fydde hynny wedi'i neud?'

Nid atebodd Ryan ac ystyriai Eifion fod hynny'n arwydd da. Yn arwydd da iawn.

'O's 'na rwbeth ar ôl ynddyn nhw?' gofynnodd, gan fanteisio ar dawedogrwydd Ryan.

'Nago's.'

'Wel, 'na fe, 'te, do's 'da ti ddim i boeni amdano. Gad iddo fynd trwyddyn nhw a dyna ddiwedd y peth.'

'Ond . . .'

'Do's dim ise i ti boeni. Dwi'n gofalu am bopeth y pen 'ma.'

'Hm,' meddai Ryan, yn dal heb ei berswadio'n llwyr. 'Beth am y mater arall?'

'Dwi'n gofalu am hwnnw 'fyd.'

'Ti'n siŵr?'

'Odw. Falle bydd 'da fi rwbeth i ti cyn bo hir.'

'Pryd?'

Meddyliodd Eifion am eiliad. Efallai byddai gohirio cyfarfod â Ryan yn fanteisiol iddo; gadael iddo hel meddyliau a chwysu am ychydig cyn cynnig gwaredigaeth iddo.

'Dwi ddim yn siŵr, fory falle.'

'Fory?'

'Ie . . .'

'Gwranda, Eifion, paid whare 'da fi. Os o's 'da ti ryw newyddion, dwi ise'i glywed e.'

'Dwi am neud yn siŵr gynta bod . . .'

'Eifion?' Daeth llais Ken Roberts i'w glyw o'r coridor tu allan.

'Edrych, ma'n rhaid i fi fynd, fe ffonia i ti 'to,' ac fe roddodd y ffôn lawr cyn i Ryan gael cyfle i gwyno.

'Ie?' meddai Eifion, gan agor y drws a chamu allan i'r coridor.

'Wyt ti wedi gweld Lloyd?'

'Nagw.'

'Hy! Wel bydd raid i ti ddod 'da fi 'te.'

'Fi? I ble?'

'I nôl y pregethwr 'ma.'

'Ond dwi ar 'yn ffordd i Ffordd y Farchnad i . . .'

'All hwnnw aros. Ca'l Williams mewn i'w holi sy'n bwysig nawr. Dere.'

'A, Chief Inspector Owen, dere mewn,' meddai David Peters pan agorodd Clem Owen ddrws ei swyddfa. Eisteddai'r uwch-arolygydd yn ei le arferol y tu ôl i'w ddesg, a gyferbyn ag ef eisteddai dyn tal, tenau, mewn siwt glas golau.

'Eistedda,' meddai Peters, gan amneidio at drydedd cadair. 'Dyma Mr Richard Samuel; ma'n bosib dy fod ti'n ei adnabod fel partner yng nghwmni penseiri Samuel a Jenkins.'

'Ond nid yma ar ran y cwmni ydw i,' meddai Richard Samuel ar draws yr uwch-arolygydd, a throdd Clem Owen i edrych arno. Nid oedd arlliw o wên ar ei wyneb i gyd-fynd â'r esboniad, a chafodd yr argraff nad oedd Mr Samuel yn gyfarwydd ag ymddiheuro am unrhyw beth a wnâi.

'O, na, ry'n ni'n deall hynny,' meddai David Peters, gan wenu'n ymddiheurol. 'Ma' Mr Samuel yma fel aelod cyffredin o'r gymdeithas sydd â phryderon ynglŷn â marwolaeth . . .'

'Llofruddiaeth,' torrodd Samuel ar ei draws unwaith yn rhagor.

'Ie, wrth gwrs, llofruddiaeth Mr Andrew Marriner. A . . .' Ond torrodd Richard Samuel ar ei draws am y trydydd tro a throi at Clem Owen.

'Inspector, dwi yma fel cynrychiolydd o gymdeithas hoywon a lesbiaid y dref sy'n pryderu'n fawr am lofruddiaeth erchyll Andrew Marriner, a oedd wedi bod yn gyfaill da i mi ers blynyddoedd . . .'

'O'ch chi'n 'i nabod e cyn iddo agor y siop?'

'Beth?' Nid oedd yn gyfarwydd â chael rhywun yn torri ar ei draws, chwaith.

'Fe ddwedoch chi 'ych bod chi ac Andrew Marriner wedi bod yn ffrindie ers blynydde, ond gan mai dim ond pedair blynedd 'nôl y dychwelodd e i'r dre i fyw, ro'n i am wbod a o'ch chi'n 'i nabod e cyn hynny.'

Ochneidiodd Richard Samuel. 'Na, doeddwn i ddim yn nabod Andrew *cyn* iddo ddychwelyd i'r dre. Ond *ers* iddo ddychwelyd roedden ni wedi dod yn gyfeillion. Ydych chi'n deall nawr, inspector?'

'O, odw, diolch.'

Carthodd David Peters ei wddf a gwenu'n ansicr. 'Ma' Mr Samuel wedi galw yma i weld sut ma'r ymchwiliad yn mynd yn 'i fla'n,' meddai wrth Clem.

'Fe ddychwelais i adre neithiwr ar ôl bod i ffwrdd ar fusnes am ychydig ddyddiau,' ymhelaethodd Richard Samuel, 'a wydden i ddim tan hynny fod Andrew wedi cael ei lofruddio. Peter ei hun ffoniodd fi i ddweud beth oedd wedi digwydd, ac roeddwn i'n teimlo'n ofnadwy ac mor ddiymadferth yn gwrando arno fe yn ei ddagrau. Wel, fe addawes i iddo fe y bydden i'n gwneud popeth allen i i'w helpu, a dyna pam dwi yma nawr, ar ran Peter, i gael gwybod pa gamau sy'n cael eu cymryd i ddal llofrudd Andrew.'

Edrychodd David Peters yn ddisgwylgar ar Clem Owen. Ond roedd y prif arolygydd yn edrych ar ei ddwylo ac yn cyfri i ddeg yn araf.

'Inspector?' ymbiliodd David Peters.

Cododd Clem Owen ei ben, a chan osgoi edrychiad ei bennaeth, cyfarchodd Richard Samuel.

'Ma'n hymholiade ni'n mynd yn 'u bla'n yn foddhaol iawn ar hyn o bryd. Ry'n ni'n dal yn y broses o hel ynghyd gymaint o wybodaeth ag y gallwn ni ynglŷn ag orie ola Andrew Marriner cyn i'w gorff ga'l 'i ddarganfod gan Peter Harris a o'dd yn cyd-fyw ag ef. Nawr ma' Peter Harris . . .'

'Does dim isie i chi boeni am Peter, fe wna i . . .'

Cododd Clem Owen ei law. 'Ro'n i dan yr argraff 'ych bod chi'n awyddus i wbod sut o'dd yr ymchwiliad yn datblygu, felly os newch chi adel i fi orffen, Mr Samuel. Ma' Peter Harris, ac erill, wedi bod yn help mawr i ni hyd yn hyn, ond ma' bwlch o rai orie yr hoffen ni ga'l cyfri amdanyn nhw. Unwaith y byddwn ni wedi neud 'ny, byddwn ni wedyn, gobeithio, mewn gwell sefyllfa i weud beth yn union ddigwyddodd a pwy o'dd yn gyfrifol am y llofruddiaeth.'

Bu Richard Samuel yn gwgu ar y prif arolygydd ers rhai eiliadau ac arhosodd am eiliad neu ddwy eto cyn dweud dim.

'Ydych chi'n sylweddoli arwyddocâd llofruddiaeth Andrew Marriner, inspector?'

'Llofruddiaeth yw'r drosedd waetha, ac ar un adeg ro'dd hi'n galw am y gosb eitha, ond am 'i harwyddocâd, Mr Samuel, dwi ddim yn credu 'mod i'n 'ych deall chi.'

'Na, doedden i ddim yn meddwl eich bod chi. Arwyddocâd llofruddiaeth Andrew Marriner yw ei bod yn achos o *hate crime*. Rydych chi'n gwybod beth yw *hate crime*, inspector?'

Trodd Clem Owen i edrych ar David Peters a sylweddoli bod ei bennaeth wedi bod trwy hyn eisoes ac nad oedd llawer o awydd arno ail-fyw'r profiad.

'Odw, dwi wedi darllen y canllawie perthnasol, ond . . .'

'Dyw darllen . . .'

'. . . ond fydden i'n meddwl mai ar *ôl* i ni ddal y sawl sy'n gyfrifol a gwbod beth o'dd 'i gymhelliad fydde'r amser iawn i benderfynu hynny.'

Siglodd Richard Samuel ei ben a gwenu'n nawddoglyd. 'Na, dydych chi *ddim* yn deall, ydych chi? Fel roedden i ar fin dweud, allwch chi ddim gwerthfawrogi difrifoldeb y drosedd drwy ddarllen. Mae'n rhaid i chi osod eich hunan yn sefyllfa'r sawl sy'n dioddef; dyna'r unig ffordd y daw realiti'r drosedd yn fyw i chi. Mae amgylchiadau llofruddiaeth Andrew yn dangos yn ddigon clir beth oedd y cymhelliad, ac mae'r ffaith ei fod wedi cael ei ddienyddio â chleddyf yn arwydd pendant.'

Caeodd Clem Owen ei lygaid mewn anobaith.

'Roedd Andrew yn berson amlwg iawn yn y mudiad dros hawliau hoywon a lesbiaid, ac mae hynny'n awgrymu'n gryf mai achos o *hate crime* sy gyda chi fan hyn.'

'O'dd e wir yn amlwg yn y mudiad hwnnw?'

'Wrth gwrs ei fod e.'

'Dwi'n gofyn achos do'n i ddim yn ymwybodol o hynny.'

'Na, wel, dyw hynny ddim yn fy synnu i chwaith. Dyna arwyddocâd yr enw Rites ar y siop.'

'Ie?' gofynnodd Owen yn ddisgwylgar.

Ochneidiodd Richard Samuel. 'Mae dau ystyr i'r gair Rites, on'd oes? Y cyntaf yw defodau, ac mae hwnnw'n cyfeirio at y pethau roedd e'n eu gwerthu yn y siop ar gyfer dilynwyr yr Oes Newydd ac yn y blaen; a'r ail ystyr yw hawliau – sillafiad gwahanol, dwi'n gwybod, ond dyna fe, roeddwn i'n meddwl y byddech chi hyd yn oed wedi sylweddoli hynny. Yr unig hawliau roedd gan Andrew unrhyw ddiddordeb ynddyn nhw oedd hawliau hoywon a lesbiaid, felly mae'n ddigon amlwg, i fi ac i unrhyw un arall oedd yn ei nabod, mai dyna pam y cafodd ei lofruddio.'

'Wel, dwi'n ddiolchgar iawn i chi am 'ych help, Mr Samuel,' meddai Clem Owen, 'ond ma' peth ffordd 'da ni i fynd eto cyn gwbod hynny'n bendant.'

'Peidiwch hollti blew, inspector, mae'r peth yn hollol amlwg.'

'Dwi ddim yn hollti blew. Fel pensaer, ma'n siŵr 'ych bod chi am sicrhau bod y welydd yn mynd i ddal pwyse'r to cyn dechre adeiladu.'

'Digon gwir, ond o leia dwi'n gwybod cyn dechrau p'un ai tŷ neu fyngalo rwy'n mynd i'w adeiladu,' meddai Samuel, gan wenu'n wawdlyd.

'Ond beth bynnag yw'r adeilad, ma'n rhaid i chi ga'l sylfaen gadarn, a dyna dwi'n 'i neud ar hyn o bryd; neud yn siŵr o'r sylfaen.'

'Wel, dim ond i chi gadw'r hyn dwi wedi'i ddweud wrthoch chi mewn cof, inspector, ac ystyried teimladau Peter hefyd. Dwedodd e wrtha i neithiwr fod un o'ch dynion, rhyw Sarjant Lloyd, wedi bod yn gofyn nifer o gwestiynau personol iawn iddo fe'n barod. Roedd Peter yn meddwl y byd o Andrew ac fe gymerith hi dipyn o amser iddo fe ddod dros hyn. Fydd cael ei boeni byth a beunydd gennych chi ddim yn helpu'r broses honno.' A safodd Richard Samuel ar ei draed.

Cododd y ddau heddwas hefyd – Peters ar ras, ac Owen yn araf a chyndyn.

'Diolch yn fawr i chi am alw, Mr Samuel,' meddai'r uwch-arolygydd, gan estyn ei law.

'Roeddwn i'n meddwl ei bod hi'n ddyletswydd arna i. Bydda i'n edrych ymlaen at glywed oddi wrthoch chi, Mr Peters. Mae'n siŵr bod gyda chi lawer i'w drafod. Bore da, inspector.'

'Bore da, Mr Samuel.'

Nodiodd Clem Owen ei ffarwél.

Caeodd Richard Samuel y drws ar ei ôl a rhifodd Clem Owen i ddeg yn araf unwaith eto er mwyn sicrhau na fyddai'r pensaer o fewn clyw pan fyddai'r trafod yn dechrau.

'Dwi ddim yn credu hwnna,' meddai, gan geisio rheoli ei lais.

'Nawr, Clem, cyn i ti ddechre . . .'

'Odyn ni'n mynd i rannu pob darn o wybodaeth gyda phob Tom, *Dic* a Harri o hyn mla'n?' Ar ei waethaf, codai ei lais yn uwch bob eiliad.

'Ma'n rhaid i ti gofio . . .'

'A'r cleddyf! Alla i ddim credu'ch bod chi wedi dweud wrtho fe mai cleddyf o'dd yr arf, a ninne'n cadw'r wybodaeth honno'n gyfrinachol . . .'

'Clem.'

'A nawr bydd pawb yn gwbod amdano fe!'

'Clem! Cofia ble'r wyt ti. Dwyt ti ddim yn y cantîn yn siarad â rhyw blismon bach nawr.'

Roedd rhwystredigaeth Clem bron yn drech nag e. 'Odych chi'n sylweddoli . . . ?' ond llwyddodd i'w atal ei hun cyn i bethau fynd dros ben llestri. Siglodd ei ben.

'Ma' 'da fi 'nghyfrifoldeb i'r gymdeithas, i ddangos 'yn bod ni'n cymryd y llofruddiaeth o ddifri.'

'Wrth gwrs 'yn bod ni'n 'i chymryd hi o ddifri. Ry'n ni'n cymryd pob llofruddiaeth o ddifri, os y'n nhw'n ffrindie i Mr Richard Samuel neu beidio. Pam ar y ddaear gytunoch chi i'w weld e?'

'Ffoniodd e fi adre neithiwr, a'r peth cynta bore 'ma. Ro'dd e'n sôn am fynd at y papure, a'r unig ffordd o'i atal e o'dd 'i ga'l e mewn i drafod yr ymchwiliad er mwyn iddo fe weld 'yn bod ni o ddifri.'

'Dyna'r polisi nawr, ife? Trafod yr ymchwiliad 'da unrhyw un sy'n bygwth mynd at y papure?'

'Nage, ond ti'n gwbod fel ma'n nhw.'

'A ma' hynny'n 'i neud e'n iawn?'

'Rhan o 'ngwaith i, rhan bwysig o 'ngwaith i, Clem, yw cadw PR da gyda'r gymuned ry'n ni'n 'i gwasanaethu – pob rhan ohoni. Ac ar ôl y busnes 'na 'da Ken Roberts dwi ddim ise rhoi'r esgus lleia i unrhyw un gwyno amdanon ni.'

'A beth am bobol â gwallt coch?'

'Beth?'

'A phobol lawchwith?'

'Beth ar y ddaear wyt ti'n sôn amdano?'

'Odi'r polisi drws agored yn mynd i ga'l 'i estyn iddyn nhw am 'u bod nhw yn y lleiafrif hefyd?'

'Paid siarad dwli.'

'Ddim fi yw'r un sy'n siarad dwli.'

'Dyna ddigon!' Ochneidiodd David Peters a chodi ei freichiau mewn anobaith. 'Mae e wedi digwydd nawr a dyna fe.'

Symudodd Clem Owen am y drws ond galwodd Peters ar ei ôl.

'Bydde ca'l gwbod ble'r y'ch chi arni yn ormod i'w ddisgwl nawr, ma'n siŵr?'

Trodd Owen ac edrych ar ei bennaeth yn dawel. 'Ry'n ni'n symud mla'n gam wrth gam.'

'Iawn,' meddai Peters. 'Daliwch ati, 'te, a chofia am y busnes *hate crimes* 'na; falle bod rhwbeth ynddo fe.'

'Wrth gwrs bod rhwbeth ynddo fe,' meddai Clem Owen gan agor y drws. 'Prin iawn, weden i, yw'r llofruddiaethe sy'n ca'l 'u cyflawni mas o gariad.'

'Nawr, Mr Williams, fel wedes i gynne pan alwon ni yn 'ych tŷ, dim ond cyfarfod bach anffurfiol yw hwn er mwyn clirio un neu ddau o bwyntie,' a gwenodd Ken Roberts orau gallai er mwyn ymddangos yn gydymdeimladol a gwneud i Jonathan Williams ymlacio digon i gyfaddef i'r drosedd.

Eisteddai'r arolygydd naill ochr y bwrdd yn yr ystafell holi gyda Eifion Rowlands yn ei ymyl a Jonathan Williams ar yr ochr arall yn wynebu'r ddau. Roedd y datganiadau ffurfiol ynglŷn â'r amser a phwy oedd yn bresennol wedi eu gwneud ar gyfer y peiriant recordio oedd yn troi ac yn cofnodi'r cyfweliad yn gwbl ddiduedd. Dyma'r cyfweliad cyntaf i'r Arolygydd Ken Roberts ei gynnal er yr unfed ar hugain o Orffennaf, a'r drafodaeth dyngedfennol honno a gafodd gyda Daniel Morgan, a hynny yn yr union un ystafell.

'Ac fel dywedais inne, inspector, fe wna i unrhyw beth i'ch helpu, er nad ydw i'n siŵr iawn sut, chwaith.'

'Gawn ni weld. Nawr, fel chi'n gwbod, ry'n ni'n ymchwilio i lofruddiaeth Andrew Marriner, perchennog siop Rites yn Stryd y Farchnad,' meddai Roberts, gan edrych i lawr ar y ffeil o'i flaen. Yna edrychodd i fyny'n sydyn a gofyn, 'Ers pryd oeddech chi'n nabod Mr Marriner?'

'Doeddwn i ddim yn ei nabod e.'

'Ond roeddech chi'n gyfarwydd ag e.'

'Roeddwn i'n gwybod pwy oedd e, ond mae hynny'n rhywbeth gwahanol eto.'

'Pa gysylltiad oeddech chi wedi'i ga'l gyda Mr Marriner?'

'Dim cysylltiad o gwbl.'

'Na?'

'Na, dim.'

Tynnodd Ken Roberts dwy ddalen allan o'r ffeil o'i flaen a'u gwthio ar draws y bwrdd.

'Odi'r rhain yn gyfarwydd i chi?'

Edrychodd Jonathan Williams ar y ddwy ddalen.

'Fydden i ddim yn dweud 'mod i'n gyfarwydd â nhw, ond galla i weld mai llungopi o erthygl papur newydd yw e.'

'Odych chi wedi gweld yr erthygl o'r bla'n?'

Darllenodd Williams ychydig o'r ddalen gyntaf a nodio. 'Ydw, dwi'n meddwl; mae'n edrych fel un a ymddangosodd yn y *Dyfed Leader* rai blynyddau'n ôl.'

'Am beth ma'r erthygl yn sôn?'

'Dydych chi ddim wedi'i darllen hi?'

'Odw, ond licen i i chi ddweud wrtha i am beth mae'n sôn.'

'Wel, mae'n sôn am fwriad Andrew Marriner i agor siop a fyddai'n gwerthu pob math o nwyddau'n ymwneud â'r ocwlt, a phethau ar gyfer dilynwyr crefyddau'r Oes Newydd ac eraill, a'r gwrthwynebiad i hynny.'

'Ac ma'ch enw chi'n ca'l 'i restru ymhlith y gwrthwynebwyr.'

'Ydy.'

'Pam?'

'Pam? Am fod rhywun wedi ei gynnwys gydag enwau'r gwrthwynebwyr eraill.'

Caeodd Ken Roberts ei lygaid. 'Nage, pam oeddech chi'n gwrthwynebu?'

'O, am fy mod yn meddwl nad oedd y siop yn cynnig dim byd ond celwydd, ac mai unig fwriad Andrew Marriner oedd twyllo'r hygoelus nad oedd yn ymwybodol o'r perygl oedd ynghlwm wrth y pethau roedd e'n bwriadu eu gwerthu.'

'A dyna pam ethoch chi at Timothy Morris?'

'Na, fe ddaeth ata i.'

'Wel, pwy bynnag a'th at bwy, fe . . .'

'Gan bwyll, inspector, dwi'n credu bod pwy aeth at bwy yn bwysig. Ymateb i gwestiynau Timothy Morris oeddwn i.'

'Ond ma'r geirie ry'ch chi'n 'u defnyddio yn yr erthygl yn rhai ymosodol iawn ac yn dangos cymaint o'dd 'ych gwrthwynebiad.'

'Nid fy ngeirie i ydyn nhw.'

'Beth?'

'Nid fy ngeirie i yw'r rheina.'

'O?'

'Inspector Roberts, fydden i'n meddwl y byddech chi o bawb, gyda'ch profiad diweddar o ymddangos ar dudalennau'r *Dyfed Leader*, yn gwybod nad yw'r hyn sy'n cael ei ysgrifennu gan ambell i ohebydd o reidrwydd yn wir. Neu a oedd y cyfan a ysgrifennwyd amdanoch chi'n ymosod ar fab Emrys Morgan yn wir?'

Edrychodd Ken Roberts i lawr ar y bwrdd a chydio yn y llungopïau. 'Chi'n gweud mai celwydd yw'r rhain?'

'Ry'ch chi'n gwybod nad fel'na mae hi'n gweithio.

Mae'r newyddiadurwr yn eich ffonio ac yn gofyn cwestiwn, neu'n gofyn beth yw'ch ymateb i rywbeth neu'i gilydd, a does dim gwahaniaeth beth yw'ch ateb, mae'n ei droi i'w ddiben ei hun. Weithiau maen nhw'n cadw'ch ateb ac yn newid y cwestiwn yn yr erthygl, neu maen nhw'n dewis a dethol yr hyn maen nhw'n ei gadw o'ch atebion, neu'n newid y drefn, neu'n ymhelaethu ar eich ateb er mwyn ei wneud yn fwy diddorol, yn fwy eithafol. Ac os nad y'ch chi'n ateb o gwbl maen nhw'n dehongli hynny fel maen nhw'n dewis hefyd. Mae cant a mil o wahanol ffyrdd i ohebydd gael yr erthygl mae e *am* ei chael.'

'A chi'n gweud mai dyna ddigwyddodd fan hyn?'

'Ydw, i raddau helaeth. Ffoniodd Timothy Morris a gofyn nifer o gwestiynau am yr ocwlt a'r cynnydd yn y diddordeb mewn pob math o grefyddau Oes Newydd, a beth fyddai'n ymateb i pe bai siop yn gwerthu'r fath bethau'n agor yn y dre. Cwestiynau cyffredinol, haniaethol, roeddwn i'n ei feddwl, ond pan ymddangosodd yr erthygl dyna pryd y sylweddolais fod ganddo reswm mwy penodol dros eu gofyn. Wydden i ddim pan ffoniodd e fod unrhyw un yn bwriadu agor siop yn y dre.'

'Os o'ch chi'n credu'ch bod chi wedi ca'l cam, pam na chwynoch chi?'

'Fe wnes i. Anfonais i, ac eraill oedd wedi cael eu trin yn yr un modd, lythyron at y golygydd, ond wnaeth hynny ddim gwahaniaeth. Fe dderbynion ni lythyr ganddo'n dweud ein bod ni wedi cael cyfle i leisio'n barn ac nad oedd yn bolisi gan y papur i gynnwys llythyron oddi wrth bobl oedd wedi cael llwyfan yn barod.'

'Ma' hynny'n swnio'n rhesymol.'

'Ond fe gafodd Andrew Marriner gyfle i ymateb i'r hyn roeddwn i wedi'i ddweud yn yr erthygl, neu yn hytrach i'r hyn doeddwn i *ddim* wedi'i ddweud. Ydy hynny'n rhesymol?'

Nid atebodd Roberts, roedd yn chwilio ymhlith y papurau o'i flaen.

'A!' meddai Jonathan Williams. 'Dyw'r llythyron hynny ddim gyda chi. Mae gyda chi gopi o fy ymosodiad honedig i ar Andrew Marriner, ond does gyda chi ddim copi o'i ymosodiadau ef arna i. Diddorol iawn. Bron mor ddiddorol â gwybod o ble gawsoch chi'r llungopïau yna.'

Trodd Roberts y papurau drosodd, ddalen ar ôl dalen, yn amlwg yn chwilio am rywbeth, ond yr un mor amlwg yn methu dod o hyd iddo.

'Ydych chi wedi ysgrifennu at olygydd y *Dyfed Leader*, inspector, yn cwyno am y driniaeth gawsoch chi?'

Dal i droi'r papurau wnaeth Ken Roberts ac anwybyddu'r cwestiwn a'r trywydd holi hwnnw. Ond nid oedd Jonathan Williams yn barod i roi'r gorau iddi.

'Rhowch gynnig arni, byddai'n ddiddorol gweld pa ymateb gewch chi.'

O'r diwedd arhosodd yr arolygydd ar ddalen roedd ef wedi ei gwrthod sawl gwaith yn barod a'i gosod ar ben y gweddill.

'Pan drefnoch chi fod Gary Ellis yn dod i siarad yn 'ych capel, ro'ch chi'n ymwybodol y bydde fe'n ennyn ymateb ymfflamychol, on'd o'ch chi?'

'Ddim o gwbwl. Rwy'n gobeithio y bydd y cyfarfod yn ennyn ymateb, dyna pam gofynnais iddo ddod aton ni, ond dwi'n gobeithio na fydd neb yn *gor*ymateb, ac yn bendant ddim yn ymddwyn yn ymfflamychol.'

‘Ond mae e wedi codi gwrychyn sawl un.’

‘Dyw’r cyfarfod ddim wedi ca’l ’i gynnal eto.’

‘Ond os yw’r hysbysebion ar gyfer y cyfarfod wedi ca’l y fath ymateb, dyn a ŵyr sut ymateb bydd y cyfarfod ’i hun yn ’i ga’l. Odych chi wedi ystyried beth newch chi os bydd pethe’n troi’n gas?’

‘Ry’n ni eisoes yn gweddïo y bydd y cyfarfod yn cael ei gynnal mewn heddwch a threfn.’

Gollyngodd yr arolygydd y ddalen a ddaliai. ‘A chi’n meddwl neith hynny weithio?’

‘Yn well nag unrhyw beth arall.’

Syllodd Ken Roberts arno’n dawel am rai eiliadau. Symudodd Eifion Rowlands yn ei ymyl a thynnu sylw’r arolygydd. Trodd i edrych arno ond ni ddywedodd air, dim ond tynnu darn o bapur allan o boced frest ei grys a’i agor.

‘“Canys bywiol yw gair Duw, a nerthol, a llymach nag un cleddyf daufiniog, ac yn cyrhaeddyd trwodd hyd wahaniad yr enaid a’r ysbryd, a’r cymalau a’r mêr; ac yn barnu meddyliau a bwriadau’r galon”,’ adroddodd.

‘Hebreaid pedwar, deuddeg,’ meddai Jonathan Williams.

‘Beth?’

‘Pennod deuddeg o’r llythyr at yr Hebreaid; dyna o ble mae’r adnod honno’n dod, neu ddwedon nhw mo hynny wrthoch chi, inspector?’

Gwthiodd Ken Roberts y darn papur yn ôl i’w boced. ‘O’ch chi’n gwbod bod Andrew Marriner yn wryw . . . hoyw?’

‘O’n.’

‘Ac nad o’dd e’n neud unrhyw ymdrech i guddio hynny.’

‘Ychydig iawn sy’n cuddio’r ffaith heddiw.’

'Ac ma' hynny'n 'ych poeni chi?'

'Mae'n fy nhristáu.'

'Pam?'

'Am ei fod yn bechod ac mae gweld pobl yn ymfalchïo yn eu pechodau yn fy nhristáu.'

'Felly chi'n credu fod pob gwr . . . pob person hoyw yn bechadur?'

'Ydw, ond ddim am eu bod nhw'n wrywgydwyr.'

'A dyna pam . . .' Peidiodd yr arolygydd wrth i eiriau Jonathan Williams dreiddio i'w ymwybyddiaeth. 'Beth? Dwi ddim . . . Beth wedoch chi?'

'Ddim am ei fod e'n wrywgydiwr roedd Andrew Marriner yn bechadur.'

Siglodd Ken Roberts ei ben. 'Dwi ddim yn deall.'

'Ry'n ni i gyd yn bechaduriaid, inspector – chi, fi, DC Rowlands fan hyn, pob un.'

Eisteddodd Eifion i fyny yn ei gadair, yn synnu'n fwy fod Jonathan Williams wedi cofio'i enw na'i fod yn dweud ei fod yn bechadur.

'Ond mae'r mwyafrif ohonon ni'n llwyddo i guddio'n pechodau oddi wrth bobl eraill, ac oddi wrthon ni'n hunain hefyd yn aml, am fod cywilydd arnon ni nad ydyn ni'n gallu bod yn bobl well yng golwg cymdeithas ac yn ein golwg ein hunain. Ond dyw rhai pobl ddim yn poeni dim am hynny, ac yn fwy na hynny, yn lle cuddio'u pechodau, maen nhw'n ymfalchïo ynddyn nhw.'

'Fel gwrywgydwyr?'

'Fel pobl falch, pobl ariangar, pobl gwerylgar, pobl sy'n yfed gormod ac yn colli rheolaeth arnyn nhw'u hunain, pobl sy'n twyllo, yn dweud celwydd a . . .'

'Chi'n cynnwys lot fawr o bobol fan'na.'

'Fel dwedais i, ry'n ni i gyd yn bechaduriaid.'

'A beth yw'ch pechod chi, Mr Williams?'

Hanner gwenodd Jonathan Williams. 'Yr eiliad hon, balchder yw 'mhechod i. Rwy'n eistedd fan hyn, yn gwybod fy mod i'n gwbl ddieuog o unrhyw beth i'w wneud â llofruddiaeth Andrew Marriner, ac yn anffodus, oherwydd hynny dwi'n ymfalchïo yn fy nghyflwr dieuog, heb gofio bod digon o bethau eraill rwyf *yn* euog ohonyn nhw.'

'O?'

'Dim byd y gallwch chi fy nghyhuddo i ohono.'

Chwaraeai Ken Roberts â'r papurau o'i flaen; doedd e erioed wedi profi cyfweliad tebyg i hwn. Ond roedd ganddo waith i'w wneud a nod i anelu ato, ac nid oedd haeriad Williams ei fod yn ddieuog o lofruddio Andrew Marriner yn mynd i'w wyro oddi wrth hynny.

'Byddech chi'n hoffi ca'l gwared â phechaduriaid, on' fyddech chi?'

'Dyw hynny ddim yn bosib.'

'Ond byddech chi'n hoffi ca'l gwared â nhw; dyna'ch gwaith chi. Ca'l gwared â phechaduriaid.'

'Fy ngwaith i yw pregethu newyddion da Duw i bechaduriaid; dweud wrth bawb fod Duw wedi trefnu ffordd iddyn nhw gael maddeuant am eu pechodau. Dyw hyd yn oed hynny ddim yn ein stopio ni rhag bod yn bechaduriaid – pechaduriaid ydyn ni, a phechaduriaid fyddwn ni – ond o leia wedyn rydyn ni'n bechaduriaid sy wedi cael eu cyfiawnhau.'

'Em . . . ie,' meddai Ken Roberts yn ddryslyd. 'Ond beth os nad yw pobol yn gwrando arnoch chi? Beth wedyn?'

'Cario 'mlaen i bregethu'r newyddion da, ac os ydyn

nhw'n dal i wrthod gwrando, yna'u dewis a'u cyfrifoldeb nhw yw hynny.'

'Dy'ch chi ddim yn credu y dyle pobol ga'l 'u gorfodi i ufuddhau?'

'Wnewch chi ddim gorfodi neb, inspector; mae gan bawb ewyllys rydd i dderbyn neu i wrthod.'

'Ac os y'n nhw'n gwrthod?'

'Eu dewis nhw yw hynny.'

'Ond onid yw hynny'n dangos 'ych bod chi wedi methu yn 'ych gwaith, 'ych bod chi wedi methu'u newid nhw? Ac onid yw hynny'n 'ych cynhyrfu chi, bod rhywun yn meiddio gwrthod 'ych newyddion da, yn gwrthod 'ych Duw?'

'Na, dyw e ddim yn fy nghynhyrfu i ond . . .' ac oedodd y gweinidog. 'O, dwi'n gweld. Ry'ch chi'n meddwl 'mod i eisie cael gwared â phechaduriaid, ac os na alla i eu hargyhoeddi nhw o'u cyflwr, 'mod i'n barod i'w lladd nhw. Ai dyna beth rydych chi'n trio'i ddweud?'

'Wel, os yw Duw'n barnu pechaduriaid, pam na allith E'ch defnyddio chi i weithredu ei farn arnyn nhw? 'Ych defnyddio chi i ga'l gwared ohonyn nhw?'

Dydd Iau 4 Tachwedd
13:55 – 18:47

Parciodd Gareth ei gar o flaen y garej lle'r oedd Peter Harris wedi gadael y Cougar fore dydd Mawrth, a cherdded at ddrws ochr yr adeilad. Arhosodd wrth y drws ac edrych allan i'r stryd. Gwelai'r siôp Spar yn glir, ynghyd â phedair siôp arall a'r fflatiau uwch eu pennau. Roedd hi'n bosibl bod rhywun arall heblaw Natalie Bowen wedi gweld ymwelydd nos Lun, a byddai cael ail dyst yn werthfawr iawn, yn enwedig tyst a allai ychwanegu at eu gwybodaeth.

Ym marn Gareth, dyna ddylai Clem Owen fod yn canolbwyntio arno, nid gadael i Ken Roberts fynd yn ei gyfer ar ôl y person cyntaf roedd ef yn ei ffafrio am y drosedd. Nid oedd ymddygiad yr arolygydd yn synnu Gareth o gwbl. Roedd hi'n amlwg ei fod wedi arfer dilyn ei drywydd ei hun a bod ei bennaeth wedi caniatáu gormod o raff iddo yn y gorffennol. Ac er ei fod wedi dod yn agos at ei grogi ei hun yn ystod achos Daniel Morgan, doedd hi ddim yn ymddangos fel pe bai hynny wedi bod yn ddigon o wers iddo.

Camodd allan i'r brif stryd ac edrych i fyny ac i lawr yn y gobaith o weld Wyn Collins neu Eifion Rowlands. Os oedd y ddau wedi gadael yr orsaf tua'r un amser ag ef, yna fe ddylen nhw fod ar fin ailddechrau holi o ddrws i ddrws.

Ond nid oedd yr un ohonynt, na'u ceir, i'w gweld yn unman. Ystyriodd Gareth groesi'r stryd a dechrau chwilio am ail dyst ei hun, ond gwyddai mai peth ffôl iawn fyddai hynny. Roedd Clem Owen wedi gosod y dasg o ailymweld â'r tai i Wyn, a fyw iddo ef ymyrryd yng ngorchwylion ei gyd-weithwyr, yn enwedig gan y byddai Ken Roberts yn siŵr o gamddehongli ei awydd i ddatrys y drosedd fel ymgais i dynnu sylw oddi wrth Jonathan Williams.

Dechreuodd aflonyddu wrth feddwl am Ken Roberts yn holi'r gweinidog. Beth ar y ddaear oedd gan y dyn yn erbyn gweinidogion? meddyliodd. Y Parch. Emrys Morgan a'i deulu oedd y cyntaf i brofi gwrthwynebiad yr arolygydd, a nawr roedd yn troi ei sylw at Jonathan Williams. Tybed a oedd ei fam wedi cael ei chnoi gan bregethwr tra oedd yn ei gario? Edrychodd i fyny ac i lawr y stryd unwaith eto a gweld Wyn Collins yn cerdded tuag ato.

'Sarj? Ro'n i'n meddwl mai chi o'dd 'na. O's rhyw ddatblygiad?'

'Nago's. Dere 'ma,' ac arweiniodd Gareth ef at ddrws ochr Rites. 'Beth am i ti ddechre gyda'r siope 'co ac yna'r fflatie uwchben.' Cyfeiriodd sylw'r ditectif at yr adeiladau gyferbyn.

'Iawn,' meddai Wyn, gan gamu oddi wrth y drws. 'A'r ddwy siop a'r fflatie ar y chwith hefyd, weden i. Ma' 'da nhw i gyd olwg glir o'r lôn 'ma.'

'Dyna o'n i'n feddwl.'

'Ry'n ni wedi holi ym mhob un o'r bla'n, sarj, felly . . .'

'Dwi'n gwbod.'

'PC Plod amdani, 'te.'

Cododd Wyn ei law a chroesi'r stryd.

Dechreuodd Gareth gerdded yn ôl at ei gar gan roi ei law yn ei boced am yr allweddi, a thynnodd allan ddyrnaid o allweddi dieithr. Syllodd arnynt yn syn cyn iddo sylweddoli mai allweddi'r siop a gawsai gan yr heddwas Michael Davies oeddynt. Trodd i edrych ar y drws ochr gan chwarae â'r allweddi yn ei law. Cymerodd hanner cam tuag at y drws ac aros cyn cerdded yn benderfynol yn ei flaen.

A'r holl waith chwilio a nodi wedi ei gwblhau, roedd pobman yn dawel a'r adeilad wedi ei adael i'r llwch a'r cysgodion. Cerddodd drwy'r cyntedd ac i fyny'r grisiau. Llifai golau'r haul gwan drwy'r ffenest ar y troad a gwichiai'r pren dan ei draed bob cam a gymerai.

Arhosodd ar y landin. Ni wyddai pam yr oedd yn cael ei dynnu'n ôl yno, oherwydd doedd yno ddim i'w ddenu; roedd ffordd o fyw Andrew Marriner a Peter Harris a holl gynnwys y siop yn gwbl estron iddo. Ond yno roedd man y drosedd, yno roedd eiliadau olaf bywyd Andrew Marriner, a dyna pam roedd ef yno nawr.

Trodd yn ei unfan yn araf gan geisio synhwyro awyrgylch y lle. Roedd wedi darllen am seicolegwyr a phroffeilwyr a honnai eu bod yn gallu gweld digwyddiadau o'r gorffennol mewn lleoedd, eu bod yn gallu teimlo presenoldeb rhai a fu yno o'u blaen. Ond nid ef. Efallai fod Andrew Marriner wedi cerdded i fyny ac i lawr y grisiau a chroesi'r landin gannoedd, filoedd o weithiau, ond doedd dim ohono yno nawr. Dim i'w weld a dim i'w glywed. Dim byd ond adeilad gwag. Cragen wag. Bywyd wedi ei fyw a dim ond atgofion pobl eraill amdano yn aros. Neu a oedd yna fwy na hynny? Mwy na bywyd *wedi* ei fyw? Rhywbeth arall? Rhywbeth ar ôl marw?

Petai'n credu mewn ysbrydion a'r goruwchnaturiol, tybed a fyddai'n clywed ysbryd Andrew Marriner yn galw arno i ddweud wrtho enw'r sawl a'i llofruddiodd? Onid dyna oedd ysbrydion i fod – y meirw'n mynnu dial am gam a ddioddefwyd, ac yn methu gorffwys mewn heddwch nes cael cyfiawnder? Os felly, nid Andrew Marriner oedd yr unig ysbryd aflonydd oedd yn chwyrlïo o'i gwmpas.

Aeth yn ei flaen i fyny'r grisiau i'r llawr uchaf a cherdded drwy'r ystafelloedd nad oedd wedi eu selio gan y gwyddonwyr fforensig. Ofer oedd ceisio dyfalu beth oedd wedi digwydd yno; roedd ef wedi gweld y canlyniadau ac ni allai ddychmygu beth oedd wedi arwain at y llofruddiaeth. Beth oedd wedi digwydd a oedd mor ofnadwy fel yr oedd yn rhaid i un person ladd person arall? A oedd bywydau pobl mor ddiwerth?

Clywodd ffôn yn canu yn y pellter a cherddodd allan o'r ystafell ymolchi i'r landin lle'r oedd i'w glywed yn uwch. Disgynnodd i'r llawr oddi tano a dilyn y sŵn i mewn i'r ystafell fyw, ond peidiodd cyn iddo gyrraedd y ffôn. Mae'n rhaid ei fod wedi bod yn canu am beth amser cyn i fi sylwi, meddyliodd Gareth, gan edrych ar olau'r peiriant ateb yn fflachio a gwrando ar sŵn clicio di-baid.

Y tâp yn llawn, meddyliodd, gan estyn am y ffôn. Ond erbyn iddo'i roi i'w glust roedd y person ar y pen arall wedi colli amynedd ac wedi rhoi'r gorau iddi. Sawl gwaith yn ystod y dyddiau diwethaf roedd y ffôn wedi canu a neb yn clywed, neb yn ateb? Ffrindiau a pherthnasau, rhai wedi clywed y newyddion drwg ac yn ffonio i gydymdeimlo; eraill, efallai, yn dal heb glywed ac yn disgwyl clywed llais Andrew Marriner. Cwsmeriaid a chyflenwyr yn ffonio'u harchebion ac yn pwyso am dâl. Digon o alwadau i lenwi'r tâp, beth bynnag, meddyliodd Gareth, gan wasgu'r botwm i agor y peiriant. Ond nid oedd tâp ynddo.

Syllodd Gareth yn feddylgar ar y peiriant ateb gwag am rai eiliadau cyn gadael yr ystafell a disgyn y grisiau i'r siop. Ymbalfalodd ymhlith y dyrnaid o allweddi nes cael yr un iawn i ddatgloi'r swyddfa y tu ôl i'r cownter. Roedd ffôn a pheiriant ateb y siop ar y ddesg ar bwys monitor ac allweddell y cyfrifiadur lle roedd Ian James wedi eu gadael pan gymerodd y cyfrifiadur ei hun.

Agorodd Gareth y peiriant ateb ac roedd hwnnw hefyd yn wag. Ond os oedd Marriner a Harris yn cynnig gwasanaeth post ac yn derbyn archebion dros y ffôn, ble'r oedd tapiau'r peiriannau ateb?

Agorodd ddrariau'r ddesg a chwilio ymhlith y papurau a'r catalogau cyn dod o hyd i saith tâp. Tynnodd gwdyn plastig bychan o'i boced a rhoi'r tapiau ynddo gan nodi ar y tu allan ymhle y daeth o hyd iddynt. Dychwelodd i'r ystafell fyw a chael tri thâp yn nrâr ucha'r cwpwrdd o dan y ffôn. Rhoddodd y tri yma mewn cwdyn plastig arall.

Efallai nad oedd dim byd i'w glywed yn yr adeilad bellach, ond tybed beth oedd gan leisiau o'r gorffennol i'w ddweud?

'Ai dyna pam roeddech chi'n dyfynnu'r adnod yna gynnau am air Duw fel cleddyf llym daufiniog?' meddai Jonathan Williams. 'Awgrymu 'mod i'n mynd o gwmpas y lle yn chwifio cleddyf cyfiawnder Duw ac yn dienyddio unrhyw un sy'n gwrthod gwrando arna i?'

'Wel, odych chi?'

Siglodd Jonathan Williams ei ben mewn syndod wrth iddo ddilyn teithi meddwl yr arolygydd. 'Mae'r adnod sy'n dilyn yr un ddyfynnoch chi yn dweud, "Ac nid oes greadur anamlwg yn ei olwg ef; eithr pob peth sydd yn noeth ac yn agored i'w lygaid ef, yr hwn yr ydym i roddi cyfrif iddo".'

'Ie, wel, do's dim gwahaniaeth . . .'

'Sy'n golygu bod Duw yn gweld pob peth mae pobl yn ei wneud, ac fe ddaw amser pan fydd yn rhaid i bawb roi cyfrif am eu gweithredoedd. Petawn i'n lladd rhywun fe fyddai'n rhaid i fi roi cyfrif amdano, petaech chi'n fy nal i neu beidio.'

'Ond petaech chi'n neud hynny ar ran 'ych Duw, yn gweithredu cyfiawnder drosto Ef, oni fydde hynny'n wahanol? Fyddech chi ddim yn gorfod rhoi cyfri am rwbeth ry'ch chi wedi'i neud dros 'ych Duw, fyddech chi?'

'Mae'ch diwinyddiaeth mor wallus â'ch seicoleg, inspector,' tarodd Jonathan Williams yn ôl, ond roedd hi'n edifar ganddo ar unwaith. 'Na, mae'n ddrwg gen i, ddylen i ddim fod wedi dweud hynny,' ymddiheurodd.

'Wel . . .' meddai Ken Roberts, a oedd wedi cael ei daflu oddi ar ei echel gan yr ymddiheuriad; ni wyddai ble'r oedd na beth oedd am ei ddweud nesaf. Manteisiodd y gweinidog ar y distawrwydd.

'Mae "Na ladd" yn un o orchmynion Duw, a hyd y gwn i mae'r gorchymyn hwnnw wedi ei ymgorffori yng nghyfraith pob gwlad am ei fod yn adlewyrchiad o'i gyfiawnder Ef. Nawr, fe allwch chi newid y gyfraith ond dyw hynny ddim yn newid dim ar gyfiawnder Duw.'

'Be chi'n feddwl wrth weud 'yn bod ni'n newid y gyfraith?' gofynnodd Eifion, gan siarad am y tro cyntaf ers i'r cyfweliad ddechrau. 'Chi sy 'di cymryd y gyfraith i'ch dwylo'ch hunan.'

'Nage, nid dyna beth dwi'n feddwl. Mae pob math o lywodraethau wedi newid cyfreithiau gan gyfreithloni pethau a oedd yn arfer bod yn droseddau a throi pethau a oedd unwaith yn gyfreithlon yn droseddau. Mae hynny'n digwydd yn answyddogol hefyd, wrth gwrs.'

'Ym mha ffordd?' gofynnodd Ken Roberts.

'Wel, mae'r gyfraith yn dweud na ddylai neb dan ddeunaw mlwydd oed yfed alcohol yn gyhoeddus, ond mi'r ydych chi'n caniatáu i bobl ifanc fynd i dafarnau i yfed.'

'Dyw hynny ddim yn wir,' meddai'r arolygydd yn amddiffynnol.

'Dewch nawr, inspector, chi'n gwybod bod dwsinau o bobl ifanc dan ddeunaw yn yfed yn nhafarnau'r dre 'ma bob penwythnos, ond dydych chi'n gwneud dim byd i'w stopio nhw, ydych chi? Mae hynny'n wir, on'd yw e?'

Edrychodd y ddau heddwas ar ei gilydd, ond ddywedodd yr un o'r ddau air.

'Dewch 'mlaen,' meddai'r gweinidog. 'Nid un o ohebwyr y *Dyfed Leader* ydw i.'

Carthodd Ken Roberts ei wddf. 'Dwi'n credu'ch bod chi'n cyfeirio at rwbeth sy'n rhan o bolisi ehangach ar ddiogelwch yng nghanol y dre.'

'Ie, a'i bod hi'n well, yn haws, yn gwneud mwy o synnwyr, yn beth bynnag ddewiswch chi, i adael i bobl ifanc dreulio'u hamser yn yfed yn y tafarnau a'u rheoli nhw i gyd gyda'i gilydd pan ddown nhw allan i'r strydoedd ar ôl i'r tafarnau gau, nag yw hi i weinyddu'r gyfraith ar oedran yfed.'

'Ond ma'n nhw'n mynd i yfed beth bynnag,' mynnodd Eifion.

'Ac mae hynny'n cyfiawnhau'r ffaith fod yr heddlu'n caniatáu torcyfraith?'

'Wel, beth fyddech chi'n neud, 'te?' gofynnodd Eifion.

'Gweinyddu'r gyfraith.'

'A dyna shwt y'ch chi'n cyfiawnhau lladd Andrew Marriner, ie?' meddai Ken Roberts, gan achub ar y cyfle i ddod â'r cyfweliad yn ôl i drywydd roedd ef yn hapusach ag ef. 'Falle bod y gyfraith ynglŷn â gwrywgydiaeth wedi'i newid, ond yn 'ych barn chi mae'n dal yn groes i gyfraith Duw, ac felly ry'ch chi'n credu'i bod hi'n iawn i chi weinyddu'r gyfraith honno yn groes i gyfraith gwlad, on'd y'ch chi?'

Siglodd Jonathan Williams ei ben ond ni ddywedodd air. Pwysodd Ken Roberts ymlaen ar draws y bwrdd.

'Ro'dd presenoldeb Andrew Marriner yn y dre yn gwbwl groes i bopeth roeddech chi'n credu ynddo, ac yn 'ych atgoffa bob dydd o'ch methiant. A'i fygythiad yn erbyn y cyfarfod roeddech chi wedi'i drefnu oedd yr ergyd ddiweddara yn ei frwydr yn 'ych erbyn chi; brwydr ro'dd Andrew Marriner yn 'i hennill yn hawdd.'

'Dwi ddim yn gwybod beth mwy alla i 'i ddweud i'ch argyhoeddi chi nad fi laddodd Andrew Marriner.'

'Allech chi ddim diodde 'ny, allech chi?' meddai'r arolygydd, gan anwybyddu protestiadau'r gweinidog. 'Yn wir, allech chi ddim diodde 'i ga'l e yn y dre o gwbwl. Ro'dd 'i weld e'n . . . beth wedoch chi gynne . . .' ac edrychodd ar ei nodiadau, '. . . "yn ymfalchïo yn ei bechod", yn codi'ch gwrychyn, on'd o'dd e? Ond pam? Pam? Ro'n i'n meddwl bod maddeuant a goddefgarwch yn bwysig i Gristnogion.'

'Chi'n iawn, ar faddeuant mae'r Cristion yn byw, ond ail wael i gariad yw goddefgarwch.'

Chwarddodd Ken Roberts. 'Ro'ch chi'n *caru* Andrew Marriner, o'ch chi?'

Siglodd Williams ei ben. 'Ddim fel ry'ch chi'n awgrymu, a gwaetha'r modd, ddim fel y dylen i fod wedi gwneud chwaith.'

'Wel, allwch chi ddim dadwneud dim nawr drwy deimlo'n ddrwg am yr hyn nethoch chi. Ond os newch chi gyfadde mai chi lofruddiodd Andrew Marriner, ma'n siŵr y bydd hynny'n ysgafnhau'ch cydwybod.'

'Chi lofruddiodd e, yntefe?' meddai Eifion Rowlands, gan ddwyn mwy o bwysau ar y gweinidog.

'Nage.'

'O'ch chi wedi cynllunio'r cyfan ers wythnose, a phan a'th 'i bartner i ffwrdd am y penwthnos, fe welsoch chi'ch cyfle.'

'Wydden i ddim . . .' dechreuodd y gweinidog ddadlau, ond anwybyddwyd ef gan Ken Roberts unwaith eto.

'Ond er mor ofalus o'ch chi wedi cynllunio'r llofruddiaeth, ma'n amhosib cynllunio popeth; do'ch chi ddim yn gwbod bod rhywun wedi'ch gweld chi'n cyrra'dd y siop, o'ch chi?'

'Rhywun sy'n barod i ddweud hynny mewn llys,' ychwanegodd Eifion.

'Bydd hynny a'ch olion bysedd yn ddigon o dystiolaeth i unrhyw reithgor.'

'Ac ry'n ni'n cymharu'ch olion bysedd chi â'r rhai adawodd y llofrudd yn y fflat.'

'Dim ond mater o amser yw hi.'

'Byddai'n llawer gwell petaech chi'n cyfadde nawr.'

'Ac yn arbed amser i ni.'

'Arbed amser i bawb.'

'Beth amdani?'

'Clirio'ch cydwybod.'

'A cha'l maddeuant.'

Bu Jonathan Williams yn siglo'i ben drwy gydol ymosodiad geiriol y ddau heddwas. Roedd wedi sylweddoli mai ofer oedd protestio a dadlau. Beth bynnag a ddywedai ef byddai'r ddau arall yn siŵr o'i droi a'i newid gan obeithio'i ddrysu a'i faglu. Ac er nad oedd ganddo ddim i'w ofni, doedd hynny ddim yn golygu nad oedd yn pryderu am ei sefyllfa. Newyddiadurwyr a'r heddlu, meddyliodd; dwy ochr i'r un geiniog.

'O'r gore,' meddai Jonathan Williams ar draws y ddau. 'Rydych chi am siarad am lofruddiaeth, ydych chi?'

Ymlaciodd ysgwyddau'r arolygydd fymryn. 'Dyna pam ry'n ni yma, Mr Williams.'

'Ac rydych chi am i fi gyfadde mai fi lofruddiodd Andrew Marriner.'

Ymlaciodd ysgwyddau Ken Roberts ychydig yn rhagor.

'Os felly, mae'n amlwg nad ydych chi'n poeni dim am gyfiawnder. Cael rhywun – unrhyw un – yn euog yw'ch nod; pwyso arnyn nhw nes eu bod nhw'n cyfadde, tra bod y gwir lofrudd yn dianc. Mae hynny'n llawer llai o waith nag ymlafnio am y gwirionedd, on'd yw e? Fel mae'ch polisi ar yfed dan oed yn arbed llawer o waith cadw trefn i chi. Sawl "llofrudd" sydd wedi ei gael yn ddieuog ar apêl dros y blynyddoedd diwetha gan adael yr heddlu'n euog o geisio gwyrdroi cwrs cyfiawnder?'

'Diddorol iawn, ond do's 'da hynny . . .'

'Wel, dwi ddim yn mynd i ail-ddweud 'mod i'n ddieuog o'ch cyhuddiadau . . .'

'Dy'n ni ddim wedi'ch cyhuddo . . .'

'Tybed pam? Diffyg tystiolaeth, ddweden i, a dyna pam rydych chi'n pwyso am gyffes. Fydd dim eisie tystiolaeth wedyn, na fydd? Wel, os ydych chi'n gwrthod derbyn fy ngair, mae hynny i fyny i chi, ond dyw anghyfraith o unrhyw fath, o unrhyw gyfeiriad, ddim yn gwneud lles i gymdeithas. Dwi'n gobeithio y daliwch chi'r person lofruddiodd Andrew Marriner, ond dwi'n ofni bod eich syniad o gyfiawnder mor wallus â'ch dealltwriaeth o Gristnogaeth, inspector, sy'n amlwg yn seiliedig ar ffilmiau a rhaglenni teledu gwael.'

'Iawn, chi wedi ca'l cyfle i ddweud 'ych dweud, ond os allwn ni . . .'

'A beth am lofrudd Lisa Thomas?'

'Beth amdano fe?' gofynnodd Eifion yn ei gyfer.

'Do's 'da'r achos hwnnw ddim byd i' neud â llofruddiaeth Andrew Marriner,' meddai Ken Roberts.

'A sut mae'r achos yn datblygu, inspector? Yn ôl yr hyn dwi'n ei ddeall, does gennych chi ddim syniad pwy lofruddiodd hi, chwaith, nagoes? Mae'r ymchwiliad wedi tawelu'n gyflym iawn. Dyw hi ddim yn ymddangos eich bod ar fin arestio neb, a falle na wneith neb byth sefyll ei brawf am lofruddio Lisa.'

'Fydden i ddim yn gweud 'ny,' protestiodd Ken Roberts.

'Nid dyna mae'r *Dyfed Leader* yn ei ddweud,' meddai Jonathan Williams a gwên ddireidus ar ei wefusau, ac yna difrifolodd. 'Ond cymerwch gysur, inspector, hyd yn oed os na lwyddwch i ddwyn y llofrudd i gyfraith, dyw hynny ddim yn golygu na chaiff ei gosbi. Ystyriwch yr adnod sy'n dweud bod popeth yn "noeth ac yn agored i'w lygaid ef, yr hwn yr ydym i roddi cyfrif iddo", ac fe sylweddolwch fod amser yn dod pan fydd yn rhaid i'r llofrudd roi cyfrif am yr hyn wnaeth e. Dyna beth mae cyfiawnder Duw yn ei olygu; nid fi'n mynd o gwmpas y lle yn lladd gwrywgydwyr, ond bod llofrudd Lisa Thomas a llofrudd Andrew Marriner, yn ogystal â fi a chi, inspector, a chi, gwnstabl, yn rhoi cyfrif am yr hyn rydyn ni wedi'i wneud.'

Ac, am resymau gwahanol, fe anesmwythodd yr inspector a'r cwnstabl yn eu cadeiriau.

'Hei! Kevin!'

Arhosodd Kevin Harry yn untroed oediog ar ei ffordd i'r ffreutur cyn troi a gwenu ar Gareth Lloyd.

'Ro'n i'n chwilio amdanoch chi, sarj,' meddai, yn gyfarwydd â chael pobl yn chwilio amdano, ac wedi hen ddysgu cael ei droed yn y drws gyntaf.

'A finne amdanot ti,' meddai Gareth, gan dynnu'r ddau gwdyn plastig o gasetiau o'i boced. 'Gymerest ti'r casetie o'r ddau beiriant ateb yn Rites?'

'Do.'

'Diolch byth am 'ny. Ble ma'n nhw?'

'Yn 'yn stafell i.'

'A dyna ble'r o't ti'n mynd nawr, yntefe?'

'Ie,' meddai'n gelwyddog.

'Da iawn, fe ddo i gyda ti.'

'Hwn o'r peiriant yn y siop a hwn o'r un lan llofft,' meddai Kevin, gan dynnu dau gasét o'r cwpwrdd metal a'u rhoi ar y bwrdd o'i flaen.

'Wyt ti wedi'u profi nhw am olion bysedd?'

Nodiodd Kevin. 'Dim ond rhai Marriner a'i gariad sy arnyn nhw.'

'Wyt ti wedi gwrando arnyn nhw?'

'Ble chi'n meddwl dwi'n ca'l amser i wrando ar gasetie?'

'Wel, alli di brofi'r casetie 'ma am olion bysedd hefyd a'u rhoi nhw 'nôl i fi cyn diwedd heddi?' a gwthiodd y ddau gwdyn plastig ar draws y bwrdd.

Edrychodd Kevin ar y cloc uwchben ei ddesg. 'Ma'n bwrw mla'n.'

Syllodd Gareth arno'n ddisgwylgar.

'Iawn, 'na i 'ngore,' meddai, gan ochneidio ac estyn am y cwdau.

'Diolch, gad nhw wrth y ddesg ar ôl i ti orffen,' a throdd Gareth am y drws.

'Cyn i chi fynd, ma' 'da fi rwbeth i chi.'

'O?' Roedd Gareth wedi meddwl mai dim ond ymateb yn ôl ei arfer roedd Kevin pan ddywedodd ei fod yn chwilio amdano.

Estynnodd sawl tudalen o bapur iddo.

'Canlyniade'r olion bysedd.'

'Ar y ddau gasét?'

'Nage, nage, dwi wedi gweud mai dim ond rhai Marriner a Harris o'dd ar reini. Dyma'r olion dierth o Rites.'

'Yn y stafell wely lle'r o'dd corff Andrew Marriner?'

'Yn y stafell wely, y stafell fyw, y stafell molchi ac ar y llestri a'r gwydr a'r botel win.'

'Ti'n gwbod olion bysedd pwy y'n nhw?'

Nodiodd Kevin. 'Rhywun o'r enw Martin Ware.'

Siglodd Gareth ei ben. 'Martin Ware? Pwy yw e? Odyn ni'n gwbod rhwbeth amdano fe?'

'Rhyw ddwsin o fân drosedde dros gyfnod o bedair

blynedd. Trosedde ceir i ddechre, cyn symud mla'n i ddwyn o siope. Ond dim byd mwy na 'ny ers rhyw chwe blynedd.'

'Tan nawr.'

'Ie.'

'Martin Ware?'

'Ie, dyna pwy yw e.'

'Ie, ac wedi meddwl ma'r enw'n canu cloch.'

'Odi fe?'

'Odi, dwi wedi'i glywed e neu wedi darllen amdano fe'n ddiweddar.' Tawelodd Gareth a dechrau myfyrio.

'Ie, wel,' meddai Kevin Harry, gan edrych yn ddisgwylgar arno. 'Os mai dyna'r cwbwl, ma' 'da fi waith i' neud.'

'O's, wrth gwrs. Diolch yn fawr i ti, Kevin, ma' hwn yn swnio tipyn mwy addawol na'r ffantasïe ma' rhai pobol yn 'u ca'l.'

Cerdded yn ôl i fyny'r grisiau o ystafell Kevin Harry roedd Gareth pan welodd Jonathan Williams yn croesi cyntedd yr orsaf am yr allanfa.

'Jo . . .' dechreuodd alw arno, ond newidiodd ei feddwl a'i ddilyn allan o'r adeilad cyn ei gyfarch.

'Jonathan!'

Trodd y gweinidog a gwenu pan welodd Gareth yn brasgamu tuag ato.

'Ddim eto,' meddai, gan ddal ei ddwylo o'i flaen fel pe bai'n disgwyl i Gareth roi cyffion am ei arddyrnau.

'Ma'n ddrwg 'da fi,' meddai Gareth.

'Am beth?'

'Am hyn i gyd.'

'Pam? Ddim arnat ti mae'r bai.'

'Am ymddygiad Inspector Roberts, 'te.'

'Dim ond gwneud ei waith oedd e. Mae'n wir falle'i fod e ychydig yn orfrwdfrydig, a bod ganddo le i wella ar ei sgiliau delio â'r cyhoedd, ond wedyn alli di ddim cwestiynu rhywun mewn achos o lofruddiaeth drwy ddweud "os gwelwch yn dda" a "diolch yn fawr" o hyd.'

'Paid â'i gymryd e'n bersonol, fel'na ma'r inspector drwy'r amser gyda phawb. Pan ddes i 'ma gynta fe ddwedodd rhywun wrtha i 'i fod e'n ame pawb o rwbeth, ac os nad o'n nhw'n euog o ryw drosedd yn barod, dim ond mater o amser o'dd hi cyn y câi ei amheuon gwaetha eu gwireddu.'

Chwarddodd Jonathan Williams. 'Athrawiaeth ychydig yn besimistaidd o ddynoliaeth, ond mae'n rhaid i fi gyfadde 'mod i'n cytuno ag e i raddau. Rydyn ni i gyd yn abl i gyflawni'r pethau mwyaf erchyll, ond trwy ras Duw mae'r mwyafrif ohonon ni'n cael ein cadw rhag eu gwneud. Ond dyw hynny ddim yn golygu bod neb ohonon ni'n ddi-fai chwaith. Na, mae dy inspector di'n ddyn diddorol iawn.'

'Ond ma' popeth wedi'i glirio nawr?'

'Dwi ddim yn siŵr. Mae Inspector Roberts wedi 'ngadael i fynd am y tro, gyda'r rhybudd falle y bydd e am fy ngweld i eto, ond dwi ddim yn gwybod mwy na hynny. Disgwyl am fwy o dystiolaeth o fy euogrwydd, mae'n siŵr.'

'Ie, wel, fel dwedes i, ma'n ddrwg . . .' Dechreuodd Gareth ymddiheuro unwaith yn rhagor, ond cododd Jonathan ei law i'w atal.

'Does dim eisie i ti ymddiheuro. Pan oedd Inspector

Roberts a DC Rowlands yn dod â fi yma, y cyfan y gallwn i feddwl amdano oedd pam fi, pam oedden nhw'n fy amau i? Ond wedyn, pan oedd y ddau'n fy holi, sylweddolais 'mod i i fod yno'n cael fy holi ganddyn nhw'll dau, ac nad oedd ganddo ddim byd o gwbl i'w wneud â llofruddiaeth Andrew Marriner.'

'Wel, beth yw dy farn di am Jonathan Williams, 'te, Ken?' gofynnodd Clem Owen.

'Ro'dd e'n gwbwl sicr o'i hunan bron yr holl amser o'dd Eifion a finne'n 'i holi, heblaw ar y dechre pan o'dd e'n ymddangos ar goll, ddim yn gwbod beth o'dd yn digwydd, ddim yn gwbod pam o'dd e 'ma.'

'Fel bydde unrhyw un dieuog.'

'Ie,' cytunodd Roberts. 'Os mai fe o'dd y llofrudd, bydde fe'n gwbod cymaint â fi, a mwy, ond ches i mo'r argraff 'ny. Ac unwaith o'dd e'n gwbod pam o'n i'n 'i holi, fe ymlaciodd e, ac, wel, wedyn ro'dd dyn yn ca'l yr argraff mai fe o'dd yn 'yn holi ni.'

Chwarddodd Clem Owen. 'Bydd raid i fi glywed y tâp.'

'Hy!' ebychodd Ken Roberts.

'Ond ai fe laddodd Andrew Marriner?'

Siglodd yr arolygydd ei ben. 'Na, dwi ddim yn credu. Gymaint ag y bydden i'n hoffi 'ny, dwi ddim yn meddwl mai fe yw'n dyn ni. Falle 'mod i wedi bod yn rhy awyddus i ga'l canlyniad ar ôl bod bant am gymaint o amser.'

'Beth wyt ti am neud, 'te?'

''I ryddhau e ar fechnïaeth yr heddlu am y tro, ac yna'i adel i fynd pan fydd pethe wedi tawelu.'

'Beth os cwynith e, fel Emrys Morgan?'

'Dwi'n ame a neith e 'ny,' meddai Ken Roberts. 'Do's dim byd yn debyg yn y ddau.'

'Ond os nage fe yw'r llofrudd . . .'

'Ry'n ni 'nôl ble'r o'n ni bore 'ma. Dwi'n gwbod.'

'Ble gest ti afel ar yr erthygl a'r llythyron 'na amdano fe a Marriner?'

'Hy!' ebychodd yr arolygydd eto a chwifio'i law yn ddirmygus. 'Paid poeni am 'ny. Camgymeriad.'

'Wel, ry'n ni gyd yn 'u gneud nhw.'

'O na, ddim 'y nghamgymeriad i. Camgymeriad gwael ar ran rhywun arall.'

'O,' meddai Clem Owen, gan synhwyro y byddai'n gallach iddo beidio holi ymhellach, ac fel petai i'w arbed rhag cael ei demtio daeth cnoc ar y drws.

'Mewn!' galwodd, a phan ymddangosodd wyneb Gareth Lloyd roedd y prif arolygydd yn ddiolchgar bod y drafodaeth am Jonathan Williams wedi cyrraedd ei therfyn; nid oedd am ail-lwyfannu golygfa'r bore hwnnw.

'Ie?'

'Syr, ma' Kevin wedi ca'l cyfatebiaeth i'r olion bysedd dierth yn stafell wely Andrew Marriner.'

'Odi e wedi'u cymharu nhw â rhai Jonathan Williams?' gofynnodd Ken Roberts a oedd yn ei chael hi'n anodd iawn gadael fynd.

'Ma'n siŵr 'i fod e,' meddai Gareth, gan edrych ar yr arolygydd am y tro cyntaf.

'A?'

'Ac ma'n siŵr 'u bod nhw'n profi nad yw e wedi bod yn agos i'r lle.'

'Shwt ar y ddaear alli di fod mor siŵr?'

'Olion bysedd pwy y'n nhw, 'te?' gofynnodd Clem Owen cyn i'r gwreichion ddechrau tasgu eto.

'Martin Ware,' meddai Gareth, gan estyn iddo'r dalennau a gawsai gan Kevin Harry.

'Pwy ar y ddaear yw Martin Ware?' gofynnodd Ken Roberts.

'Dyna dwi ise gwbod,' meddai Clem Owen, gan edrych yn obeithiol ar Gareth.

'Wel, ma'i enw fe ar y rhestr ges i 'da Peter Harris o'r bobol o'dd wedi dangos ddiddordeb yn y cleddyfe ma' Rites yn 'u gwerthu.'

'Odi fe wir,' meddai Clem Owen.

'Ma' gydag e record – er 'i bod hi'n chwe blwydd o'd erbyn hyn – ac ma' fe'n byw yn y dre. Draw yn Glyn-y-ddôl.'

'Odi fe nawr.'

'Crand iawn,' oedd sylw Ken Roberts. 'Ma' rhywun wedi dod mla'n yn y byd. Beth am i ni alw i' weld e?'

'Ie,' meddai'r prif arolygydd, gan edrych ar ei oriawr yn fyfyriol. 'Ma'n bwrw mla'n, ac rwyt ti wedi ca'l prynhawn digon caled yn barod, Ken. Gad hwn i Gareth a fi.'

'Be ti'n sôn amdano? Dwi'n iawn, ac yn barod i fynd,' ac fe gododd o'r gadair i brofi hynny.

'Na, wi'n credu y bydde hi'n well os mai dim ond ni'n dau fydde'n mynd.'

Edrychodd yr arolygydd i lawr ar ei bennaeth a gwgu. 'Ti'n poeni am y wasg eto?'

'Falle. Ti'n gwbod be gytunon ni arno, y bydde'n well petaet ti ddim yn gysylltiedig â'r ymchwiliad hwn.'

'Do, dwi'n gwbod, ond ro'dd hynny cyn i fi ga'l y wybodaeth am y cysylltiad rhwng y pregethwr ac Andrew Marriner.'

'Sy ddim wedi arwain at ddim, fel dwi'n deall,' meddai Gareth, gan fethu ymatal.

Trodd yr arolygydd a syllu arno ond prysurodd Clem Owen i lenwi'r distawrwydd cyn i Ken Roberts gael cyfle i wneud hynny.

''Na pam ma'n bwysicach dy fod ti'n rhoi trefn ar y cyfweliad 'da Jonathan Williams, i ni ga'l gwbod be ddyle'r came nesa fod.'

Ystyriodd yr arolygydd y sefyllfa'n dawel am ychydig cyn dweud, 'Odi, ma'n siŵr,' ac yna allan ag ef heb edrych eilwaith ar y ddau arall.

Hanner dwsin o dai yn unig oedd ar ystad breifat Glyn-y-ddôl, pob un ar ei dir ei hun ac wedi ei gynllunio'n unigol.

'Balentine,' ailadroddodd Clem Owen. 'Ti'n 'i weld e?'

'Nagw,' meddai Gareth. 'Well i chi stopio i fi ga'l mynd mas i edrych.'

Yn ymyl pob un o'r tai roedd hen lamp stryd, a oedd yn fwy o addurn na dim byd arall. Prin oedd y golau a ddeuai ohonynt, ac roedd yn llawer rhy wan i Gareth ddarllen enwau'r tai bymtheg troedfedd i ffwrdd. Mentrodd i fyny llwybr dau dŷ a chael ei ddallu gan oleuadau diogelwch wrth iddyn nhw fflachio ynghyn o'i flaen.

'Saltmarsh, Dolwar,' mwmialodd wrtho'i hun wrth iddo symud o'r naill dŷ i'r llall cyn cyrraedd y nesaf a darllen, 'Balentine!'

Chwifiodd ei fraich ar y prif arolygydd ond roedd hwnnw'n canolbwyntio ar rywbeth arall a bu'n rhaid iddo gerdded yn ôl at y car.

Agorodd y drws. 'Y trydydd tŷ ar y chwith.'

'Iawn.' Diffoddodd Clem Owen ei ffôn symudol a gwasgu sbardun y car, gan orfodi Gareth i gau'r drws dim ond mewn pryd i'w arbed ei hun rhag cael ei lusgo ar hyd y ffordd.

Stopiodd y car ar ôl teithio'r ugain llath a dringodd y prif arolygydd allan. 'Gad hyn i fi,' meddai, gan gerdded i fyny'r llwybr cyn i Gareth gael cyfle i ymateb. Dilynodd Gareth ei bennaeth yn araf heibio i BMW coch a Frontera du. A oedd Owen yn golygu y dylai adael holi Martin Ware yn llwyr iddo ef, neu a oedd yn ei orchymyn i aros gyda'r car? Roedd ei ymddygiad wedi newid yn sydyn. Tybed a oedd gan yr alwad ffôn rywbeth i'w wneud â hynny. Cyrhaeddodd Gareth y prif arolygydd, ond cyn iddo gael cyfle i ofyn am eglurhad, agorwyd drws Balentine gan ddyn ifanc tal, llydan ei ysgwyddau, yn ei ugeiniau hwyr ac yn gwisgo jîns a chrys T gwyn.

'Mr Martin Ware?'

'Ie,' a phlethodd y dyn ei freichiau o'i flaen gan arddangos cyhyrau ei freichiau a'i frest ar eu gorau.

'Chief Inspector Owen a Sarjant Lloyd o Heddlu Dyfed-Powys,' a bu'n rhaid i Gareth dwrio am ei gerdyn gwarant a'i ddangos iddo, ynghyd â'i bennaeth.

'Ie?' meddai Martin Ware, gan edrych yn frysiog ac yn ddi-hid ar y cardiau. 'Beth y'ch chi moyn?'

'Fydde hi'n bosib ca'l gair 'da chi?'

'Nawr?'

'Os yw hi'n gyfleus.'

'Na, dyw hi ddim yn gyfleus,' ac fe drodd i edrych y tu ôl iddo. 'Os allwch chi weud wrtha i beth y'ch chi moyn.'

'Ma'r mater yn rhy bwysig i'w drafod ar stepen y drws, Mr Ware, ond petai'n well 'da chi ddod gyda ni i'r orsaf . . . '

'Wel,' ac fe drodd i edrych y tu ôl iddo unwaith eto fel

pe bai'n disgwyl gweld rhywun yno. Clywai Gareth sŵn cerddoriaeth glasurol yn chwarae rywle yn y cefndir, ond doedd neb i'w weld. 'Oce,' meddai Ware, 'well i chi ddod mewn,' a symudodd naill ochr i adael i'r ddau gerdded heibio iddo.

Ymdebygai cyntedd y tŷ i rywbeth allan o raglen addurno tai: carped hufen trwchus, celfi pren tywyll, a darluniau dyfrliw ar furiau oren golau.

'Pwy sy 'na, Martin?' galwodd rhywun o un o'r ystafelloedd cefn.

'Heddlu,' atebodd Martin Ware.

Roedd hynny'n ddigon i ddenu'r person arall i'r golwg.

'Inspector Owen,' meddai'r dyn bychan a ymddangosodd drwy'r drws ar y chwith gan sychu ei ddwylo mewn lliain. 'Doedden i ddim yn disgwyl eich gweld chi – wel, ddim mor fuan â hyn, beth bynnag.'

'Noswaith dda, Mr Samuel,' cyfarchodd y prif arolygydd ef, heb ddangos dim syndod wrth gyfarfod â rhywun yr oedd yn ei adnabod.

'Dwi'n cymryd o'ch ymweliad bod yna ddatblygiadau yn eich ymchwiliadau.'

'O's, ma' 'na ddatblygiad.'

'Da iawn. Martin?' meddai Richard Samuel, gan daflu'r lliain ato. 'Cer i gadw llygad ar y pasta.'

'Licen i i Mr Ware aros.'

'O?'

'Ac i ateb rhai cwestiyne.'

Ymsythodd Richard Samuel a syllu'n galed ar Martin Ware. 'Martin?'

Ond cadwodd Martin Ware ei lygaid ar y ddau heddwas.

'O's 'na rywle lle allwn ni iste?' gofynnodd Owen, gan anwybyddu'r tyndra rhwng y ddau.

'Drwodd fan'na,' meddai Samuel, gan godi ei fraich tuag at ddrws yr ystafell, ond heb dynnu ei lygaid oddi ar ei gymar.

Arweiniodd Owen y ffordd a dilynodd y tri arall ef i mewn i'r lolfa mewn distawrwydd. Roedd yr ystafell hon eto yn gyfuniad perffaith o chwaeth a chyfoeth.

'Do's dim rhaid i chi aros, Mr Samuel,' meddai Clem Owen.

'O, dwi'n aros, inspector,' a disgynnodd Samuel i un o'r cadeiriau esmwyth lledr a chroesi ei freichiau a'i goesau gan syllu'n heriol ar yr heddwas.

'Well i chithe iste, Mr Ware,' meddai'r prif arolygydd, gan suddo i gadair esmwyth arall a churo fraich y setî yn ei ymyl i arwyddo ymhle'r oedd am i Martin Ware eistedd. Tynnodd Gareth ei lyfr nodiadau o'i boced a'i wneud ei hun yn gartrefol ar gadair gefnsyth ar bwys y drws.

Agorodd Owen fotymau ei got fawr a throi i wynebu Martin Ware. 'Nawr, fel ma' Mr Samuel yn gwbod, a chithe'n deall erbyn hyn, ma'n siŵr, ry'n ni'n ymchwilio i lofruddiaeth Mr Andrew Marriner, cyd-berchennog siop Rites yn Ffordd y Farchnad. O'ch chi'n nabod Andrew Marriner?'

'Wrth gwrs 'i fod e,' cyfarthodd Richard Samuel. 'Rwy'n gweld beth ry'ch chi'n trio'i wneud, Owen. Ry'ch chi'n trio osgoi'r ffaith bod Andrew wedi'i ladd o ganlyniad i *hate crime*, a gan mai fi dynnodd eich sylw at hynny, ry'ch chi'n mynd ati nawr i greu rhyw *scenario* anhygoel mai llofruddiaeth o fewn y gymuned hoyw oedd hi. Dyna beth rydych chi'n ei wneud, yntê?'

'Mr Samuel . . .'

'Wel, peidiwch â meddwl eich bod yn mynd i gael *get away* gyda hyn. Bydd Mr Peters yn clywed am eich ymddygiad, fe wna i'n siŵr o hynny.'

'Mr Samuel! O ran cwrteisi yn unig ry'ch chi'n ca'l aros 'ma, ond os na allwch chi gadw'n dawel, naill ai bydd raid i chi adel, neu bydd raid i fi fynd â Mr Ware i'r orsaf i'w holi. Gewch chi gyfle i siarad wedyn, gan fod 'da fi rai cwestiyne dwi ise'u gofyn i chithe 'fyd. Ond am y tro byddwn i'n gwerthfawrogi'ch distawrwydd. Iawn?'

Gwgodd Samuel, plethu ei freichiau'n dynnach am ei frest a throi ei ben i ffwrdd gan siglo'i droed chwith yn ffyrnig.

'Mr Ware, newch chi ddweud wrtha i ble'r o'ch chi nos Lun dwetha, Tachwedd y cynta?'

'Ro'n i yn y Ganolfan Hamdden, yn y stafell ffitrwydd.'

'Faint o'r gloch o'dd hynny?'

'Rhwng chwech a rhwbeth wedi wyth.'

'Ac wedi 'ny?'

'Des i 'nôl fan hyn.'

'O'dd rhywun yn y Ganolfan Hamdden 'run pryd â chi all gadarnhau hynny?'

'O'dd. Dwi'n mynd 'na o leia dair gwaith yr wthnos; bydd y staff yn siŵr o 'nghofio i.'

'Ond os y'ch chi'n mynd 'na'n rheolaidd, a fydden nhw'n cofio mai nos Lun o'ch chi 'na yn hytrach na rhyw noson arall? O'dd 'na rywun yn y stafell ffitrwydd 'run pryd â chi?'

Ar ôl ychydig o feddwl yn uchel, llwyddodd Martin Ware i gofio enwau tri pherson oedd wedi defnyddio'r ystafell ffitrwydd yn ystod y ddwyawr y bu ef yno.

'A pryd gyrhaeddoch chi 'nôl yma?'

'O gwmpas hanner awr wedi wyth, pum munud ar hugain i naw. Rhwbeth fel'ny.'

'O's 'na rywun all gadarnhau hynny?'

Am y tro cyntaf ers iddynt eistedd edrychodd Martin Ware i gyfeiriad Richard Samuel.

'Mr Samuel?' gofynnodd Clem Owen.

Cododd Samuel ei ddwylo. 'Doeddwn i ddim yma. Roeddwn i yng Nghaerdydd ar fusnes o fore dydd Llun tan neithiwr, felly doeddwn i ddim yma pan gyrhaeddodd Martin 'nôl o'r *gym*.'

'Ond ffoniest ti,' meddai Ware.

'Do fe?' gofynnodd Owen.

'Do,' meddai Samuel yn gyndyn gan edrych ar ei ddwylo.

'Faint o'r gloch o'dd hynny?'

'Dwi ddim yn cofio. Naw, rhwbeth fel'ny.'

'Chwarter i naw,' mynnodd Ware. 'Ro't ti'n gwbod 'mod i fel arfer 'nôl erbyn hynny ac ro't ti wedi gweud y byddet ti'n ffonio bryd 'ny.'

'Odi hynny'n wir, Mr Samuel?'

'Ydi, os yw e'n dweud.'

'Felly fe ffonioch chi am chwarter i naw.'

'Do,' yn dal yn gyndyn.

'Ac am faint o amser fuoch chi'n sgwrsio ar y ffôn?'

'Gofynnwch iddo fe, fe sy'n cadw cofnod o'r galwadau.'

'Mr Ware?'

'Dwi ddim yn cofio.'

'Wel, fe gewn ni wbod hynny gan y cwmni ffôn; maen nhw hefyd yn cadw cofnod o'r galwade. Gyda pha gwmni y'ch chi?'

'Tua chwarter awr,' meddai Ware.

'Dyna hyd yr alwad?'

'Ie, parodd hi ryw chwarter awr. Ro'dd Richard yn cwrdd â rhywun am naw o'r gloch.'

'O'ch chi?'

'O'n,' yn fyr, ond ddim mor gyndyn y tro hwn, fel petai'n dechrau derbyn y sefyllfa.

'Felly ro'dd yr alwad wedi gorffen cyn naw o'r gloch?'

'O'dd.'

'A be nethoch chi wedyn, Mr Ware?'

'Dim byd arbennig. Edrych ar y teledu, dwi'n meddwl, ond alla i ddim gweud beth edryches i arno; falle gofien ni petawn i'n ca'l gweld pa raglenni o'dd arno.'

'Ethoch chi mas?'

'Naddo,' a siglodd ei ben yn bendant.

'Ddim o gwbwl?'

'Naddo.'

'Ma' Mr Samuel wedi gweud 'ych bod chi'n nabod Andrew Marriner. Odych chi?'

'Odw.'

'Ac ry'ch chi wedi bod yn y fflat ro'dd e'n 'i rhannu gyda Peter Harris?'

'Odw.'

'Pryd o'dd y tro dwetha i chi fod 'na?'

'Dwi ddim yn cofio; misoedd 'nôl,' ac edrychodd i gyfeiriad Richard Samuel am gymorth. 'Pryd fuon ni 'na, Richard?'

'Mis Awst, aethon ni i barti yno.'

'Ie, ti'n iawn, parti i ddathlu rhyw ŵyl, dwi'n meddwl.'

'Parti Lamas.'

'Lamas?' gofynnodd Owen, gan ddychmygu anifeiliaid mawr blewog.

'Yn y calendr derwyddol, Awst y cyntaf yw Gŵyl Lamas,' atebodd Samuel. 'Roedd Andrew'n cadw pob un o'r gwyliau paganaidd.'

'A Chalan Gaea?' gofynnodd Gareth.

'Pob un ohonyn nhw, ddwedes i.'

'O'ch chi'n mynd i bob un o'i bartïon?' gofynnodd Owen i Samuel.

'Na, ddim pob un.'

'Fuoch chi yno ar noson Calan Gaea leni?' gofynnodd Gareth.

'Naddo.'

'Felly dy'ch chi ddim wedi bod 'na ers mis Awst.'

'Naddo.'

'Mr Ware?'

Siglodd ei ben. 'Mis Awst.'

'Os felly, allwch chi esbonio sut ddethon ni o hyd i'ch olion bysedd mewn sawl stafell yn y fflat – y stafell fyw, y gegin a'r stafell wely?'

'*Bitch!*' sgrechiodd Richard Samuel, gan neidio allan o'i gadair a rhuthro ar draws yr ystafell at Martin Ware.

Digwyddodd yr ymosodiad mor sydyn, mor ddirybudd, nes dal y ddau heddwas yn hollol syfrdan.

'Mr Samuel!' gwaeddodd Clem Owen, gan stryffaglio i godi o'i gadair a methu.

'Nest ti addo!' bytheiriodd Samuel, gan daro'i gymar o gwmpas ei ben. Nid oedd Ware wedi symud o'r setî, a heblaw gwyro'i ben i amddiffyn ei wyneb, ni wnaeth unrhyw ymdrech i atal yr ymosodiad.

Gafaelodd Gareth ym mraich Samuel a'i dynnu'n ôl, ond roedd wedi colli ei ben yn lân. Rhwygodd ei law yn rhydd ac ailymosod ar Ware. Camodd Gareth y tu ôl iddo a chydio amdano o gwmpas ei frest gan ei godi oddi ar y llawr a'i droi i ffwrdd oddi wrth Martin Ware.

'Aw!' sgrechiodd Samuel a theimlodd Gareth y nerth yn llifo allan o gorff y dyn. 'Chi 'di 'nhrywanu i! Chi 'di 'nhrywanu i!'

Agorodd Gareth ei freichiau a llithrodd Richard Samuel i'r llawr fel doli glwt gan afael yn ei fraich.

'Richard!' gwaeddodd Martin Ware gan ddisgyn ar ei liniau ar bwys Samuel a orweddai fel petai wedi llewygu.

'Beth uffach nest ti?' gwaeddodd y prif arolygydd ar Gareth ar draws yr wylo a'r rhincian dannedd.

'Dim,' meddai Gareth, gan ddangos ei law a'r beiro a ddaliai i'w bennaeth. 'Rhaid bod y beiro wedi'i grafu fe.'

''Na i gyd?' a chododd Clem Owen ei lygaid tua'r nenfwd. Ond yna newidiodd ei wedd. 'Beth yw'r gwynt 'na?'

Peidiodd popeth a throdd pawb eu pennau ac arogli.

'Y pasta!' sgrechiodd Richard Samuel, gan neidio ar ei draed a rhedeg allan o'r ystafell.

Tawelodd pethau ar ôl hynny. Eisteddai Samuel yn llonydd yn ei gadair gan fagu ei fraich a mwmian bob hyn a hyn am gael pigiad tetanus. Roedd Martin Ware, a'i gyfrinach yn awr yn wybyddus i'w gymar, yn fwy parod i ddatgelu ei symudiadau ar y nos Lun flaenorol.

'Faint o'r gloch gyrhaeddoch chi'r fflat?' gofynnodd Owen iddo.

'Rhwbeth wedi naw – chwarter, ugain munud wedi. Gadawes i fan hyn yn syth ar ôl gorffen siarad â Richard ar y ffôn.'

Enynnodd hynny wg gan Samuel.

'Ro'ch chi wedi trefnu galw 'da Andrew Marriner?'

Nodiodd Ware. 'O'n.'

'Ers pryd?'

'Rhyw wthnos – ar ôl iddo fe weud wrtha i fod Peter yn mynd i weld 'i fam o ddydd Sadwrn tan ddydd Mawrth.'

'Ac ro'ch chi'n gwbod cyn hynny bod Mr Samuel yn mynd i ffwrdd fore dydd Llun?'

'O'n.'

Gwg arall o'r gadair gyferbyn.

'O'dd rhywun arall yno?'

'Na, neb.'

'Dim ond chi ac Andrew Marriner.'

'Ie.'

'Alwodd rhywun arall tra o'ch chi yno?'

'Naddo.'

'Neb?'

'Na. Canodd y ffôn sawl gwaith ond atebodd e ddim.'

'O'dd y ffôn ar y peiriant ateb?' gofynnodd Gareth.

'O'dd. Wedodd e 'ny pan ganodd y ffôn y tro cynta.'

'Tan pryd arhosoch chi yno?' gofynnodd Clem Owen.

Ciledrychodd Ware ar y gadair gyferbyn, ond anwybyddodd Richard Samuel ef.

'Tan pryd, Mr Ware?' ailofynnodd Owen.

'Hanner awr wedi chwech.'

'Bore tranno'th?'

'Ie,' yn dawel, a'i ben wedi'i wyro.

'Felly arhosoch chi yno drwy'r nos.'

'Do.'

'A pryd laddoch chi Andrew Marriner?'

Saethodd y pen i fyny. 'Nes i ddim. Ddim fi laddodd e.'

'Pwy, 'te?

'Dwi ddim yn gwbod.'

'O'dd e'n fyw pan adawoch chi?'

'O'dd.'

'O'dd e?'

'O'dd!'

'Ble'r o'dd Mr Marriner pan adawoch chi?'

'Yn dal yn y gwely.'

'Ac yn fyw?'

'Ie.'

'Siaradoch chi ag e cyn i chi adel?'

'Do.'

'Ma'r adroddiad *post mortem* yn gweud iddo ga'l 'i ladd rwbryd yn ystod orie mân bore dydd Mawrth. Ro'ch chi yno trwy gydol yr amser 'ny.'

'Adawes i am hanner awr wedi chwech.'

'Welodd rhywun chi'n gadel?'

'Dwi ddim yn gwbod.'

'Weloch chi rywun pan adawoch chi?'

'Naddo.'

'Felly dim ond 'ych gair chi sy 'da ni mai am hanner awr wedi chwech y gadawoch chi'r fflat.'

'Ddim fi laddodd e, ro'n i'n 'i . . .'

'Ie?' heriodd Richard Samuel. 'O't ti'n beth?'

'Ma'n ddrwg 'da fi, Richard.'

'"Ma'n ddrwg 'da fi, Richard",' gwawdiodd Richard Samuel ef. 'Dyw hi ddim yn ddrwg 'da ti. Wedest ti ar ôl y parti Lamas nad oedd e'n ddim byd, bod y ddau ohonoch chi wedi cael gormod i yfed a dyna i gyd, a fydde fe byth yn digwydd eto.'

Edrychodd Martin Ware ar y llawr. 'Mae *yn* ddrwg 'da fi, Richard. Beth arall alla i weud? Sori.'

'Wel, jyst arhosa di nes byddwn ar ein pennau'n hunain, fe gewn ni weld pa mor sori fyddi di wedyn.'

'Bydd raid i Mr Ware ddod gyda ni, Mr Samuel.'

'Beth? Dydych chi ddim o ddifri'n meddwl mai Martin laddodd Andrew, ydych chi?'

Cododd y prif arolygydd o'r gadair. 'Ges i'r argraff yn stafell Mr Peters 'ych bod chi'n awyddus iawn i ddal llofrudd Andrew Marriner.'

'Ond Martin, dydych chi ddim yn ei adnabod e, inspector, allai e byth ladd neb. Edrychwch arno fe.'

Edrychai'r dyn mor ddiflas â chi oedd wedi baeddu'r llawr ac a wyddai fod ei feistr yn mynd i rwbio'i drwyn yn y baw. Ond os oedd hi'n edifar ganddo, am beth yn union roedd e'n edifarhau? Am ladd Marriner, neu am gael ei ddal yn bradychu Samuel drwy gynnal carwriaeth gydag e?

Gafaelodd Owen ym mraich Ware er mwyn ei gynorthwyo i godi ar ei draed. 'Ma' 'da ni fwy o gwestiyne i'w gofyn i chi, Mr Ware, a bydd raid i chi neud *statement* 'fyd.'

'O, Martin,' meddai Richard Samuel, ei lais yn feddalach nag y bu ers amser. 'Dere 'ma,' ac fe'i taflodd ei hun o'r gadair a disgyn ar ei liniau o flaen y llall. Cofleidiodd y ddau'n ddagreuol.

Edrychodd Clem Owen ar Gareth Lloyd, codi ei lygaid tua'r nenfwd, a dechrau cyfri i ddeg.

Trawai'r Arolygydd Ken Roberts allweddell y cyfrifiadur fel yr arferai daro allweddi ei hen deipiadur metal pan oedd y ruban wedi sychu. Ni wnâi'r curo caled unrhyw wahaniaeth i'r geiriau ar y sgrin, nac i'w hwyliau yntau chwaith, ond roedd yn amlwg yn credu bod y sefyllfa'n galw am ymateb o'r fath. Roedd ysgrifennu'r adroddiad o'i gyfweliad â Jonathan Williams wedi dod â'r cyfweliad ei hun yn fyw unwaith eto, ac roedd clywed atebion hunanfeddiannol y gweinidog ar y tâp yn ei gynddeiriogi – ac yn ei ddrysu hefyd pe bai ond yn barod i gyfaddef hynny.

Roedd hi'n amlwg nad oedd tamaid o ofn ar y dyn. Ond pam? Onid oedd yn sylweddoli ei fod yn cael ei amau o lofruddiaeth, ac mai ef oedd yr un mwyaf tebygol o fod wedi cyflawni'r drosedd? I bob golwg nid oedd yn poeni mwy na phetai'n cael cyfweliad am swydd. Ni allai wadu nad oedd ganddo gysylltiad ag Andrew Marriner, ond eto, fel roedd yr arolygydd wedi sylweddoli, nid oedd y cysylltiad hwnnw mor gryf ag roedd yr erthygl a'r llythyron a gyhoeddwyd yn y *Dyfed Leader* wedi ymddangos iddo pan ddarllenodd nhw y noson cynt. Bryd hynny roedd Ken Roberts yn siŵr bod ganddo ddigon o dystiolaeth i ddwyn pwysau ar Jonathan Williams, pwysau a fyddai'n arwain at gyffes. Ond nid oedd hynny wedi digwydd.

Roedd yr arf a ddefnyddiwyd hefyd wedi dylanwadu arno, yn enwedig o'i ystyried yng nghyd-destun yr adnod roedd Dr Mason wedi ei dyfynnu pan oedd yn archwilio corff Andrew Marriner. Edrychai'r cyfan mor rhesymol a gobeithiol, ond efallai ei fod wedi gadael i'w frwdfrydedd reoli ei farn a'i fod wedi methu pwyso a mesur gwir werth y dogfennau a gawsai gan Timothy Morris.

'Morris!' ebychodd, gan roi cernod arall i'r allweddell. Wel, fe allai hwnnw ffarwelio ag unrhyw gydweithrediad y disgwyliai ei gael gyda'i adroddiadau o'r llofruddiaeth. Ond nid Morris a'i poenai nawr ond Jonathan Williams. Ni allai ysgwyd ei ymateb a'i eiriau o'i feddwl.

Drwy gydol y cyfweliad bu ymddygiad y gweinidog yn gwbl groes i'r hyn roedd yr arolygydd wedi arfer ag ef. Gwir ei fod yn hen gyfarwydd â chael pobl yn tyngu wrth bopeth a oedd yn annwyl iddynt eu bod yn ddieuog, ond yn amlach na heb roedd holl osgo eu cyrff – eu mân symud diddiwedd, megis cyffwrdd â'u trwynau a'u clustiau byth a beunydd, syllu i fyw ei lygaid pan oedden nhw'n dweud y gwir ond yn eu hosgoi fel y pla pan ddywedent gelwydd – yn gwrthddweud eu protestiadau o ddiniweidrwydd. Ond nid felly Jonathan Williams.

Nid oedd arlliw o euogrwydd yn perthyn iddo. Ac nid oedd y ffaith ei fod wedi mynd benben ag Andrew Marriner yn gyhoeddus yn mennu dim arno, chwaith; ddim tamaid mwy na'r cyhuddiadau o fod yn anoddefgar ac yn homoffobig roedd Marriner wedi eu taflu ato ar dudalennau'r *Dyfed Leader*.

A phan ymddiheurodd – am beth, doedd gan Ken Roberts mo'r syniad lleiaf – roedd hynny wedi bod yn brofiad cwbl newydd i'r arolygydd. Prin iawn y byddai unrhyw un yn ymddiheuro iddo yn ei waith, yn enwedig rhywun oedd yn cael ei holi ganddo. Sgrechian am eu cyfreithwyr, bytheirio a bygwth mynd â'r heddlu i gyfraith am eu harestio heb sail a wnâi'r mwyafrif a'i hwynebai ar draws y bwrdd yn yr ystafell gyfweld; yn union fel y gwnaeth Daniel a'i dad, y Parchedig Emrys Morgan. Ond nid felly Jonathan Williams.

Ac yna unwaith y sylweddolodd pam roedd yn cael ei holi, fe drodd y byrddau a dechrau ymddwyn fel petai ef oedd yn gwneud yr holi. Roedd Ken Roberts wedi cellwair am hynny gyda Clem Owen yn gynharach, ond po fwyaf y meddyliai amdano nawr, mwyaf anghyfforddus y teimlai. Roedd hi'n union fel petai Williams yn gwybod fod ganddo rywbeth i'w guddio, rhywbeth nad oedd am i neb arall wybod amdano.

'Damo!' ffrwydrodd Ken Roberts, a tharo'r ddesg â chledr ei law. Efallai bod Williams yn dweud y gwir am ei sefyllfa ef, ond doedd hynny ddim yn golygu bod ganddo fonopoli ar y gwirionedd. Beth oedd e'n ei wybod? gofynnodd iddo'i hun. Beth oedd Emrys Morgan wedi'i ddweud wrtho? Mae'n rhaid mai oddi wrth hwnnw roedd Williams wedi cael ei wybodaeth. Roedd hi'n naturiol bod y ddau'n adnabod ei gilydd, ac wedi trafod achos Daniel; dyna'r peth rhesymol i unrhyw un yn yr un proffesiwn ei wneud. Ond wedyn, beth wyddai Emrys Morgan? *Ar ôl* i Ken Roberts daro'i fab i'r llawr y daeth ef a Gareth Lloyd i mewn i'r ystafell holi; allen nhw ddim fod wedi gweld dim. Roedden nhw'n amau rhywbeth, wrth gwrs, ond ni allai'r un ohonyn nhw fod yn siŵr beth oedd wedi digwydd yn yr ystafell. Petai Emrys Morgan wedi gweld rhywbeth ac wedi darbwyllo'r ymchwiliad, yna ni fyddai ef yno nawr. Na, doedd Emrys Morgan yn gwybod dim. Doedd neb yn gwybod.

'. . . eithr pob peth sydd yn noeth ac yn agored i'w lygaid ef . . .' meddai Jonathan Williams o'r peiriant yn ei ymyl.

Na! Diffoddodd y peiriant. Roedd e wedi rhoi cyfrif yn barod. Roedd ymchwiliad wedi ei gynnal ac roedd wedi ei gael yn ddieuog o unrhyw gamymddwyn. Beth bynnag a gredai Emrys Morgan, a beth bynnag a wyddai Jonathan Williams, ni allai neb wneud dim iddo bellach.

'Neb!'

Edrychodd ar ei nodiadau ac ailddechrau teipio.

Ond po fwya y ceisiai'i argyhoeddi ei hun, mwya gwag a di-rym y swniai ei eiriau.

Pymtheg llath i lawr y coridor roedd y Ditectif Gwnstabl Eifion Rowlands hefyd yn ail-fyw'r cyfweliad â Jonathan Williams, ac er ei fod yntau wedi cael y sgwrs rhwng y gweiniodog a Ken Roberts yn brofiad anghyfforddus – ble ar y ddaear roedd e wedi cael gafael ar y darn yna am 'farnu meddyliau a bwriadau'r galon'? – nid oedd ei gydwybod ef yn ei boeni cymaint ag yr oedd cydwybod yr arolygydd. Ofn, nid euogrwydd, a boenai Eifion. Ofn y byddai'r gwirionedd am lofruddiaeth Lisa Thomas, ynghyd â'i ran ef yn y digwyddiadau, yn dod i'r golwg.

Efallai mai breuddwyd gwrach oedd gobeithio y byddai'r cyfan yn diflannu, neu y gallai ef ddadlau'n llwyddiannus yn erbyn fideo Ryan. Na, roedd yn rhaid iddo wneud rhywbeth am y sefyllfa unwaith ac am byth, ac roedd y cyfweliad gyda Jonathan Williams wedi dangos y ffordd yn glir iddo.

Cododd y ffôn a deialu rhif oedd wedi dod yn gyfarwydd iawn iddo.

'Helô?' Clywodd lais Ryan ar ben arall y ffôn.

'Ma' 'da fi newyddion i ti.'

'Pwy . . . ? Eifion, ti sy 'na?'

'Ie.'

'Iawn, well i ni gwrdd. Alli di ddod 'ma erbyn . . . ?'

'Na, ddim i'r tŷ. Marine Coast.'

'Ond ma'r lle ar gau.'

'Ma' 'da ti allwedd. Naw o'r gloch wedwn ni, 'te.'

'Gobeithio bod 'da ti rwbeth sy'n werth hyn i gyd.'

'Ti ofynnodd i fi. Os nad wyt ti ise'i glywed e . . .' a gadawodd weddill y frawddeg i hofran.

'Iawn, iawn. Naw o'r gloch, a paid bod yn hwyr.'

Mae'n bwysig i Ryan ei fod yn cael y gair olaf, meddyliodd Eifion. Ond ddim am hir, cysurodd ei hun, wrth iddo roi'r ffôn i lawr.

Dydd Iau 4 Tachwedd – Dydd Gwener 5 Tachwedd
20:50 – 00:44

Roedd Martin Ware wedi gwneud datganiad am ei symudiadau nos Lun ac wedi cael cyfle i gofnodi ei fersiwn ef o'r hyn a ddigwyddodd yn y fflat. Ond er gwaethaf ymdrechion Richard Samuel i'w gael yn rhydd ar fechnïaeth, fe fyddai'n treulio'r noson yn y celloedd. Amgylchiadol ar y cyfan oedd y dystiolaeth yn ei erbyn, ond roedd mwy na digon ohoni i gyfiawnhau ei gadw yn y ddalfa a chaniatáu mwy o amser i'r heddlu wneud rhagor o ymchwiliadau.

Trannoeth fe fyddai Martin Ware yn wynebu oriau o holi eto pan fyddai'r heddlu'n ei brocio am dyllau ac anghysonderau yn yr hyn roedd eisoes wedi ei ddweud, gan nodi'r cyfan ar bapur a thâp rhag ofn y byddai'n newid ei feddwl ac yn ei wadu'n ddiweddarach. Fe allai wadu a phledio'i ddiniweidrwydd gymaint a fynnai, ond teimlai Clem Owen a Gareth Lloyd yn weddol sicr mai ef a lofruddiodd Andrew Marriner.

Yr eiliad yr aeth Martin Ware i'r celloedd fe ddatganodd y prif arolygydd yn ei ffordd ddihafal ei hun mai 'digon i'r diwrnod' a'i throi hi am adre, gan adael i Gareth Lloyd ddiweddaru cofnodion yr ymchwiliad.

Bellach roedd hynny wedi ei wneud ac roedd Gareth ei hun yn ystyried dilyn esiampl ei bennaeth. Edrychodd ar ei oriawr; aethai'n rhy hwyr iddo ffonio Carys na galw i'w gweld. Ond nid pigiadau ei gydwybod am esgeuluso Carys a'i poenai; roedd yna rywbeth arall yn cnoi yng nghefn ei feddwl, atgof am rywbeth a haeddai ei sylw ond nad oedd wedi ei wneud. Ni allai yn ei fyw gofio beth ydoedd – nes iddo ddisgyn i gyntedd yr orsaf a dymuno nos da i'r Rhingyll John Williams.

'Beth wyt ti ise neud â'r rhain?' gofynnodd y rhingyll iddo pan oedd ar fin agor drws allanol yr adeilad.

Trodd Gareth a'i weld yn dal tri chwdyn plastig i fyny, yn llawn casetiau peiriannau ateb Andrew Marriner.

'Helô, Peter, Titania sy 'ma. Odi'r tri llyfr 'na archebais i wedi cyrra'dd eto? Mae bron yn dair wthnos nawr, ac mae eu gwir angen arna i erbyn hyn. Alla i ddim gadel i'r gymysgedd ffrwtian am dragwyddoldeb, alla i? Bydd lân a bydd lawen. *Ciao*.'

'Peter, oes gyda chi *athame* mewn stoc? Mae'n un i wedi torri ac mae'n rhaid i fi gael un cyn nos Sadwrn. Mae'n rhaid iddo fod yn un deulafn gyda charn du. Ffonia fi. Mae'n gwbl gwbl angenrheidiol 'mod i'n cael un. Diolch. O, ie, Alison Walters sy 'ma. Diolch. Cofia mae e'n bwysig bwysig. Diolch. Cofia.'

'Andrew, ffonia fi pan gei di gyfle. Dwi newydd glywed o Ffrainc; mae e hyd yn o'd yn well nag o'n i wedi'i ddisgwl. Hwyl, Tony.'

'Andrew? Newydd ddarllen dy lythyr yn ateb syniade gwirion y pregethwr yna. Da iawn ti, rwy'n cytuno â phob gair. Rho wbod am y trefniade ar gyfer y cyfarfod; bydd Elizabeth a finne'n mynd yn bendant. Hwyl, Huw.'

'Mr Marriner? Crown Motors. Ma'r darn ar gyfer 'ych car wedi cyrra'dd. Os allwch chi ddod â'r car mewn rywbryd fory fe allwn ni neud y gwaith cyn diwedd yr wthnos, fel ry'ch chi ise. Ma'n ddrwg 'da ni am yr oedi. Diolch.'

'Peter, fydde hi'n bosib i ti archebu copi o lyfr diweddara Sondra Pennell i fi? Dwi newydd orffen *Sacred Sighs* ac mae e'n agoriad llygad . . . nage mae'n agoriad meddwl ac ysbryd. Mae'n rhaid i fi gael un arall ar unwaith. Diolch, Kate Smith.'

'Andrew? Jyst gair i ddweud cymaint roedd Robert a finne wedi gwerthfawrogi'r sgwrs gawson ni. Rwyt ti wedi rhoi'r cyfan mewn persbectif newydd. Wrth gwrs, fydd Diane byth yn ei gweld hi fel'ny, ond dyna fe, mae hi'n rhan o'r gorffennol bellach. Diolch, diolch, diolch, Alan.'

'Nigel Curtis o Dryad Oils sy 'ma. Allwch chi anfon copi arall o'ch archeb olaf aton ni? Mae gyda ni record ein bod wedi ei derbyn ond allwn ni ddim cael hyd iddi nawr. Mae'r system e-bost wedi bod lawr ers ddoe, dyna pam dwi'n eich ffonio. Ry'n ni newydd dderbyn *consignment* anferth o India ac mae bocsys ymhobman. Mae sawl math o ennaint newydd wedi cyrraedd hefyd a fydd o ddiddordeb i chi, dwi'n credu. Fe anfona i sampl gyda'r archeb gan ei bod hi'n mynd i fod yn hwyr.'

Gwasgodd Gareth y botwm i agor y peiriant a thynnodd y

tâp allan. Yn ystod yr awr ddiwethaf roedd wedi gwrando ar yn agos i hanner cant o negeseuon, gan ddechrau gyda'r tapiau roedd ef wedi eu darganfod yn swyddfa'r siop ac ystafell fyw'r fflat, a gorffen gyda'r ddau dâp roedd Kevin Harry wedi eu cymryd o'r peiriannau ateb – yr un o'r swyddfa yn gyntaf ac yna'r un o ystafell fyw y fflat.

I Gareth, pytiau digyswllt oedd y negeseuon, cipolwg ar fywydau pobl, eu diddordebau, eu busnes a'u ffordd o fyw, ac wrth iddo wrando arnynt câi'r teimlad ei fod yn dod i mewn ar hanner pethau. Roedd hynny'n deimlad a gâi gyda phob ymchwiliad, a'i waith ef oedd gwneud synnwyr o'r hyn oedd wedi digwydd a chanfod y gwirionedd. Ond nid oedd hynny fel arfer yn hawdd.

Nododd y neges olaf a dechrau edrych yn ôl dros y nodiadau a wnaethai o'r gweddill. Ar wahân i ambell neges am bethau bob dydd, megis trwsio'r car a threfnu gwyliau, disgynnai trwch y negeseuon i ddau gategori, a'r cyntaf, a'r mwyaf o bell ffordd, oedd y rhai oedd yn ymwneud â busnes y siop. Roedd hi'n amlwg bod nifer o'r bobl oedd yn archebu nwyddau yn gwsmeriaid rheolaidd a oedd yn adnabyddus i Marriner a Harris wrth eu henwau cyntaf – er mor rhyfedd ac annhebygol y swniai rhai ohonynt. Cyflenwyr oedd gweddill y dosbarth cyntaf hwn a oedd naill ai'n cyfeirio at archebion a gawsant gan y ddau, neu yn cynnig rhywbeth a allai fod o ddiddordeb iddynt.

Perthynai'r ail gategori o negeseuon i ail ystyr y gair Rites, sef ymgyrchu Andrew Marriner dros hawliau hoywon a lesbiaid. Yn eu plith roedd ambell neges a gyfeiriai at y gyfres o lythyrau a ymddangosodd ar dudalennau'r *Dyfed Leader*, ac yn ôl y disgwyl, canmol safiad Marriner a chondemnio sylwadau Jonathan Williams oedd byrdwn pob un o'r negeseuon hynny.

Yn groes i'r disgwyl, nid oedd ar unrhyw un o'r tapiau yr un neges ddienw yn bygwth Andrew Marriner na Peter Harris am yr hyn roedden nhw'n ei werthu yn y siop, nac am eu ffordd o fyw, nac ychwaith am yr hyn roedd Marriner wedi ei ysgrifennu yn y *Dyfed Leader*. Ac yn fwy siomedig byth ym marn Gareth Lloyd, nid oedd yno'r un cliw i'w harwain at y rheswm dros lofruddio perchennog Rites, na chwaith i awgrymu pwy oedd wedi ei lofruddio.

Rhoddodd Gareth y tapiau'n ôl yn y cwdau a cheisio pwyso a mesur eu gwerth. Roedd hi'n anodd rhoi trefn amser ar y tapiau roedd ef wedi dod o hyd iddynt. Roedd hi'n amlwg eu bod yn cael eu cadw am ryw gyfnod gan fod yna archebion arnynt, ond yna, ar ôl i'r archebion gael eu cyflenwi, fe fyddent yn cael eu hailgylchu a'u defnyddio eto.

Ond roedd y tâp a gafodd Kevin Harry ym mheiriant ateb y fflat yn wahanol. Hwnnw a'r tâp roedd Kevin wedi ei gymryd o beiriant ateb y swyddfa oedd y rhai cyfredol, ac os oedd Martin Ware yn dweud y gwir pan ddywedodd fod Andrew Marriner wedi gadael i beiriant ateb y fflat gasglu galwadau nos Lun, fe ddylai'r negeseuon hynny fod arno.

Ond ni swniai'r wyth neges ar y tâp hwnnw'n iawn i Gareth, rywsut. Os oedd Crown Motors wedi ffonio cyn iddyn nhw gau brynhawn dydd Llun, yna dim ond y tair neges ddilynol allai fod wedi cael eu gadael ar ôl y neges honno. Fe allai Kate Smith ac Alan fod wedi ffonio unrhyw bryd yn ystod y nos, ond beth am Dryad Oils? A fyddai cwmni masnachol yn ffonio'n hwyr y nos, hyd yn oed os oedden nhw wedi gwneud cawlach o'r archeb?

Doedd dim dwywaith nad oedd gan y tapiau rywbeth i'w ddweud, ond beth? Os oedd y peiriant ateb . . .

Alison Walters!

Chwiliodd Gareth ymhlith y papurau ar ei ddesg am y rhestr roedd Peter Harris wedi ei rhoi iddo. Roedd yn siŵr bod enw Alison Walters ar y rhestr honno.

'Dyna hi,' meddai, gan ddarllen yr hyn roedd wedi ei ysgrifennu ar bwys ei henw. Nid oedd ef wedi siarad â hi gan fod John Richards, un arall roedd Harris wedi ei gynnwys ar y rhestr, wedi dweud ei bod hi'n aelod o Darian Teyrnion. Pe gallai gael gwybod ganddi pryd yn union roedd hi wedi gadael y neges ar beiriant ateb Rites, fe ddylai allu gosod y galwadau eraill yn nhrefn amser.

Cydiodd yn y ffôn a deialu'r rhif roedd Peter Harris wedi ei nodi gyferbyn ag enw Alison Walters.

Canodd a chanodd y ffôn a churodd Gareth y ddesg yn ddiamynedd. Doedd pethau ddim yn mynd i fod mor hawdd â hynny wedi'r cyfan. Dechreuodd roi'r ffôn i lawr ond yna cododd ef yn ôl i'w glust yn y gobaith bod rhywun wedi ei ateb, ond roedd yn dal i ganu.

Pan roddodd Gareth y ffôn i lawr yn y diwedd, dechreuodd ganu ar unwaith.

'Helô?'

'Gareth? Jonathan Williams fan hyn.'

'O, shw' mae? Ro'n i'n . . .'

'Gwranda, mae Megan Griffiths newydd fy ffonio; mae hi wedi gweld golau yn y coed y tu ôl i gapel Penuel.'

*

Ymddangosai fod Richie Ryan yno'n barod. Llifai golau drwy ffenest y dderbynfa a gyrrodd Eifion ei gar tuag ato a pharcio'r drws nesaf i'r BMW glas. Roedd hi'n bwysig iawn i Eifion mai yma yn Marine Coast roedd y ddau'n cyfarfod gan iddo deimlo dan anfantais y ddeudro roedd ef wedi ymweld â Ryan yn ei gartref. Yno, ar ei domen ei hun, roedd Ryan wedi bod yn llawn ohono'i hun gan ymddwyn fel petai'n feistr ar Eifion a bod ganddo'r hawl i ddweud wrtho beth i'w wneud. Mae'n siŵr bod Ryan yn ystyried Marine Coast yn rhan o'i deyrnas hefyd, ond roedd yna wahaniaeth mawr rhwng y ddau le: yma roedd merch ifanc wedi cael ei llofruddio ac roedd Richie Ryan wedi gwneud ei orau glas i gelu'r ffaith.

Nid oedd neb i'w weld yn yr ystafell allanol felly cerddodd Eifion drwy'r bwlch agored yn y cownter a thrwodd i'r swyddfa fechan yn y cefn. Eisteddai'r perchennog y tu ôl i'w ddesg yn ysmygu sigâr ac yn ymddangos yn gwbl ddidaro. Tomen wahanol efallai, ond yr un hen geiliog.

'Dere mewn. Stedda,' galwodd yn fawrfrydig pan welodd Eifion.

Anwybyddodd Eifion y gwahoddiad ac arhosodd ar ei draed. Pwysodd Ryan ei ben yn ôl a chwythu cwmwl glas trwchus o fwg drwy gornel ei geg. 'Wel, be sy 'da ti i fi?'

Tynnodd Eifion becyn sigaréts o'i boced ac estyn am daniwr aur Ryan a orweddai ar y ddesg.

'Wel?' gofynnodd Ryan ychydig yn ddiamynedd, fel petai ei grib yn dechrau gwywo.

Cyneuodd Eifion ei sigarét. 'Dwi'n mynd mas am dro,' meddai, a chan daflu'r taniwr yn ôl ar y ddesg, cerddodd allan o'r ystafell. Y tu ôl iddo clywai Ryan yn prysuro i godi o'i gadair.

'Hei!'

Ond cariodd Eifion yn ei flaen nes ei fod y tu allan i'r adeilad.

'Beth yw'r gêm?' gofynnodd Ryan gan ruthro ar ei ôl a thynnu ei got amdano rhag y gwynt main a chwythai ar draws y gwersyll o gyfeiriad y môr.

'Gormod o fwg mewn fan'na, a meddwl y bydde ychydig o awyr iach yn neud lles i'r ddau ohonon ni.' Dechreuodd gerdded i gyfeiriad y carafannau gan adael i'r llall ei ddilyn, ac os âi pethau fel roedd Eifion yn gobeithio, dilyn fyddai'r gorau y gallai Ryan ddisgwyl amdano heno.

Gwgodd Richie Ryan yn y tywyllwch, ond yna meddalodd ei wyneb a gwenodd. 'O, wela i, fel'na ma' hi, ie?'

Nid atebodd Eifion, dim ond sugno ar ei sigarét a cherdded yn ei flaen.

'Ofni'r dechnoleg wyt ti, ie?' galwodd Ryan cyn prysuro ar ei ôl.

'Na, ddim y dechnoleg,' atebodd Eifion. 'Ond weithie ma'n rhaid i ti fod yn ofalus o'r sawl sy'n 'i ddefnyddio.'

Chwarddodd Ryan. 'Wel do's dim ise i ti boeni am hynny nawr.'

Arhosodd Eifion a throi i'w wynebu. 'All dyn ddim bod yn rhy ofalus, all e?'

'Digon gwir,' atebodd Ryan yn ddiamynedd. 'Iawn, ry'n ni'n ddigon pell o olwg y swyddfa a'r camera diogelwch. Be sy 'da ti i fi?'

'Ma' hynny'n dibynnu ar be sy 'da ti i fi.'

'Wyt ti'n disgwl ca'l dy dalu?'

'Ddim ag arian.'

'Â beth, 'te?'

'Ti soniodd am dechnoleg a chamerâu fideo.'

Tynnodd Ryan y sigâr o'i geg a nodio'i ben yn dawel am rai eiliadau. 'Paid whare 'da fi, Eifion; cofia mai 'da *fi* ma'r fideo.'

'Dwi wedi bod yn meddwl am y fideo 'na,' meddai Eifion gan anwybyddu'r bygythiad. 'Dwi ddim yn credu'i fod e'n gymaint o broblem â 'ny. Dim ond llunie sy arno fe, dim sain, ac os wyt ti'n meddwl y galli di greu rhyw stori i fynd gyda'r llunie, yna fe allen inne neud yr un peth.'

'Ac rwyt ti'n barod i fentro ar hynny, wyt ti?' gofynnodd Ryan yn wawdlyd.

'Odw,' atebodd Eifion heb oedi. 'Ond fydde'n well 'da fi ga'l y fideo.'

'Ma'n siŵr,' chwarddodd Ryan, ond doedd dim llawer o ddigrifwch yn y chwerthiniad, a diflannodd pob arlliw ohono pan ddywedodd Eifion, 'Ond a wyt *ti'n* barod i fentro arno fe? Mentro'r cyfan ar ychydig funude o lunie sy'n profi dim?'

'Ac ar sail rhyw fygythiad gwag fel'na rwyt ti'n disgwl i fi 'i roi e i ti?'

'Odw. Ond os yw 'i gadw fe'n bwysicach i ti na'r wybodaeth sy 'da fi . . .' a gadawodd Eifion i'r geiriau lithro i ffwrdd gyda mwg ei sigarét i gymysgu â meddyliau Richie Ryan.

'Os wyt ti'n meddwl . . .'

'Na,' meddai Eifion ar ei draws. 'Beth fydd Michael dy frawd yn 'i feddwl, dyna beth ddylet ti 'i ofyn i ti dy hunan. Dyna be sy tu ôl i hyn i gyd, yntefe? Ma' fe mewn twll, ac ma' fe wedi gofyn i ti am help, ond ma'n well 'da ti beidio. Popeth yn iawn, Richie, dwi'n deall; gobeithio bydd Michael yn deall hefyd.'

Syllodd Ryan yn galed arno am ychydig, yn amlwg yn pwyso a mesur y broblem a wynebai. Daliodd Eifion ei edrychiad, gan obeithio bod crybwyll enw'i frawd wedi creu mwy o ansicrwydd yn ei feddwl ac yn rhyw arwydd o'r wybodaeth oedd ganddo. Yn ddirybudd trodd Ryan i ffwrdd a cherdded yn ôl am yr adeilad. Gwenodd Eifion a symud ychydig lathenni'n agosach at y carafannau.

Ymhen dwy funud gwelodd amlinelliad perchennog Marine Coast yn nrws yr adeilad, ac os nad oedd ei lygaid yn methu, roedd ganddo becyn bychan hirsgwar yn ei law.

Cerddodd Ryan yn bwrpasol ar draws yr iard. 'Dyma ti,' meddai, gan daflu'r pecyn at Eifion.

Daliodd Eifion ef ac edrych arno. 'Hwn yw'r fideo iawn, ie?'

'Drycha!' bytheiriodd Ryan. 'Ro't ti ise'r fideo; ti wedi'i ga'l e. Nawr ma'n amser i ti . . .'

'Ma' 'da'r Drug Squad ddiddordeb yn Rise Seven Five.'

'Ti'n siŵr?'

'Odw,' meddai, gan lithro'n esmwyth i mewn i'r celwydd roedd wedi ei baratoi. Nid oedd gan Eifion mo'r syniad lleiaf a oedd gan yr Uned Gyffuriau ddiddordeb yng nghlwb Michael Ryan ai peidio, ond y peth hawsaf, a'r diogelaf, iddo ei wneud oedd bwydo amheuon Ryan ei hun. Efallai ei bod hi'n well gan bobl glywed newyddion da na newyddion drwg, ond ar y cyfan maen nhw'n gwybod ble maen nhw'n sefyll yn well gyda newyddion drwg.

'Wyt ti'n gwbod pryd ma'n nhw'n bwriadu chwilio'r clwb?'

'Nadw, a dwi ddim yn credu'u bod nhw'n gwbod 'u hunen ar hyn o bryd, ond os yw dy frawd yn gall fe fydd e'n cadw'i ben lawr am ychydig.'

'Dyw hi ddim mor hawdd â 'ny. Ma' pobol erill yn y busnes a bydd raid . . .'

'Hei!' gwaeddodd Eifion, gan godi ei ddwylo. 'Dwi ddim ise clywed; dim ond gweud odw i mai cadw'n dawel am ychydig fydde'r peth gore iddo'i neud.' Doedd Eifion ddim yn poeni a fyddai Michael Ryan yn derbyn ei gyngor ai peidio. Yr unig beth oedd yn cyfri oedd bod Richie Ryan yn credu'r stori, ac yn hynny o beth roedd y sefyllfa'n argoeli'n dda. Yn wir, teimlai mor hyderus nawr a'r fideo yn ei feddiant fel y dechreuodd oreuro ychydig ar y stori. 'Ma'r cyfan yn rhan o ymchwiliad mwy sy'n ca'l 'i gynnal ar draws y sir, ond fe alli di fentro pan fyddan nhw'n barod i symud, fydd dim amser gydag e i dynnu 'nôl wedyn.'

Sugnodd Ryan yn ddyfal ar ei sigâr a dechreuodd Eifion ei arwain gam wrth hanner cam yn agosach at y carafannau.

'Gwed hynny wrth dy frawd a gad y penderfyniad iddo fe; ma' 'da ti bethe pwysicach i boeni amdanyn nhw.'

'Beth?' gofynnodd Ryan a oedd ond yn hanner gwrando.

'Bydd Inspector Roberts yn siŵr o ddod 'nôl i chwilio'r lleill,' meddai Eifion, gan nodio i gyfeiriad y ffurfiau hirsgwar o'u blaen.

Edrychodd Ryan ar y carafannau, ac er i gyd-destun geiriau Eifion wawrio arno, ni ddywedodd air.

'O ba garafán dda'th y carped?' gofynnodd Eifion.

'Carped?'

'Yr un ro't ti a Brian Pressman yn 'i losgi pan ddes i 'ma gynta; trannoeth llofruddiaeth Lisa Thomas. Ro'dd ffibre o garped sy'n ca'l 'i ddefnyddio mewn carafanne ar 'i chorff ac ma'n siŵr bod Inspector Roberts eisoes wedi neud nodyn o'r carafanne sy wedi ca'l carpedi newydd yn ddiweddar. Unwaith bydd e wedi mynd drwy'r carafanne i gyd, fe fydd e'n siŵr o ganolbwyntio ar y rheini wedyn. I ddechre bydd e'n galw am griw o wyddonwyr fforensig fydd yn mynd drwyddyn nhw i gyd â chrib mân.'

'A dy waith di . . .'

'Fydd 'u cynorthwyo nhw, fwy na thebyg,' meddai Eifion ar ei draws, i ddangos fod natur eu perthynas wedi newid. 'Ro'dd Lisa Thomas a Brian Pressman wedi bod yn gariadon yn ystod yr haf, on'd o'n nhw? Ro'dd Pressman wedi colli'i dymer gyda hi'r noson honno am ryw reswm, ac wedi'i lladd hi yn un o'r carafanne; yr un lle'r o'dd y carped ro'dd yn rhaid i ti'i losgi am fod gwa'd arno fe.'

'Gwranda, dwi ddim yn gwbod pam wyt ti'n codi hyn i gyd 'to; ma' Brian yn ddigon pell i ffwrdd erbyn hyn, a'r peth gore alli di'i neud yw anghofio popeth amdano fe a Lisa.'

Chwarddodd Eifion. 'Ma'n amlwg nad wyt ti wedi cwrdd ag Inspector Roberts; unwaith mae e'n ca'l 'i ddannedd mewn i rwbeth, dyw e ddim yn gadel fynd yn hawdd. Ac ar wahân i'r garafán, yr hyn sy'n tynnu dŵr o'i ddannedd e ar hyn o bryd yw beth ddigwyddodd i Lisa ar ôl i Brian 'i llofruddio hi. Wyt ti ise clywed beth ma'r inspector yn meddwl ddigwyddodd?'

Sugnodd Ryan ar ei sigâr ond roedd hi wedi diffodd. Chwiliodd yn ei bocedi am dân ond roedd y taniwr aur yn gorwedd ar y ddesg yn y swyddfa.

'Os mai yn un o'r carafanne ga'th Lisa'i llofruddio, ma'n rhaid bod rhywun wedi'i symud hi o fan'ny i Goed y Gaer – neu ryw *rai*, ddylen i ddweud. Ry'n ni wedi holi yn Lôn y Coed sawl gwaith, ond do'dd neb wedi gweld na chlywed dim y noson honno. Nawr ma'n ddigon posib fod car wedi gyrru heibio'r tai a bod neb wedi'i glywed e, ond fwy na thebyg y rheswm pam na chlywodd neb sŵn car yw am nad o'dd car wedi gyrru heibio'r tai o gwbwl. Ac ma' hynny wedi neud i Inspector Roberts feddwl am lwybr yr arfordir fel y ffordd y symudwyd ei chorff o fan hyn i Goed y Gaer.'

Cyneuodd Eifion fatsien a'i hestyn i gynnau sigâr Ryan. Hyd yn oed yn y golau gwan roedd y tyndra yn ei wyneb yn amlwg.

'Os o't ti'n meddwl y gallet ti anghofio am Brian Pressman, dwi'n ofni y bydd yn rhaid i ti feddwl 'to.'

Siglodd Ryan ei ben. 'O's 'na . . .' dechreuodd, ond yna collodd ei drywydd a thawelu.

Yn yr eiliad honno synhwyrodd Eifion fod rhywbeth wedi newid, bod Ryan wedi sylweddoli nad oedd y sefyllfa dan ei reolaeth bellach. Ychydig funudau'n ôl roedd popeth wedi ymddangos mor berffaith; gyda Brian Pressman yn bell i ffwrdd ac Eifion yng nghledr ei law, credai Ryan na allai neb ei gyffwrdd. Ond nawr . . . ai dyma gyfle Eifion? Rhoddodd y blwch matsys yn ôl yn ei boced.

'Dim ond mater o amser yw hi,' meddai'r heddwas yn dawel.

Parhaodd Ryan i ysgwyd ei ben ac ofnai Eifion am eiliad ei fod wedi camddarllen ei gyflwr meddyliol, ond yna, gydag un ysgytwad terfynol, gwelodd fod crib y ceiliog wedi ei thorri.

'Pryd ddest ti i wbod bod Pressman wedi llofruddio Lisa Thomas?' holodd Eifion ef.

'Y noson honno.'

'A Brian wedodd wrthot ti.'

'Ie. Ro'dd e a Lisa wedi bod yn gariadon yn ystod yr haf pan o'dd hi'n gweithio 'ma, a phan welodd Brian hi yn y ddawns, meddyliodd fod 'dag e gyfle i ddechre'r berthynas 'to. Ro'dd Lisa'n ddigon cyfeillgar i ddechre ac fe dreuliodd y ddau ohonyn nhw amser yn siarad â'i gilydd. Wedyn fe ethon nhw am dro ac a'th Brian a hi i mewn i un o'r carafanne a dyna pryd y trodd pethe'n gas a . . .' Ailddechreuodd yr ysgwyd pen ac ofnai Eifion nad oedd yn mynd i ddweud mwy, ond yna sylweddolodd mai ceisio ysgwyd o'i feddwl y delweddau oedd wedi eu serio yno ydoedd. 'Ro'dd gwa'd ymhobman, gredet ti ddim, dros y llawr y walie, y dodrefn, bobman. Ma'n rhaid 'i fod e wedi colli arno'i hunan yn llwyr i neud y fath beth.' Ac fe gaeodd ei lygaid a siglo'i ben eto.

'Pryd wedodd e wrthot ti? Ar ôl yr ymladd yn y ddawns?'

Trodd Richie Ryan ei ben i ffwrdd a syllu i'r pellter, i ganol y tywyllwch a'i hamgylchynai. 'Ie, ar ôl i bawb fynd. Ro'n ni'n cau lan a da'th Brian ata i a gweud bod 'dag e rwbeth i' ddangos i fi. Uffach! Do'dd 'da fi ddim syniad. Ro'n i'n meddwl bod y bechgyn 'na wedi neud rhwbeth i'r carafanne; 'u bod nhw wedi neud rhagor o ddifrod am fod y ddawns wedi gorffen yn gynnar. Ond pan agorodd e ddrws y garafán . . .' Sugnodd fwg y sigâr yn ddwfn i'w ysgyfaint. 'Wyt ti wedi gweld rhwbeth fel'na erio'd?'

'Nadw.'

'Bydd yn ddiolchgar; dwi'n methu'n lân a'i ga'l e mas o'n feddwl.'

'Dy syniad di neu Pressman o'dd symud y corff?'

'Pwy ti'n meddwl? Alle Brian ddim meddwl ymhellach na'i drwyn. Allet ti ddychmygu'r effaith bydde llofruddiaeth yn un o'r carafanne'n ca'l ar y busnes? Pwy fydde ise dod i aros 'ma ar 'i wylie wedyn? Ro'n ni'n gwbod na allen ni ddim dianc yn llwyr o'r cyhoeddusrwydd drwg gan fod Lisa wedi bod yn y ddawns, ond os allen ni symud 'i chorff hi o 'ma, fydde pethe ddim cynddrwg.'

'Ti a Brian symudodd hi?'

Oedodd Ryan cyn ateb, 'Ie.'

'Ar hyd llwybr yr arfordir?'

'Ie.'

'Beth am Sean Macfarlane, o'dd e'n rhan ohono fe?'

'Nago'dd. Lleia'n byd o'dd yn gwbod amdano fe, gore'n byd.'

'Ble ma' Brian nawr?'

'Dwi ddim yn gwbod a dwi ddim ise gwbod. Rhoies i bum can punt iddo fe i'w helpu ar y ffordd, a bydden i wedi bod yn barod i roi deg gwaith hynny i ga'l gwared ohono fe.' Siglodd ei ben ac edrych i ffwrdd, y cwestiynau a'r gofidiau'n chwyrlïo o gwmpas ei ben. 'Be sy'n mynd i ddigwydd nawr?'

'Ma'r ymchwiliad i lofruddiaeth perchennog Rites yn cadw pawb yn brysur ar hyn o bryd, ond alli di fentro unwaith y bydd hwnnw drosodd byddwn ni 'nôl fan hyn.' Allai Eifion fod wedi dweud mwy, ond barnai mai doethach fyddai cadw rhag cynnig unrhyw fath o gymorth na chysur iddo. Rhyngddo fe a'i fusnes oedd hi bellach.

'Hei! Beth yw'r brys?' galwodd Berwyn Jenkins ar Gareth wrth iddo'i weld yn disgyn y grisiau ac yn rhedeg am ddrws yr ochr a'r maes parcio.

'Dim amser,' galwodd Gareth cyn sylweddoli y gallai'r rhingyll fod o gymorth. 'Dwi ar 'yn ffordd i gapel Penuel. Ffoniodd Jonathan Williams i ddweud bod Megan Griffiths wedi gweld gole 'na.'

'Dwi'n dod 'da ti.'

'Pwy arall sy ar ga'l?'

'Ffeindia i rywun.'

'Iawn, dwi'n mynd i gasglu Jonathan Williams. Wela i di yn y capel.'

Fflachiodd Eifion y golau i arwyddo ei fod yn llywio'r car oddi ar y ffordd fawr ac i mewn i'r gilfan. Gwasgodd y brêc i stopio'r car a diffoddodd y goleuadau gyrru. Agorodd ei wregys diogelwch ac yna ddau fotwm uchaf ei got fawr cyn tynnu'r meicroffon oedd ar ei dei yn rhydd. Tynnodd yn araf a gofalus ar y weiren a gysylltai'r meicroffon i'r peiriant recordio bychain nes bod hwnnw hefyd yn rhydd.

Gwasgodd fotwm ar y peiriant recordio a chlywodd wichian y tâp yn rhedeg yn ôl. Gadawodd Eifion iddo redeg am rai eiliadau cyn ei stopio a gwasgu'r botwm i'w chwarae.

'*Pryd wedodd e wrthot ti? Ar ôl yr ymladd yn y ddawns?*'

Swniai ei lais ychydig yn deneuach nag yr oedd e'n gyfarwydd ag ef, ond roedd yn ddigon uchel i'w ddeall, fel ag yr oedd ateb Richie Ryan.

'*Ie, ar ôl i bawb fynd. Ro'n ni'n cau lan a da'th Brian ata i a gweud bod 'dag e rwbeth i' ddangos i fi.*'

Stopiodd Eifion y tâp a gwenu. 'Richie, Richie,' meddai'n uchel. 'Wedes i wrthot ti fod ise bod yn ofalus o bobol sy'n defnyddio technoleg.'

Rhoddodd y peiriant i lawr ar y sêt yn ei ymyl, cynnau golau'r car a'i lywio yn ôl i'r ffordd fawr.

Gwasgodd Clem Owen gloch y drws ac aros. Nid oedd yn siŵr a oedd yn gwneud y peth yn iawn yn galw yno am . . . edrychodd ar ei oriawr, ugain munud wedi naw, ond gan fod Lunwen wedi bod mor bendant y dylai wneud, roedd hi wedi bod yn anodd iddo wrthod. Teimlai bwl o euogrwydd hefyd. Fe ddylai fod wedi galw cyn hyn o'i ben a'i bastwn ei hun, ond gyda'r holl waith ar ei blât nid oedd wedi cael amser i feddwl am ddim byd arall ers wythnosau. Petai ganddo fwy . . . na, gwyddai mai esgus oedd hynny, nid rheswm. Fe ddylai fod wedi *gwneud* amser.

Roedd wedi arfer meddwl bod ganddo berthynas dda â'i swyddogion, a bod yr hen ddwli am 'dîm Clem' yn rhyw fath o arwyddair cyfriniol a'u clymai'n gwmni clòs. Ond gwyddai erbyn hyn nad oedd hynny'n ddim ond hunan-dwyll. Petai'n onest, byddai'n rhaid iddo gyfaddef mai arwynebol a phytiog oedd ei adnabyddiaeth ohonyn nhw i gyd, hyd yn oed Ken Roberts, gŵr yr oedd wedi ei adnabod ers dros ddeng mlynedd; ac roedd yr ymchwiliad disgyblaeth wedi profi hynny.

Dim ond i bawb wneud eu gwaith yn iawn a chadw eu trwynau'n lân, roedd ef wedi bod yn ddigon hapus i adael iddyn nhw fynd eu ffordd eu hunain. Gofalu amdano'i hun oedd hynny, nid gofalu amdanyn nhw, a phan oedd un neu ddau ohonyn nhw wedi mynd i drafferth, beth wedyn? Beth oedd ef wedi ei wneud i'w helpu? Os oedd ef yn eu hystyried yn rhan o dîm . . .

Agorodd y drws ar draws ei feddyliau ac yno safai Carol Bennett yn edrych yn syn ar ei hymwelydd. 'Syr?'

'Carol, shwd wyt ti'n cadw?' gofynnodd yn galonnog, ond yna wrth iddo sylweddoli beth roedd wedi ei ddweud prysurodd i guddio'i letchwithdod. 'Pen-blwydd hapus!' ebychodd, gan godi ei law dde i ddangos y bag papur llwyd a ddaliai.

Rhythodd Carol arno drwy lygaid pŵl a gwyddai Clem Owen fod pethau'n mynd o ddrwg i waeth yn gyflym iawn. Ond doedd dim troi'n ôl nawr.

'Wyt ti'n mynd i 'ngwahodd i mewn neu 'ngadel i'n sefyll fan hyn yn drewi'r lle?'

'Drewi . . . ?'

'Y bwyd 'ma!' A chwifiodd y bag papur.

Dim ond syllu arno wnaeth Carol.

'Wel . . . ?' meddai Clem, a gredai'n bendant erbyn hyn fod y cyfan yn gamgymeriad mawr mawr.

'Wel . . .'

'Da iawn,' meddai'r prif arolygydd, gan hwylio'n hyderus i mewn i'r fflat cyn i Carol gael cyfle i ddweud 'na' a gwneud pethau ganwaith gwaeth ar gyfer y tro nesaf y byddai'r ddau'n cyfarfod.

'Ffordd hyn i'r gegin?' gofynnodd, gan gerdded drwy'r ystafell fyw a sylwi ar y papurau ar y cadeiriau, y llestri brwnt ar y byrddau bychain a'r anhrefn cyffredinol ym mhobman. Byrhoedlog iawn fu effaith tacluso Lunwen.

'Syr!' galwodd Carol cyn cau'r drws a'i ddilyn i mewn i'r gegin.

'Ble ti'n cadw'r llestri?' gofynnodd Clem gan agor a chau cypyrddau. Gobeithiai nad oeddwn nhw i gyd allan yn yr ystafell fyw.

'A! Dyma nhw.' Rhoddodd ddau blât i lawr ar ben y cownter a thynnu hanner dwsin o focsys cardfwrdd bychain allan o'r bag papur.

'Ychydig o bopeth, ie?' a dechreuodd agor y bocsys ac arllwys eu cynnwys ar y platiau. 'Ma'n ddrwg da fi am fethu'r diwrnod, ond ma' pethe'n dra'd moch lawr yn y stesion. Ma' pawb yn cofio atot ti ac yn dymuno pen-blwydd hapus i ti.' Parablodd Clem ymlaen fel pwll y môr.

Safai Carol wrth ddrws y gegin gan syllu'n fud ar ei phennaeth wrth iddo hwylio'r pryd. Roedd yr olwg syn yn dal i fod ar ei hwyneb, ond roedd yna hefyd rywfaint o ddicter yn gymysg â'r syndod erbyn hyn. Plethodd ei breichiau a tharo'i throed yn ysgafn ar y llawr.

'Dyna ti,' meddai'r prif arolygydd o'r diwedd. 'Dwi'n credu 'mod i wedi'u rhannu nhw'n deg, ond rhag ofn nad ydw i, fe gei di ddewis,' a daliodd y ddau blât allan o'i blaen.

Syllodd Carol i fyw ei lygaid ond ni ddywedodd air.

'Nawr paid gweud bod dim ise bwyd arnot ti. Dwi wedi bod wrthi ers saith o'r gloch bore 'ma heb ddim ond brechdane sych y cantîn i 'nghadw i fynd. Allen i fyta'r cwbwl, ond fydde'n well 'da fi ga'l cwmni.'

Ochneidiodd Carol ac estyn am blât. 'Fydden i ddim wedi meddwl 'ych bod chi'n ddyn cyrri.'

'Na? Wel, 'na ddangos i ti cyn lleied ry'n ni'n gwbod am 'yn gilydd.' Gwenodd arni a dechrau cerdded am yr ystafell fyw.

'Syr?'

'Ie?'

'Y'ch chi ise cyllell a fforc, neu odych chi'n mynd i fyta hwnna 'da'ch bysedd?'

'Wel, os o's rhaid i ni fod yn posh . . .'

Roedd Clem wedi tynnu ei got ac yn eistedd ar un o'r cadeiriau esmwyth pan ddaeth Carol i mewn i'r ystafell fyw gan estyn llwy a fforc iddo.

'Ma' pawb yn cofio atot ti,' meddai wrth Carol ar ôl iddi eistedd.

'Chi wedi gweud 'ny'n barod.'

'Dim ond ise neud yn siŵr dy fod ti'n sylweddoli 'ny,' meddai Clem Owen, gan wthio'r llwy i ganol y domen ar ei blât. Roedd yn chwysu fel mochyn cyn codi'r llwyaid gyntaf o gyrri i'w geg, ond pan darodd y perlysiau ei flasbwyntiau, ffrydiodd y chwys yn ffynhonnau.

'Uffach gols! Ma' 'ngheg i ar dân!' ebychodd, gan edrych o'i gwmpas naill ai am rywbeth oer i'w yfed neu am rywle i boeri'r goelcerth.

Chwarddodd Carol Bennett er ei gwaethaf a rhedodd i'r gegin i nôl gwydraid o ddŵr i'w phennaeth. Llowciodd bob diferyn yn awchus.

'O, diolch,' meddai gan chwythu fel ci a sychu'r chwys o'i dalcen. 'Bois bach! Beth ma'n nhw'n 'i roi ynddo fe?'

''Ych cyrri cynta?' gofynnodd Carol, a oedd yn brwydro i reoli ei chwerthin.

'A'r dwetha!'

'Lunwen?'

Nodiodd Clem Owen. 'Ie, hi wedodd dy fod ti'n lico'r stwff a feddylies i y bydde pryd yn neud anrheg penblwydd hwyr dderbyniol.'

'Hi wedodd wrthoch chi i alw i 'ngweld i?'

'Nage, soniodd hi 'i bod hi wedi dy weld di ar dy benblwydd a . . .'

'A'i bod hi'n poeni amdana i.'

'. . . a sylweddoles i 'mod i wedi bod yn dy esgeuluso di. Ma'n ddrwg 'da fi.'

'Fel wedoch chi gynne, syr, ma' pethe pwysicach 'da chi i feddwl amdanyn nhw.'

'Ddim 'na beth wedes i.'

'Nage, dwi'n gwbod.' Gwenodd arno. 'Ma'n ddrwg 'da fi.'

'Paid siarad dwli. Byta dy fwyd cyn iddo fe oeri, os yw'r fath beth yn bosib.'

Lledodd ei gwên a bwytaodd ychydig o'r cyrri. Syllodd Clem mewn rhyfeddod ac edmygedd arni'n ei lyncu heb nac ymdrech nac adwaith.

Siglodd ei ben. 'Ma'n rhaid bod stumog crocodeil 'da ti.'

'Yn ogystal â'i groen, chi'n feddwl.'

'Na, dwi ddim yn meddwl 'ny. Dwi wastad wedi dy ystyried yn berson cryf, ond dyw hynny ddim yn golygu dy fod ti'n ddideimlad. 'Se hynny'n wir, fyddet ti ddim wedi rhoi cymint o amser i Susan Richards pan o'dd hi'n ca'l 'i stelcio, a fydde marwolaeth Judith Watkins ddim wedi effeithio arnot ti chwaith.'

'A fydden i ddim yn y twll dwi ynddo nawr.'

'Ma' hwnnw'n wahanol. Dyw bod yn gryf ddim yn golygu derbyn popeth heb gwyno.'

'A! Dyna lle'r y'n ni, ie?'

'Beth?'

'Chi'n dal am i fi neud cwyn yn erbyn Ian James.'

'Odw, wrth gwrs 'mod i, ond ddim dyna pam . . .'

'Er gwaetha agwedd Mr Peters?'

'*Achos* agwedd Mr Peters.'

'A'r holl gachu sy'n mynd i ddisgyn arnoch chi?'

'All e ddim bod yn wa'th na hwnna,' meddai Owen, gan chwifio'i law'n ddirmygus i gyfeiriad y platiaid cyrri.

'Chi'n meddwl?'

'Wyt ti wedi penderfynu beth wyt ti'n mynd i' neud?'

Siglodd Carol ei phen. 'Dwi ddim yn gwbod, dwi wir ddim yn gwbod.'

'Paid â becso, alli di gymryd faint fynni di o amser, dim ond i ti neud y penderfyniad iawn yn y diwedd a mynd ar ôl y diawl.'

Arafodd Gareth y car a diffodd ei oleuadau cyn cyrraedd y tro. Roedd hi'n noson sych gyda digon o olau o'r lleuad lawn i'w alluogi i weld y ffordd o'i flaen yn glir. Gyrrodd heibio'r tro a gweld capel Penuel yn llechu yng nghysgod y coed; roedd yr adeilad yn dywyll, heb arwydd o fywyd yn unman.

'Ble mae'r lleill?' gofynnodd Jonathan Williams yn ei ymyl, gan droi i edrych o'u cwmpas.

Cwestiwn da, meddyliodd Gareth. Ble'r oedd y lleill? Dylai Berwyn Jenkins fod wedi cyrraedd yma o'i flaen, ond doedd dim golwg ohono.

Arafodd fymryn eto a gyrru'r car heibio'r capel. Edrychodd yn y drych ond nid oedd dim i'w weld y tu ôl iddo.

'Well i ni yrru mla'n ymhellach rhag ofn 'u bod . . .'

Canodd ei ffôn symudol ar y silff o'i flaen.

'Ie?'

'Gareth?'

'Ie.'

'Ble'r wyt ti?' gofynnodd Berwyn Jenkins.

'Newydd gyrra'dd y capel.'

'Paid aros fan'ny. Dwi wedi parcio ryw hanner canllath ymhellach mla'n. Ma' digon o le i ti 'ma 'fyd.'

'Iawn.'

Cyneuodd Gareth oleuadau bach y car a gyrru yn ei flaen nes iddo weld y lliwiau rhybudd melyn a glas ar gefn y car heddlu. Wrth iddo dynnu i mewn y tu ôl iddo agorwyd y drws a daeth y Rhingyll Berwyn Jenkins allan.

'Do's neb yn y capel,' meddai Gareth, gan ddringo allan o'i gar yntau a cherdded yn swnllyd ar draws peth o'r graean roedd y cyngor wedi ei ddymchwel yn y gilfan.

'Ddim nawr,' meddai'r rhingyll, 'ond ro'dd rhywun yn bendant 'na pan gyrhaeddon ni. Pan welon nhw ole'r car fe ddiflannon nhw mewn i'r coed.'

Edrychodd Gareth o'i gwmpas. 'Pwy sy 'da chi?'

'Scott a Lunwen.'

'Ble ma'n nhw?'

'Wedi mynd i weld i ble'r a'th pwy bynnag o'dd 'na.'

'Oedd rhywun yn y capel?' gofynnodd Jonathan Williams. 'Tu mewn i'r adeilad?'

'Dwi ddim yn siŵr iawn. Dwi'n credu mai tu ôl iddo fe o'n nhw a bod y gole i'w weld o'r cefn drwy'r ffenestri.'

'Beth yw'r peth gore i' neud nawr?' gofynnodd Gareth a oedd yn awyddus i gau pen y mwdwl ar y dirgelwch hwn.

'Dwi ddim yn gwbod,' cyfaddefodd Berwyn Jenkins. 'Aros i glywed 'wrth Scott a Lunwen o'n i; dylen nhw fod 'nôl erbyn hyn.'

Mewn ymateb i'w bryderon rhwygwyd y nos gan waedd o'r goedwig. Heb oedi eiliad rhedodd y tri yn ôl ar hyd y ffordd i gyfeiriad y capel.

'Cerwch chi mla'n!' galwodd Berwyn Jenkins ar y ddau arall wrth iddo ymladd am ei wynt. 'Arhosa i wrth y capel!'

Edrychodd Gareth yn ôl dros ei ysgwydd a gweld bod y rhingyll wedi hen roi'r gorau i'r ras. 'Iawn!' galwodd a dilyn Jonathan Williams a oedd eisoes yn dringo'r llwybr a arweiniai o'r ffordd fawr i'r capel. Sylwodd Gareth fod y gweinidog yn dal fflachlamp yn ei law ac yn ei fflachio ar draws y llwybr. Roedd Gareth hefyd wedi dod â fflachlamp, ond yn ei frys i ymchwilio i achos y waedd, roedd wedi ei gadael yn y car.

Dilynodd Gareth Jonathan heibio i gornel yr adeilad a thrwy fwlch yn y clawdd i mewn i'r goedwig, yna ar hyd yr hen lwybr troed roedd rhywun wedi ei ailagor yn ddiweddar. Cofiodd Gareth i Megan Griffiths ddweud fod yna glytwaith o lwybrau'n gwau ar draws y mynydd a thrwy'r goedwig. Os oedd hynny'n wir, dyn a ŵyr ble allai Scott Parry a Lunwen Thomas fod.

Ond ymddangosai Jonathan Williams yn fwy hyderus; rhedai'n bwrpasol ar hyd y llwybr gan osgoi'r canghennau isel a'i cysgodai. Gwnaeth Gareth ei orau i'w ddilyn, ond ac yntau'n cadw mor agos ato, nid oedd hi'n hawdd iddo osgoi'r rhwystrau, a tharodd sawl cangen ef ar draws ei ysgwyddau. Cododd ei freichiau i amddiffyn ei wyneb, ond nid oddi uchod yn unig y deuai'r perygl. Efallai fod glaw trwm yr wythnos flaenorol wedi peidio dros y dyddiau diwethaf, ond roedd y ddaear yn dal yn wlyb iawn, yn enwedig yma yng nghysgod y coed. Dan draed, rhwng y llaid a'r dail, roedd y llwybr yn llithrig, ac wrth iddo ruthro ymlaen teimlodd ei hun yn sglefrio ac yn baglu sawl gwaith, ond rywsut fe lwyddodd i'w gadw ei hun rhag disgyn.

Arhosodd Jonathan Williams yn ddirybudd a bu'n rhaid i Gareth afael mewn cangen i'w atal rhag sgrialu i mewn iddo.

'Be sy?' gofynnodd, gan symud i ymyl y gweinidog a gweld yng ngolau'r fflachlamp eu bod wedi cyrraedd llwybr arall a groesai o'u blaen.

'Pa ffordd?' gofynnodd Jonathan Williams.

'Em . . .' Roedd y naill lwybr mor dywyll a digroeso â'r llall, ond os oedd Scott a Lunwen wedi mentro i mewn i'r goedwig ac un ohonynt mewn trafferth, yna roedd yn rhaid iddynt ddewis un.

Edrychodd Gareth i fyny ac i lawr y ddau lwybr unwaith eto cyn dweud, heb unrhyw reswm dros ei ddewis, 'I'r dde.'

'Iawn,' meddai Jonathan Williams, a gyda Gareth yn dynn wrth ei sodlau, ymlaen ag ef ar hyd y llwybr igam-ogam a'u harweiniai o gwmpas coed a drysni a'u tynnu'n ddyfnach i ganol y goedwig. Chwifiai Jonathan y fflachlamp o'i flaen gan greu cysgodion a ddawnsiai ar draws y llwybr.

'Aros!' galwodd Gareth. 'Beth yw hwnna?'

Arhosodd y ddau a symudodd Jonathan y golau'n ôl ac ymlaen yn araf ar draws y llwybr, ond nid oedd dim ond dail a brigau i'w gweld.

'Nage, ar yr ochr dde, fan'co,' a chydiodd Gareth ym mraich y gweinidog gan gyfeirio golau'r fflachlamp i ganol y coed.

Dawnsiai'r cysgodion yno hefyd, rhwng boncyffion y coed, ond yn eu plith roedd rhyw ffurf dywyll arall; yn fwy sylweddol na'r cysgodion, yn fwy dynol na'r coed.

'Scott!' galwodd Gareth, a gwthiodd ei ffordd drwy'r drysni.

Nid ymatebodd yr heddwas. Gorweddai ar ei ochr a'i gefn tuag ato. Plygodd Gareth yn ei ymyl a rhoi ei law ar ei ysgwydd. 'Scott!' meddai eto, gan ei ysgwyd yn ysgafn.

Tynnodd ei law yn ôl a'i theimlo'n wlyb, ac amheuai fod rhywbeth amgenach na llaid ar ei wisg.

'Be sy wedi digwydd iddo fe?' gofynnodd Jonathan, gan ddilyn Gareth a chyfeirio'r fflachlamp at gorff llonydd yr heddwas. Yng ngolau'r lamp gwelodd y ddau fod yna rwyg hir ar hyd ei lawes yn ymestyn o'r ysgwydd i'r benelin. Cododd Gareth ei law ac edrych arni. Roedd yn goch gan waed.

Cododd Berwyn Jenkins glicied y drws a'i gwthio â'i ysgwydd ond, fel y ddeudro blaenorol y gwnaethai hynny, daliodd drws y capel ei dir a gwrthod agor. Ochneidiodd y rhingyll a cherdded yn ôl at ochr yr adeilad lle gallai gadw llygad ar y ffordd fawr a'r bwlch yn y clawdd a arweiniai i'r goedwig ar yr un pryd. Tynnodd ei got yn dynnach amdano a throi'r coler i fyny. Roedd gwynt main wedi codi a chwythai'n syth i fyny'r llwybr a heibio'r adeilad. Fe ddylai fod wedi gofyn i'r gweinidog am allwedd y capel, meddyliodd; doedd dim o'i le ar gael rhywfaint o gysgod tra oedd yn aros.

Daliodd ei law chwith i fyny a throi ei arddwrn i ddarllen yr amser ar ei oriawr yng ngolau'r lleuad. Roedd dros chwarter awr wedi pasio ers i Gareth a Jonathan Williams fynd i weld beth oedd achos y waedd, a doedd dim golwg o'r ddau'n dychwelyd. Doedd dim sôn am Scott a Lunwen chwaith, ond o leiaf nid oedd wedi clywed rhagor o weiddi ac roedd hynny'n rhywbeth i fod yn ddiolchgar amdano. Doedd dim byd yn ddoniol mewn bod allan yng nghanol y wlad yng nghysgod hen gapel ganol nos; roedd y sefyllfa'n ddigon i godi dychryn ar unrhyw un.

Curodd ei ochrau â'i freichiau a cheisio cadw'i feddwl rhag crwydro at yr holl straeon ysbryd roedd ei frawd hŷn wedi arfer eu hadrodd wrtho flynyddoedd lawer yn ôl pan oedd y ddau ohonynt yn fach ac yn rhannu gwely. Unwaith roedd Derwyn wedi sylweddoli bod ei frawd bach o anian llawer mwy ofnus nag ef, ni fu pall ar y straeon. Bob nos am fisoedd bu'n rhaid i Berwyn ddioddef clywed am gannwyll corff, toili, bwci, hwch ddu gwta, gwrachod a sawl ladi wen.

Credai Berwyn ei fod wedi rhoi'r rheini heibio gyda gweddill pethau ei blentyndod, ond gyda gwynt traed y meirw'n chwythu ac yn chwibanu drwy'r coed y tu ôl iddo, roedd y darluniau a greodd y straeon hynny yn ei ddychymyg mor fyw nawr ag y buont erioed.

Crynodd drwyddo a cherddodd ychydig gamau i gyfeiriad y ffordd fawr. I ble'r oedd y lleill wedi mynd? Fe ddylen nhw fod wedi dychwelyd erbyn hyn. Roedd pobman yn dawel – yn rhy dawel?

Clywodd sŵn y tu ôl iddo.

Trodd yn ôl am yr adeilad.

'Hen bryd 'fyd. Ble ar y ddaear y'ch chi wedi bod?'

Ond nid un o'r lleill oedd yno, ond yn hytrach wraig dal, wallt du, mewn gwisg wen, laes.

Teimlodd y Rhingyll Berwyn Jenkins ei goesau'n troi'n ddŵr.

*

Gwthiodd Gareth ei fysedd i mewn i'r rhwyg yn llawes cot Scott Parry a'i thynnu ar agor er mwyn gweld pa mor ddifrifol oedd y clwyf.

'Ydy e'n dal i waedu?' gofynnodd Jonathan Williams, gan chwilio drwy ei bocedi am ei facyn poced i'w ddefnyddio fel rhwymyn.

'Ychydig, ond dwi ddim yn meddwl 'i fod e'n ddrwg iawn.'

'Beth wyt ti'n credu achosodd glwyf mor hir â hwnna?'

Siglodd Gareth ei ben. ''I ddal mewn rhwbeth, weiren neu hoelen, falle.'

'Allai rhywun fod wedi ymosod arno fe,' meddai Williams, gan ddisgleirio'r golau ar wyneb yr heddwas ac ar glais cas ar ei dalcen.

'Ma' hynny'n bosibilrwydd, odi,' meddai Gareth, gan godi ar ei draed. 'Nei di aros gydag e? Dwi am fynd i weld ble ma' Lunwen.'

'Ydy hi'n ddoeth gwneud hynny ar dy ben dy hun, ar ôl gweld beth ddigwyddodd i Scott?'

'Ie, wel,' meddai Gareth, gan syllu ar gorff llonydd yr heddwas. 'Ond ma' Lunwen rywle yn y goedwig 'ma 'fyd. Fi sy'n gyfrifol 'u bod nhw 'ma yn y lle cynta, ac ma'n ddigon bod un ohonyn nhw wedi'i anafu. O's 'da ti ffôn?'

'Oes.'

'Ffonia am ambiwlans a cer 'nôl i'r dre gyda nhw rhag ofn i rwbeth ddigwydd i ti.'

'Paid poeni amdana i, fydda i'n iawn.'

'Na, fi dda'th â ti 'ma, a fi sy'n gyfrifol am dy ddiogelwch.'

'Ond beth amdanat ti?'

'Gwed wrth Sarjant Jenkins i aros amdana i a Lunwen.'

'Wyt ti eisie'r lamp?'

Ystyriodd Gareth y cynnig. 'Na, cadwa di hi; bydd hi'n help i'r dynion ambiwlans ddod o hyd i chi. Wela i di,' a chan daro golwg arall ar gorff llonydd Scott Parry, gwthiodd Gareth ei ffordd yn ôl drwy'r drysni i'r llwybr.

Nid oedd ef na Jonathan wedi gweld golwg o neb cyn iddynt ddod ar draws Scott, felly go brin bod y sawl a ymosododd arno'n bwrw'n ôl am y capel; ymlaen i ganol y goedwig oedd ei unig ddewis.

Roedd y coed yn llawer mwy trwchus nawr, a heb y fflachlamp roedd hi'n anodd iawn iddo frysio ymlaen. Bob hyn a hyn fe ddisgleiriai'r lleuad drwy'r canghennau i oleuo'r llwybr, ond ar y cyfan gwan a chamarweiniol oedd ei golau, fel stribedi herciog goleuadau dawnsfeydd. Llithrodd droeon a disgyn ar ei hyd yn y llaid a'r drysni sawl gwaith, a lle'r oedd y tyfiant ar ei fwyaf trwchus fe'i gorfodwyd i arafu a dal ei freichiau allan o'i flaen er mwyn teimlo'i ffordd.

Fe ddylai fod wedi derbyn cynnig Jonathan Williams a chymryd y fflachlamp, meddyliodd; fe allai'r gweinidog fod wedi defnyddio'i ffôn i arwain y dynion ambiwlans ato. Ond roedd yn rhy hwyr i edliw ei ffolineb iddo'i hun nawr. A beth bynnag, amheuai'n fawr a fyddai'n gallu ffeindio'i ffordd yn ôl ato drwy'r tywyllwch dudew a'i hamgylchynai. A phe bai'r fflachlamp ganddo yn goleuo'r ffordd, fwy na thebyg ni fyddai wedi sylwi ar y golau pŵl yn y pellter.

Arhosodd a chanolbwyntio ar y golau. A oedd ei ddychymyg yn ei dwyllo, neu a oedd golau yno mewn gwirionedd? Caeodd Gareth ei lygaid a'u hagor eto rhag ofn eu bod yn chwarae triciau arno. Roedd y golau'n dal i'w weld.

Cychwynnodd tuag ato gan obeithio nad fflachlamp Jonathan roedd yn ei weld a'i fod wedi bod yn cerdded mewn cylchoedd. Doedd dim dewis arall ganddo nawr; roedd yn rhaid iddo fynd ymlaen at y golau.

Llusgodd ei draed drwy'r brigau a'r drysni gan geisio cadw'r golau yn nod pendant o'i flaen; doedd hynny ddim yn hawdd a'r tyfiant o'i gwmpas yn ei rwystro a'i faglu. Synhwyrodd ryw symudiad ar ei ochr chwith. Trodd ei ben a gweld amlinelliad rhywun yn sefyll ar ganol y llwybr ryw ddeg troedfedd y tu ôl iddo.

'Lunwen?' galwodd. 'Ti sy 'na?'

Cymerodd y person gam ymlaen a gwelodd Gareth fod ganddo ffon yn ei law.

'Lunwen?'

Cododd y person y ffon uwch ei ben; fflachiodd golau'r lleuad arni a gwelodd Gareth nad ffon a ddaliai ond cleddyf. Ac yn yr eiliad honno sylweddolodd mai dyna oedd wedi achosi'r clwyf ar fraich Scott Parry.

Edrychodd Gareth o'i gwmpas yn wyllt gan chwilio am rywbeth y gallai ei ddefnyddio i'w amddiffyn ei hun. Ciciodd y dail i'w clirio o'r llwybr i weld a oedd yna bren oddi tanynt ond doedd yno ddim byd ond mân frigau a cherrig. Camodd o'r llwybr i ganol y drysni yn y gobaith y byddai hynny'n rhywfaint o amddiffyn iddo. Aeth yn ei ôl wysg ei gefn, gam wrth gam, gan gadw'i lygaid ar bwy bynnag oedd â'i fryd ar ymosod arno.

Dal i agosáu ar hyd y llwybr a wnâi hwnnw, ei gerddediad yn araf a phwrpasol. Daliai'r cleddyf hir, llydan yn llonydd a diflino uwch ei ben â'i ddwy law, ac i lygaid anghyfarwydd Gareth, edrychai fel pe bai'n gwybod yn iawn sut i'w drin. Cerddodd allan o gysgod un o'r coed a gwelodd Gareth ef yn glir am y tro cyntaf. Gwisgai ddillad duon o'i gorun i'w sawdl; am ei ddwylo roedd menig lledr trymion, ac am ei ben helmed dywyll galed a chyrn ar ei hochr. Edrychai'n union fel marchog mewn rhyw ffilm ffantasi.

Rhwygodd Gareth ei goes yn rhydd o'r drain trwchus a symud ychydig gamau yn ei ôl eto hyd nes iddo deimlo rhywbeth caled yn gwthio yn erbyn ei gefn. Heb dynnu ei lygaid oddi ar y cleddyf, teimlodd y tu ôl iddo â'i law a chanfod hen bostyn ffens yn rhwystro'i ddihangfa. Camodd yn araf o gwmpas y postyn gan afael yn ei ben â'i ddwy law a dechrau ei siglo'n rhydd o'r ddaear, ond roedd y pren yn gyndyn iawn i ildio. Edrychodd Gareth i lawr i weld beth oedd yn ei ddal, a'r eiliad nesaf clywodd sŵn siffrwd sydyn yn yr awyr. Cododd ei ben a gweld y cleddyf yn pladuro'r drain o'i flaen ac yn ei ladd fel ir dyfiant cynta'r cynhaeaf.

Gwthiodd a thynnodd Gareth y postyn â'i holl nerth nes iddo glywed 'crac' uchel wrth i'w fôn pwdr dorri. Tynnodd ef i fyny ond roedd rhywbeth yn dal i'w atal rhag dod yn hollol rydd. Tynnodd Gareth ef â'i holl nerth, a modfedd wrth fodfedd cododd y postyn wrth i stribedi rhydlyd gwifren bigog a oedd ynghlwm wrtho gael eu rhwygo'n rhydd rhag y gwair a'r drysni oedd wedi plethu o'u cwmpas.

Swish! Swish! Agosaodd y cleddyf.

Tynnodd Gareth nes bod cyhyrau ei gefn yn cwyno dan y straen. Ofnai mai ofer fyddai ei ymdrech; hanner munud arall ac fe fyddai'r marchog yn ei gyrraedd. Dylai fod wedi parhau i gilio yn lle aros i geisio rhyddhau'r postyn; roedd gwastraffu'r munudau prin hynny wedi selio'i dynged.

Gollyngodd y pren a wynebu'r marchog a chwifiai'r cleddyf yn nes ac yn nes. Tybed a gâi gyfle i neidio o dan y cleddyf a'i daro yn ei frest neu ei goesau . . . neu hanner cyfle . . .

'Hei!' sgrechiodd rhywun y tu ôl i'r marchog.

Rhewodd hwnnw cyn hanner troi i weld pwy oedd wedi galw.

Gwelodd Gareth ei gyfle. Rhuthrodd ato ond baglodd yn y drysni a disgyn ar ei hyd ar y ddaear, lathen yn brin ohono. Trodd y marchog yn ôl tuag ato a chodi ei gleddyf uwch ei ben unwaith eto, a dyna pryd y rhuthrodd Lunwen Thomas ar hyd y llwybr a'i thaflu ei hun ar ei gefn gan ei fwrw drosodd. Gwelodd Gareth y ddau'n disgyn tuag ato a rhowliodd o'r ffordd dim ond mewn pryd cyn i'r ddau daro'r ddaear.

Sgathrodd Gareth i godi ar ei draed a rhuthrodd i gynorthwyo Lunwen. Roedd hi wedi llwyddo i dynnu braich chwith y marchog y tu ôl i'w gefn a'i dal yno'n gaeth. Ond roedd yn ymdrechu i'w ryddhau ei hun; sgrialai a chiciai'r ddaear mewn ymdrech i wthio Lunwen oddi ar ei gefn a chodi. Gwthiai ei hun i fyny â'i law dde, ond gan ei fod yn dal i afael yn y cleddyf, ni allai'i wthio'i hun â'i holl nerth.

Ciciodd Gareth gefn llaw'r marchog â sawdl ei droed nes iddo ollwng y cleddyf. Cydiodd Gareth ynddo a gosod ei flaen ar war y marchog.

'Gad hi!'

Ond parhaodd y marchog i geisio'i ryddhau ei hun, a gan nad oedd y cleddyf yn ei rwystro bellach, roedd ei ymdrech i ddisodli Lunwen Thomas yn agos at lwyddo.

Gwasgodd Gareth fymryn yn rhagor ar garn y cleddyf.

'Gad hi!' galwodd eto, gan wasgu'n galetach fyth.

Ymlaciodd y marchog a chydiodd Lunwen yn ei fraich dde a'i thynnu hithau y tu ôl i'w gefn. Tynnodd ei chyffion o'i phoced ac roedd ar fin eu cau am ei arddyrnau pan ddywedodd Gareth wrthi, 'Rho ei freichie naill ochor i'r postyn 'na, o dan y weiren bigog. Cadwith hynny fe'n dawel.'

'Ti'n iawn?' gofynnodd iddi wedyn pan oedd y cyffion yn eu lle.

'Odw, dwi'n meddwl,' meddai Lunwen, gan godi ar ei thraed a thynnu ei dwylo ar draws ei gwisg frwnt ac anniben.

'Beth ddigwyddodd i Scott?'

'Hwn,' meddai, gan roi cic ysgafn i goes y marchog. 'Well i ni fynd i chwilio amdano fe.'

'Aros, ma' fe'n iawn. Gethon ni afel arno fe gynne, ac ry'n ni wedi galw am ambiwlans. Shwd ddethoch chi ar draws hwn, 'te?' gofynnodd Gareth, gan blygu i edrych ar y marchog a oedd yn rhyfeddol o dawel. Tynnodd ei helmed i ffwrdd er mwyn gweld pwy oedd yr ymosodwr, ond nid oedd ei wyneb yn gyfarwydd iddo.

'Ro'dd Scott a finne'n chwilio am bwy bynnag o'dd wedi bod yn y capel pan dda'th e mas o ganol y coed yn chwifio'r cleddyf 'na fel rhwbeth hanner call. Triodd Scott 'i stopio fe ond ma' hwn yn gwbod shwt i ddefnyddio'r cleddyf a galle Scott ddim mynd yn agos ato. Yn y diwedd collodd Scott 'i amynedd a rhuthrodd ato fe a baglu. 'Na pryd ddaliodd y cleddyf e ar 'i fraich ac fe fwrodd 'i ben yn erbyn coeden wrth iddo gwympo.'

'A ti? Be ddigwyddodd i ti?'

'Penderfynes i mai'r peth calla o'dd cadw draw ac aros

am 'y nghyfle i' ddal e. Do'n i ddim yn meddwl bod 'da fi fawr o obaith ar 'y mhen 'yn hunan.'

'Wel, allet ti ddim fod wedi'i hamseru hi'n well,' meddai Gareth, gan gydio yn y cleddyf a dechrau cerdded yn ôl ar hyd y llwybr. 'Ro'n i'n meddwl 'mod i wedi gweld gole drwy'r coed 'ma.'

'Y bobol yn y capel?'

'Na, dwi ddim yn credu; ro'dd hwn yn edrych fel petai e'n sefydlog.' Syllodd drwy'r coed. ''Na fe!'

Daeth Lunwen i sefyll yn ei ymyl.

'Y tŷ yn y coed.'

'Beth?' gofynnodd Gareth, gan chwerthin a dechrau cerdded i gyfeiriad y golau.

'Dim byd,' meddai Lunwen gan ei ddilyn.

Tynnodd Gareth y glwyd bren fechan ar agor a cherdded i fyny'r llwybr. Roedd y ddwy ardd naill ochr iddo yn dwt a chymen ac wedi eu fframio gan lwyni bythwyrdd taclus. Disgleiriai golau drwy'r gwydr uwchben y drws a chwrelau diemwnt y ffenest ar yr ochr chwith iddo.

'Hansel a Gretel,' mwmialodd Lunwen dan ei hanadl, gan edrych i fyny i weld ai bara sinsir oedd to'r tŷ.

Curodd Gareth ar y drws a chlywodd y ddau sŵn symud a siarad yn dod o'r ochr arall iddo. Curodd eto, yn galetach. Cynyddodd y sŵn ac agorwyd y drws gan wraig dal mewn ffrog wen lachar.

'Rydych chi wedi cyrraedd,' meddai a gwên groesawgar ar ei hwyneb. 'Dewch i mewn.'

Edrychodd Gareth a Lunwen ar ei gilydd yn ansicr.

'Dewch,' meddai'r wraig. 'Rydych chi'ch dau'n edrych

yn flinedig iawn. Mae'n siŵr bod eisie rhywbeth i'w fwyta arnoch.'

'Wel . . .' dechreuodd Gareth, ond nid oedd ganddo'r nerth i ddweud mwy, felly ufuddhaodd a cherdded i mewn i'r tŷ.

Oedodd Lunwen am eiliad cyn ei ddilyn. Cododd ei llaw a chyffwrdd â wal y tŷ wrth iddi gamu dros y rhiniog. Teimlai'r garreg yn ddigon real a sylweddol, ond . . .

'Ewch drwodd at y tân,' gorchmynnodd y wraig, gan aros i'r ddau gerdded heibio iddi i mewn i'r ystafell.

Gwthiodd Gareth y drws ar agor a syllu'n gegrwth ar yr olygfa o'i flaen. Roedd yr ystafell yn orlawn o luniau a modelau o anifeiliaid a sêr a phlanedau a choed a blodau – ar y silff ben tân, ar y waliau, ar y byrddau, yn crogi o'r nenfwd, ym mhobman. Ac yno yn eu canol, o flaen tanllwyth o dân agored, eisteddai'r Rhingyll Berwyn Jenkins.

'Gareth, bachan! Dere mewn.'

'Sarj?' meddai Lunwen, gan edrych heibio i Gareth yn syn.

'Lunwen? Wyt ti 'na 'fyd?' ac fe gododd y rhingyll i edrych ar y ddau. 'Beth uffach ddigwyddodd i chi? Ma' golwg y diawl ar y ddau ohonoch chi.'

'Chi'n edrych yn ddigon cartrefol, beth bynnag,' meddai Gareth, gan edrych ar y gwydr mawr grisial ac ychydig o ddiod coch tywyll yn ei waelod a ddaliai Berwyn Jenkins yn ei law.

'O, ie, diferyn o win aeron ysgawen i ddod dros y sioc, 'na i gyd.'

'Sioc? Pam, beth ddigwyddodd i chi?'

'O, wel, ges i ddamwain fach, ac ro'dd Elfoddw fan hyn yn ddigon caredig i'n helpu i.'

'Elfoddw?' meddai Gareth.

'Ie,' meddai'r wraig, gan gerdded i ganol yr ystafell. 'Croeso i Ty'n-y-coed.'

'Wedes i,' sibrydodd Lunwen.

Agorodd drws ym mhen arall yr ystafell a cherddodd gŵr a gwraig i mewn, ill dau wedi eu gwisgo mewn dillad canoloesol, ac wrth ystlys y dyn crogai cleddyf.

Siglodd Gareth ei ben mewn penbleth gan ymdrechu i ysgwyd y we i ffwrdd. 'Adawes i chi wrth y capel,' meddai wrth Berwyn Jenkins. 'Beth ddigwyddodd i chi wedyn?'

'Da'th Elfoddw a gweud 'i bod hi wedi gweld Scott a Lunwen yn y goedwig ac y bydde'i ffrindie hi'n 'u harwain nhw'n saff i fan hyn.'

'Saff? Ma' Scott yn yr ysbyty ar ôl i rywun sy'n meddwl mai'r Brenin Arthur yw e ymosod arno fe.'

'Beth?' ebychodd Berwyn.

'O, naddo,' meddai Elfoddw.

'O, do,' meddai Gareth. 'Ac fe driodd e neud yr un peth i ni gyda hwn,' ac fe daflodd y cleddyf ar y llawr wrth ei thraed.

'Bylchwr!' meddai'r wraig, gan droi i edrych yn bryderus ar y ddau arall.

'Pwy?' gofynnodd Gareth.

'Bylchwr,' ailadroddodd y wraig. 'Dyna enw'r cleddyf.'

'Enw'r cledd . . .' Cododd Gareth ei ddwylo mewn anobaith. 'All rhywun ddweud wrtha i beth ar y ddaear sy'n mynd mla'n fan hyn?'

Edrychodd y tri ar ei gilydd unwaith eto a nodiodd y ddau ger y drws ar Elfoddw.

'Rydyn ni'n tri yn rhan o gymdeithas sy'n llwyfannu chwedlau a rhamantau canoloesol, a dwi'n ofni eich bod chi wedi'n dal ni yng nghanol un o'n hanturiaethau.'

'Anturiaethau?'

'*Role-playing*, sarj,' meddai Lunwen.

'O, na,' protestiodd Elfoddw, yn amlwg yn anhapus gyda diffiniad Lunwen o'u gweithgareddau. 'Rydyn ni'n cadw at ddilysrwydd y cyfnod, ac mae'r gwisgoedd a'r arfau'n cyd-fynd yn llwyr â'r hyn rydyn ni'n ei lwyfannu.'

'*Role-playing*,' mynnodd Lunwen. 'Pobol mewn o'd yn whare *cowboys and indians*.'

'Ddim o gwbwl . . .'

'Iawn,' meddai Gareth. 'Dyna ddigon. Sawl un ohonoch chi sy'n cymryd rhan yn hyn?'

'Pump. Ni'n tri a dau arall.'

'A ble ma'n nhw?'

'Doedd un ddim yn gallu dod heno; mae e i ffwrdd ar gwrs hyfforddi gyda'i waith.'

'A'r llall?'

Trodd Elfoddw unwaith eto i edrych ar y ddau arall.

'Arawn Arswyd, perchennog Bylchwr,' meddai'r dyn.

Siglodd Gareth ei ben. 'A chi i gyd yw Tarian Teyrnion, ie?'

'Ie.'

'A beth yw enw iawn perchennog Bylchwr?' gofynnodd Gareth gan fethu cuddio'i ddirmyg tuag at yr holl sioe.

'Cyril George,' atebodd y dyn.

'A pwy wyt ti? John Richards?'

'Ie.'

Nodiodd Gareth unwaith eto. 'A pa un ohonoch chi'ch dwy yw Alison Walters?'

'Fi,' meddai Elfoddw.

'A Sarah Richards ydw i,' gwirfoddololodd y wraig arall.

'A chi sy'n gyfrifol am yr holl ddwli yng nghapel Penuel?'

'Fydden i ddim yn ei alw fe'n ddwli,' protestiodd Alison Walters.

'Chi dorrodd mewn yno nos Sul dwetha?' aeth Gareth yn ei flaen.

'Syniad Cyril o'dd e; fe o'dd yn gyfrifol am y *scenario* Calan Gaea,' meddai John Richards.

'A gwa'd pwy sy ar lawr y capel?'

'Cyril. Torrodd 'i law ar wydr y ffenest. Ro'dd e'n gwaedu'n ofnadwy ac ro'dd yn rhaid i ni adel y *scenario* ar 'i hanner a mynd ag e i'r ysbyty.'

'A fe a ymosododd arnon ni heno?'

'Ie, ond dyw e ddim yn ddyn treisgar, dim ond 'i fod e'n mynd dros ben llestri weithie,' meddai John Richards, mewn ymgais i esgusodi ymddygiad ei gyfaill. 'Ma' fe'n ymgolli'n llwyr yn 'i gymeriad; ma'r cyfan mor real iddo fe, ma' fe'n anghofio pwy yw e ac yn byw'r *scenario* i'r eitha.'

'Ond dyw hynny ddim yn 'i neud e damaid yn llai cyfrifol am yr hyn mae'n 'i neud. Na chi am 'i annog e.'

'Nagyw, wir,' meddai Berwyn Jenkins, a fu'n gwrando'n astud ar y drafodaeth. Roedd y rhan fwyaf o'r hyn a ddywedwyd wedi mynd yn syth dros ei ben, ond roedd wedi clywed digon i wybod bod yna droseddau wedi eu cyflawni ac mai ei le ef oedd dwyn y troseddwyr i gyfri. 'Dewch mla'n, ma' tipyn o waith esbonio 'da chi i' neud.'

'Beth sy'n mynd i ddigwydd i ni?' gofynnodd Sarah Richards.

'Wel, cred fi neu beidio,' meddai Lunwen, 'ond rwyt ti ar fin dechre antur fwya dy fywyd.'

'Iawn,' meddai Jenkins, gan wisgo'i gapan ac arwain y ffordd i'r cyntedd. 'Newn ni gasglu'r llall ar y ffordd.'

'Hanner munud, Berwyn,' meddai Gareth, gan droi at Alison Walters. 'Ai yn siop Rites ry'ch chi'n prynu'r stwff ar gyfer hyn i gyd?'

'Ie.'

'Ac fe ffonioch chi'r siop yn gofyn a o'dd 'da nhw *athame* mewn stoc.'

'Do.'

'Odych chi'n cofio faint o'r gloch o'dd hi pan ffonioch chi nhw nos Lun?'

'Nos Lun? Nage, rywbryd wythnos dwetha ffoniais i nhw. Roedd angen yr *athame* arna i cyn dydd Sul; roeddwn i am ei defnyddio hi yn y *scenario* Calan Gaeaf.'

Dydd Gwener 5 Tachwedd
09:21 – 12:27

Darllenai Clem Owen yr adroddiad yn ddyfal a gyda chryn foddhad. Bob hyn a hyn ffrwydrai ebychiad, rheg neu chwerthiniad dros ei wefusau nes bod ei dagell yn crynu. Gorffennodd ddarllen, ond trodd y ddalen olaf drosodd yn y gobaith bod yna fwy. Yn siomedig, rhoddodd y papurau i lawr ar y ddesg a throi at Gareth Lloyd.

'Ddigwyddodd hyn i gyd?'

'Do,' atebodd Gareth, oedd yn methu gwerthfawrogi doniolwch y sefyllfa; roedd y cyfan yn dal yn llawer rhy boenus o agos.

'Bachan! Bachan! Pwy fydde'n meddwl bod y fath bethe'n mynd mla'n o'n cwmpas ni, e? Ry'n ni'n byw bywyde undonog a diniwed iawn o'u cymharu â rhai pobol, ma'n amlwg,' a daeth pwl arall o chwerthin dros y prif arolygydd. Yna difrifolodd a gofyn, 'Shw' ma' Scott? Wyt ti wedi clywed rhwbeth amdano fe?'

'Ma' Berwyn yn dweud 'i fod e'n iawn. Cwt cas ar 'i fraich, a bydd e bant o'r gwaith am ychydig, ond dim byd difrifol.'

'A Berwyn? Shw' ma' fe?'

'Yn teimlo'n ddwl a lletchwith.'

'Allen i feddwl 'ny, 'fyd. Beth ar y ddaear o'dd e'n meddwl o'dd e'n neud yn nhŷ'r fenyw 'na?' a dechreuodd ei dagell grynu unwaith eto. 'A'r bobol 'ma. Rhain o'dd yn gyfrifol am y difrod yn y capel?'

'Ie.'

'A sbort Calan Gaea o'dd y cyfan?'

'Wel, ie a nage.'

'O?'

'Dim ond ers yr haf ro'dd John a Sarah Richards wedi bod yn rhan o'r criw, ac iddyn nhw do'dd e'n ddim mwy na rhwbeth i roi ychydig o liw i'w bywyde.'

'Be sy o'i le ar arddio?' gofynnodd y prif arolygydd yn ddiniwed.

'Synnen i ddim os mai 'na beth wnawn nhw o hyn mla'n. Erbyn i ni gwpla 'da nhw am dri o'r gloch bore 'ma ro'dd y ddau wedi ca'l llond bola o ofn ac ro'n nhw'n fwy na pharod i ddweud popeth ro'n nhw'n 'i wbod am Darian Teyrnion. Ond am y ddau arall, Alison Walters a Cyril George, dwi'n ofni 'u bod nhw'n fwy o ddifri am yr holl fusnes. Y cam cynta yn y broses o recriwtio'r pâr arall i'w cylch o'dd y gême *role-play*, ac ro'n nhw wedi bwriadu defnyddio gêm nos Sul i gynnal gwasanaeth ocwlt a'u gwneud nhw'n aelode llawn o'r cylch. Ond torrodd Cyril George 'i law wrth dorri mewn i'r capel a rhoddodd hwnna ddiwedd ar y sbort.'

'A'i wa'd e o'dd ar y llawr?'

'Ie. Torrodd 'i law chwith rhwng y bawd a'i fys cynta a bu'n rhaid iddo fe fynd i'r ysbyty i ga'l pwythe. Ffonies i'r ysbyty gynne ac ma'n nhw'n cadarnhau hynny.'

'Wel, ddim dim ond 'i law e ma' ise iddyn nhw edrych arno, os ti'n gofyn i fi. Gêm, wir! Allwn ni ddim gadel i rywun sy ddim yn 'i iawn bwyll fynd o gwmpas y lle yn chwifio cleddyf ac yn ymosod ar bobol.'

'Fel dwi'n deall, ma'r gême'n gallu ca'l effaith ddrwg ar rai pobol.'

'Hynny yw, ma'n nhw'n credu'u bod nhw'n real?'

'Odyn; ma' 'na achosion o bobol sy'n 'u cymryd nhw o ddifri ac yn treulio mwy a mwy o'u hamser ym mhersonoliaeth y cymeriad ma'n nhw'n 'i chware, gyda chanlyniade trist iawn.'

'Ym mha ffordd?'

'Ma'n nhw'n meddwl bod 'da nhw'r un pwere neu awdurdod ag sy gan y cymeriade dychmygol.'

'Ma' hynny'n dangos bod rhyw ddiffyg neu salwch arnyn nhw'n barod.'

'A bod y gême'n sbarduno'r salwch hwnnw.'

'Ti'n gwbod tipyn am y busnes 'ma.'

'Synnech chi beth dwi wedi'i ddysgu yn ystod y dyddie dwetha, ond Lunwen wedodd hynny wrtha i; hi yw'r arbenigwraig.'

'Wel, ma'n amlwg bod rhwbeth bach yn bod ar y dyn 'ma,' meddai Owen, gan ddechrau ysgrifennu nodyn ar yr adroddiad. 'Ond wedyn fe fydde salwch meddwl yn fodd i fyw i'w gyfreithiwr.' Taflodd y beiro i lawr. 'Ma' popeth yn gêm, os ti'n gofyn i fi.'

Nodiodd Gareth gan synnu ei bod hi wedi cymryd cymaint o amser i'w bennaeth ddod i'r casgliad hwnnw.

'A beth am Andrew Marriner? O's 'da nhw rwbeth i' neud â'i lofruddiaeth e?'

Cododd Gareth ei ddwylo. 'Dwi ddim yn gwbod. Ro'n nhw'n 'i nabod e, ac yn 'u byd bach nhw pwy a ŵyr beth yw ystyr marwolaeth rhywun, yn enwedig os yw hi'n rhan o ryw seremoni.'

'Ond do's dim tystiolaeth o 'ny yn achos Marriner, o's e?'

'Nago's. Dechreues i 'u holi nhw am y llofruddiaeth neithiwr, a bydd raid i fi fynd ar ôl 'u storïe nhw i weld os y'n nhw'n dal dŵr, ond dwi ddim yn credu bod 'da nhw unrhyw beth i' neud ag e. Yn bendant do's dim cymaint o dystiolaeth yn 'u herbyn nhw ag sy yn erbyn Martin Ware.'

'Felly am y tro fe yw'r ffefryn o hyd. Beth yw dy farn di amdano fe? Dwi'n teimlo'n weddol obeithiol 'yn hunan. Dwi'n gwbod nad o's 'da ni dyst a welodd e'n llofruddio Marriner, ond dyw'r pethe 'ma byth yn daclus gyda phob cwestiwn wedi'i ateb, odyn nhw? Y cwbwl allwn ni 'i neud yw rhoi'r hyn sy 'da ni i'r CPS a gadel iddyn nhw benderfynu, ond dwi'n teimlo'n eitha ffyddiog.'

'Wel, 'sech chi wedi gofyn i fi neithiwr, bydden i wedi cytuno â chi ond . . .'

'Beth, rwyt ti *yn* tueddu tuag at bobol capel Penuel?'

'Nagw. Y negeseuon ar dapie'r peiriant ateb sy'n 'y mhoeni i.'

'Negeseuon? Pa negeseuon?'

'Wel, chi'n cofio i Martin Ware ddweud bod y ffôn wedi canu sawl gwaith tra o'dd e gyda Marriner yn y fflat nos Lun, a bod Marriner wedi gadel i'r peiriant 'u hateb nhw?'

'Do fe?'

'Do, ond dwi ddim yn meddwl mai'r tâp gymerodd Kevin o'r peiriant o'dd yr un o'dd ynddo fe nos Lun.'

Edrychodd Clem Owen yn syn arno. 'Dwi ddim yn deall.'

'Ma' wyth neges ar y tâp hwnnw,' a phasiodd Gareth drawsgript o'r galwadau ar draws y ddesg. 'Alison Walters nath yr ail alwad, a dwedodd hi mai bore dydd Mercher dwetha, y seithfed ar hugain o Hydre, y ffoniodd hi Rites. Ffonies i Crown Motors gynne – nhw adawodd y bumed neges – ac er nad o'n nhw'n siŵr pryd ffonion nhw Marriner, wedon nhw mai dydd Iau dwetha o'n nhw'n gweithio ar y car a'i fod e wedi'i ga'l e 'nôl brynhawn dydd Gwener. Ma' hynny'n awgrymu mai dydd Mercher ffonion nhw Rites.'

'Am fod Harris am 'i ddefnyddio fe i yrru i Gasnewydd ddydd Sadwrn.'

'Ie, fwy na thebyg. Dwi ddim yn gwbod pwy yw'r Kate Smith na'r Alan a adawodd y chweched a'r seithfed neges, ond os y'n nhw'n gwsmeriaid cyson, ma'n siŵr y down ni ar 'u traws nhw yn ffeilie cyfrifiadurol y busnes ma' Ian James yn mynd drwyddyn nhw.'

'Hy!' meddai'r prif arolygydd gan ymateb yn Baflofaidd i enw'r swyddog cyfrifiadurol.

'Ond ffonies i Dryad Oils gynne 'fyd, ac yn ôl Nigel Curtis, brynhawn dydd Mercher, y seithfed ar hugain, y ffoniodd e Rites, ac mai ar ddydd Mawrth a dydd Mercher yr wthnos dwetha, y chweched a'r seithfed ar hugain, o'dd y system e-bost ddim yn gweithio. Honno yw'r neges ola ar y tâp, er i Martin Ware ddweud bod sawl galwad ffôn wedi'u derbyn nos Lun.'

'A tâp peiriant ateb ffôn y fflat yw hwn?'

'Ie.'

'Ond ma' fe'n gymysg o negeseuon busnes a phersonol.'

'Ma'r tapie i gyd yn gymysg. Ma' dau rif gwahanol i'r fflat a'r siop, ond dyw hi ddim yn edrych fel petaen nhw'n gwahaniaethu rhyngddyn nhw.'

'Beth am y tapie erill? O's 'na negeseuon mwy diweddar arnyn nhw?'

'O's, ar yr un gymerodd Kevin o'r peiriant yn y swyddfa. Oddi wrth Nigel Curtis o Dryad Oils ma'r ola o'r rheini, yn gweud 'u bod nhw wedi anfon yr archeb ac yn nodi pryd y dyle hi gyrra'dd, ac mae e'n dweud dydd Mawrth ar y tâp.' Estynnodd Gareth drawsgript o'r neges i Owen.

'Ac ma' Curtis wedi cadarnhau mai dydd Llun dwetha y ffoniodd e, y cynta o Dachwedd?'

'Odi, a derbyniodd Scott Parry'r parsel fore dydd Mawrth pan o'dd e'n cadw llygad ar y siop.'

'Y diwrnod dda'th Harris o hyd i gorff Marriner,' meddai Clem Owen, gan ailgydio yn y ddalen a'r wyth neges arni. 'Do's dim rhaid bod pwy bynnag ffoniodd nos Lun wedi gadel neges, o's e?'

'Nago's,' cytunodd Gareth, 'ond os o'dd sawl un wedi ffonio, fel wedodd Martin Ware, bydden i'n disgwl i o leia un ohonyn nhw fod wedi gadel neges.'

'Hm. Ie. Ond os nad y tâp gymerodd Kevin o'r peiriant ddydd Mawrth o'dd y tâp o'dd ynddo fe nos Lun, ble ma'r tâp hwnnw?'

'A pwy gymerodd e, a pam?'

Ystyriodd y prif arolygydd y cwestiynau am ychydig, a methu cynnig yr un ateb. 'Ti'n iawn, ma' rhwbeth fan hyn sy ddim yn taro deuddeg, ond do's 'da fi ddim syniad beth yw e.'

'Na finne,' cyfaddefodd Gareth. ''Na pam licen i ga'l gair arall 'da Peter Harris cyn i ni wasgu mwy ar Martin Ware.'

'Dwi'n cytuno.'

'Fydd hi'n iawn i fi ga'l help Wyn?'

'Bydd.' Ond yna'r eiliad nesaf newidiodd Owen ei feddwl. 'Na, alli di ddim, ma' fe wedi ca'l y llunie CCTV o'r garej 'na o'r diwedd. Beth am Eifion?'

'Iawn,' meddai Gareth, gan godi i adael.

'Rho wbod ar unwaith pan . . .'

Canodd y ffôn ar draws ei orchymyn.

'Ie? . . . Iawn . . . Dwi ar fy ffordd.' Rhoddodd y ffôn i lawr. 'Mr Peters am 'y ngweld i,' meddai gan ddilyn Gareth allan drwy'r drws. 'Dwi'n treulio mwy o amser gydag e na dwi'n neud gyda'r wraig y dyddie 'ma.'

Tarodd Gareth ei ben heibio i ddrws yr ystafell CID ond doedd Eifion Rowlands ddim yno. Roedd ar fin gadael a mynd i chwilio amdano yn y ffreutur pan sylwodd ar y Rhingyll Ian James yn eistedd wrth fwrdd yng nghefn yr ystafell a'i gefn tuag ato.

'Ian!' galwodd. 'Wyt ti wedi gweld Eifion?'

Nid ymatebodd James ac agorodd Gareth ei geg i alw arno eto, ond yna gwelodd ei fod yn gwisgo ffonau clust. Cerddodd Gareth ato a'i gyffwrdd ar ei ysgwydd.

'Beth?' Trodd James a thynnu'r ffonau.

'Wyt ti wedi gweld Eifion yn rhywle?'

'Nadw.'

'O's 'da ti syniad ble ma' fe?'

'Dwi'n credu'i fod e gyda Superintendent Peters.'

Clem *ac* Eifion mewn gyda'r *super*?

'Iawn, diolch.'

Byddai'n rhaid iddo fynd i nôl Peter Harris ar ei ben ei hun. Ond a oedd hynny'n ddoeth ac yntau'n mynd i'w holi? Efallai y byddai'n well petai rhywun arall yn ei gasglu o'r gwesty.

'Gareth?'

'Hm?' Sylweddolodd fod Ian James wedi bod yn siarad ag e. 'Sori, beth wedest ti?'

'Y ffeilie ar y ddau gyfrifiadur o Rites.'

'O, ie. Wyt ti wedi ca'l gafel ar rwbeth?'

'Dwi ddim wedi gorffen 'to, ond ma' 'na ddigon o lunie 'ma na fyddet ti am i dy fam na dy dad 'u gweld, ond wedyn dy'n nhw ddim yn torri'r gyfraith. Na, yr hyn sy'n ddiddorol yw'r rhestr 'na ofynnest ti i fi 'i harchwilio.'

'O?'

'Ie, edrych ar hyn,' ac fe lwythodd James ffeil o'r cyfrifiadur i'r sgrin.

'Dyma'r rhestr sy 'da ti, yntefe?'

Pwysodd Gareth ymlaen i edrych ar y sgrin ac ar yr enwau a welai arni – hanner dwsin o'r pymtheg enw ar y rhestr gleddyfau roedd wedi ei chael gan Peter Harris.

'Ie.'

'Ma'r enwe sy ar dy restr di i gyd wedi ca'l 'u cymryd o'r ffeil 'ma,' ac fe lwythodd James ffeil arall i'r sgrin, un fwy, a nifer o golofnau ac amrywiaeth o wybodaeth arni.

'A beth yw hon?' gofynnodd Gareth.

'Gwybodaeth marchnata, fwy na thebyg. Cofnod o pwy sy'n prynu beth. Ti'n gwbod shwd ma'r archfarchnadoedd yn defnyddio'u cardie ffyddlondeb i ga'l manylion am arferion siopa'u cwsmeriaid ac yna'n defnyddio'r wybodaeth honno i dargedu 'u hymgyrchoedd cyhoeddusrwydd yn well?'

Nodiodd Gareth.

'Wel, ma'r rhaglen 'ma rwbeth yn debyg. Dyw hi ddim mor soffistigedig; ma'r enwe'n ca'l 'u cofnodi â llaw yn hytrach na'u hychwanegu'n awtomatig o'r til, ond yr un yw'r syniad.'

'Ond do'dd pob un o'r pymtheg ar y rhestr ddim wedi prynu cleddyf yn y siop.'

'Na, wedest ti 'ny, ond ma'n edrych yn debyg os o'n nhw wedi dangos diddordeb ynddyn nhw, bod Marriner neu

Harris wedi rhoi'u henwe ar y rhestr er mwyn cadw cysylltiad â nhw. Edrych,' ac fe bwyntiodd James at y sgrin. 'Dyma'r golofn gwerthiant a dyma'r golofn diddordeb, iawn?'

Nodiodd Gareth. 'Iawn.'

'A dyma'r golofn cyhoeddusrwydd, gwybodaeth neu dargedu, galw di hi beth bynnag wyt ti moyn, ond ma'r dyddiad 'na'n dangos pryd gysylltodd Rites â nhw. Jobyn digon hawdd yw copïo'r wybodaeth o'r ffeil 'ma a'i rhoi hi mewn ffeil arall. Dyna shwt osododd Harris dy restr di at 'i gilydd.'

Dechreuodd James ddangos y broses i Gareth.

'Sdim ise i ti,' meddai Gareth. 'Dwi'n gwbod shwt i neud 'ny. Ma' fe'n ddigon hawdd, ac yn ddigon hawdd neud camgymeriad hefyd; gwadodd tri o'r bobol ar y rhestr ges i 'da Harris iddyn nhw ddangos unrhyw ddiddordeb mewn prynu cleddyf.'

'Pwy o'dd rheini?'

'Cer 'nôl i'r rhestr ac fe ddangosa i nhw i ti.'

Fflachiodd y ffeil gyntaf yn ôl ar y sgrin a phwyntiodd Gareth at y tri enw. 'Hwnna, hwnna a hwnna.' A'r enw olaf o'r tri oedd Martin Ware. 'Odi enwe'r tri 'na ar y ffeil arall?'

Newidiodd Ian James y sgrin unwaith eto a symud y cyrchwr i lawr gan chwilio amdanyn nhw.

'Odyn . . . dyna un . . . dau . . . a'r trydydd.'

'Ac o'n nhw wedi dangos diddordeb mewn cleddyfe?'

Symudodd James y cyrchwr yn ôl i fyny'r sgrin. 'Em . . . na, archebu llyfr nath hwn, gwybodaeth am lysie llesol o'dd hi ise, a gofyn am wybodaeth am lun nath yr un ola.'

'Martin Ware. Ise gwybodaeth am lun o'dd e?'

'Ie.'

Edrychodd Gareth ar y sgrin. Ai am brynu llun roedd Martin Ware a bod ei enw wedi cael ei roi gyda'r gweddill mewn camgymeriad? Doedd Ware ddim wedi taro Gareth fel rhywun a fyddai'n ymddiddori mewn lluniau. Neu a oedd yn ei gollfarnu? Efallai mai ei brynu fel anrheg i Richard Samuel oedd e, ond eto nid oedd wedi cael yr argraff fod Samuel yn berson a fyddai'n gwerthfawrogi'r nwyddau roedd Rites yn eu gwerthu.

'O's 'da ti ddiddordeb ynddo fe?' gofynnodd James o'i weld yn pendroni uwchben y sgrin.

Nodiodd Gareth. 'O's, ond do's dim rhagor o wybodaeth 'da ti amdano fe, o's e?'

'Fel beth?'

'Unrhyw beth.'

Siglodd James ei ben a chwythu ei anadl yn araf drwy ei ddannedd. 'Dim byd o'r ffeil 'ma, ond falle y galla i ffeindio mas pryd ofynnodd e am y wybodaeth am y llun.'

'Wel?'

Newidiodd Ian James y sgrin unwaith eto a chlicio ar ddilyniant o ddewisiadau i ddatgelu cofnod archifol o'r ffeil.

'Dyma ti, dydd Mercher y trydydd o Dachwedd.'

'Y trydydd? All hwnna ddim bod yn iawn.'

'Pam?'

'Am fod Andrew Marriner wedi'i lofruddio ar yr ail.'

Agorodd Clem Owen y drws a arweiniai i ystafell ysgrifenyddes yr Uwch-Arolygydd David Peters a gweld Eifion Rowlands yn eistedd yn synfyfyriol ar un o'r cadeiriau ar gyfer ymwelwyr.

'Beth wyt ti'n neud fan hyn? Ma' Gareth Lloyd am i ti fynd gydag e i nôl Peter Harris.'

'Ma' Mr Peters am 'y ngweld i.'

'Pam?'

Cododd Eifion ei ysgwyddau i ddangos ei fod cymaint yn y niwl ag oedd ei bennaeth. Trodd Owen at yr ysgrifenyddes.

'Margaret, wyt ti'n gwbod beth ma' Mr Peters moyn gyda Eifion?'

'Nadw,' atebodd yr ysgrifenyddes, gan siglo'i phen ond gan lwyddo ar yr un pryd i gyfleu'r argraff ei *bod* hi'n gwybod, er gwaethaf ei gwadiad.

'Ti ofynnodd i' weld e?' gofynnodd Owen i Eifion.

'Well i chi fynd mewn, Mr Owen,' meddai Margaret Hughes cyn i Eifion gael cyfle i ateb. 'Ma'n nhw'n disgwl amdanoch chi.'

Nhw? Os oedd Richard Samuel a'i ffrindiau'n corddi'r dyfroedd eto . . .

'Iawn,' meddai, gan gerdded at ddrws ystafell yr uwch-arolygydd a churo arno. Pan aeth i mewn gwelodd gefnau dau berson a eisteddai'n wynebu David Peters. Nid y rhain oedd y 'nhw' roedd ef wedi eu disgwyl, ac er ei fod yn eu hadnabod, ni allai feddwl pam y bydden nhw am ei weld.

'A, Inspector Owen,' meddai Peters, gan ei gyfeirio at gadair wag yn ymyl y ddesg. 'Rwyt ti'n nabod Chief Inspector Matthews a Sarjant Michael, ma'n siŵr . . .'

Nodiodd y ddau eu cyfarchiad a mwmialodd Clem Owen, 'Steve. Jennifer,' wrth iddo eistedd.

'. . . sy'n aelode o'r Uned Gyffurie.'

Gwnaeth Clem Owen ei hun mor gyfforddus ag y gallai yn ei gadair; rhagwelai fod yna stori ar fin cael ei hadrodd a fyddai'n gorffen gyda chais iddo ef a'i adran gydweithio â'r Uned Gyffuriau.

'Clem,' meddai David Peters, gan ei ddal yn annisgwyl. 'Pa ymchwiliade ma' DC Eifion Rowlands yn ymwneud â nhw ar hyn o bryd?'

'Eifion?'

'Ie.'

'Wel, ma' fe'n iste tu fas os . . .'

'Na, na, dwi'n gwbod hynny, ond os alli di ddweud wrthon ni.'

'Wel,' a thynnodd y prif arolygydd ei hun i fyny yn ei gadair. 'Ry'n ni i gyd yn gweithio ar yr ymchwiliad i lofruddiaeth Andrew Marriner; dyna'r ymchwiliad mwya sy 'da ni. Wedyn ma' llofruddiaeth Lisa Thomas. Ma' pethe wedi tawelu rywfaint fan'na, ond ry'n ni i gyd, gan gynnwys Eifion, yn dal i weithio ar yr achos hwnnw. Anesmwythodd ychydig eto. 'Em . . . ma' Eifion hefyd yn ymchwilio i ladrade o'r clwb pêl-dro'd, ymosodiad ar ddyn ym maes parcio'r Llew Du, a lladrad o fferm ar ochre Bryntylwth. Dyna'r rhai mwya, dwi'n credu, ond falle fod 'na rwbeth arall dwi ddim yn 'i gofio. Bydd Eifion yn gallu gweud yn well wrthoch chi.'

'O's 'da un o'r ymchwiliade hynny unrhyw beth i' neud â chyffurie?'

Siglodd Owen ei ben. 'Na, dwi ddim yn credu; ddim fel prif achos, beth bynnag. Ro'dd olion cyffurie yng nghorff Andrew Marriner, ond na, dyw cyffurie ddim yn whare rhan amlwg yn un ohonyn nhw.'

Nodiodd Peters cyn troi i edrych ar y ddau arall. Dilynodd Owen ei esiampl a sylweddoli bod y cyfle i ofyn cwestiynau yn cael ei drosglwyddo iddyn nhw.

'O's 'da un o'r ymchwiliade ma' DC Rowlands yn gweithio arnyn nhw unrhyw gysylltiad â Llanelli?' gofynnodd y Prif Arolygydd Steven Matthews.

Siglodd Clem Owen ei ben unwaith eto. 'Na. Pam?'

'Felly nest ti mo'i anfon e i Lanelli echnos, nos Fercher?'

'Naddo. Beth yw hyn?' Edrychodd o naill ochr y ddesg i'r llall. 'Pam y'ch chi'n holi am waith Eifion?'

I'w bennaeth roedd Owen wedi gofyn y cwestiwn, ond Steven Matthews a'i hatebodd.

'Am naw munud i chwech nos Fercher fe alwodd DC Rowlands yn swyddfa cwmni Stylus Security yn Llanelli,' ac fe dynnodd y Rhingyll Jennifer Michael lun du a gwyn maint A4 o amlen ar ei chôl a'i roi ar y ddesg o flaen Clem Owen a David Peters. Llun o Eifion yn troi i mewn i fynedfa adeilad ydoedd. 'Arhosodd yn y swyddfa am dri deg tair munud a gadael am ddau ddeg pedair munud wedi chwech,' a dangosodd y rhingyll lun arall o Eifion, yn gadael yr adeilad y tro hwn, a gwên fawr ar ei wyneb.

Clywodd Clem Owen ryw ias anghyfforddus a bygythiol yn crafu ei war. Teimlai fel petai wedi colli cyfeiriad yn llwyr a'i fod o fewn ychydig fodfeddi i fynd dan y don.

'O's 'da ti unrhyw reswm i'w gynnig am 'i ymweliad â Stylus Security?'

Siglodd Owen ei ben. 'Na.' Roedd ei lais yn wan, a charthodd ei wddf. 'Nago's. O's 'da ti reswm dros neud môr a mynydd o'i ymweliad?'

'Ry'n ni wedi bod yn cadw llygad ar y lle ers dros chwe mis ac yn awyddus iawn i wbod pwy sy'n ymweld ag e a pam.'

'Gofynna i Eifion, 'te. Ma'n siŵr neith e weud 'thot ti.'

'Dyna ry'n ni'n bwriadu'i neud, ond ro'n ni'n meddwl

y bydde hi'n well ca'l gair 'da ti gynta, rhag ofn 'i fod e'n rhan o ymchwiliad swyddogol.'

A neud yn siŵr hefyd pan fyddi di'n 'i holi na all Eifion greu rhyw ymchwiliad dychmygol a'i ddefnyddio fel esgus dros 'i ymweliad, meddyliodd Owen.

'Na, hyd y gwn i dyw e ddim yn rhan o unrhyw ymchwiliad.'

'Iawn,' meddai Matthews, gan droi at David Peters. 'Ry'n ni'n barod i' weld e nawr.'

Roedd golwg ci mewn cywilydd ar yr Arolygydd Ken Roberts wrth iddo yrru drwy glwydi Marine Coast. Efallai nad oedd ei gynffon yn llythrennol rhwng ei goesau, ond roedd y cam gwag a gymerodd drwy holi'r Parchedig Jonathan Williams yn dal i'w boeni ac yn anharddu'r ddelwedd roedd yn awyddus i'w chreu.

Ar ôl y misoedd o warth, bu'n dyheu am ddychwelyd i'w waith a chael cyfle i ddangos ei grebwyll a'i allu ymchwiliol i'w gyd-weithwyr. Ond roedd hynny i gyd wedi troi'n lludw, a'r cyfan am ei fod wedi ymddiried yn Timothy Morris. Fe ddylai fod wedi gwrando ar Clem Owen a chadw'n glir o'r ymchwiliad a chanolbwyntio'i ymdrechion ar lofruddiaeth Lisa Thomas. Roedd ei reddf hefyd wedi dweud wrtho i beidio ymhél â'r newyddiadurwr, ond nid oedd wedi gallu ymwrthod â'r demtasiwn i gael gafael ar ryw ddarn o wybodaeth nad oedd gan ei gyd-weithwyr, a dangos iddyn nhw pwy oedd y gorau.

Y gorau? O, doedd dal dim amheuaeth ynglŷn â hynny, ond fe fyddai'n rhaid iddo'i brofi mewn ffordd wahanol nawr.

Parciodd y car o flaen yr adeilad derbyn a dringo allan. Edrychodd ar y rhesi metel lliwgar yn y cae o'i flaen. Dywedai ei reddf wrtho nawr mai yma, yn un o'r carafannau roedd ef eto i'w harchwilio, oedd yr ateb i lofruddiaeth Lisa Thomas, ac roedd yn benderfynol o ufuddhau i'w reddf y tro hwn.

Roedd cadair arall wedi ei hychwanegu at y cylch, ac arni eisteddai Eifion Rowlands. Edrychai'n ddigon hunan-feddiannol a gobeithiai Clem Owen er mwyn popeth nad oedd ganddo ddim i'w guddio. Fe fyddai sgandal arall, yn dilyn mor agos ar sodlau ymchwiliad Ken Roberts, yn ergyd farwol i'w adran, ac yn ddigon am ei yrfa yntau.

'Ymweloch chi â swyddfa Stylus Security yn Llanelli nos Fercher dwetha, y trydydd o Dachwedd,' meddai Matthews. Gosodiad, nid cwestiwn, a syllodd Eifion yn hir ar y prif arolygydd cyn dweud dim.

'Alla i ofyn pam y'ch chi'n gofyn hyn i fi?'

'Fe ddaw hynny'n glir maes o law.'

Edrychodd Eifion i gyfeiriad Clem Owen, ond cadwodd ef ei wyneb yn llonydd fel delw; nid oedd am gyfleu dim o'i deimladau i Eifion, nac i unrhyw un arall chwaith.

Treuliodd Eifion rai eiliadau pellach yn pwyso a mesur y gosodiad a'r sefyllfa cyn dweud, 'Do.'

'Pam?'

Yn sicr doedd Steven Matthews ddim yn credu mewn hel dail, meddyliodd Clem Owen.

'Fel rhan o ymchwiliad ry'n ni'n 'i gynnal.'

Caeodd Clem Owen ei lygaid a gweld ei ddiwedd yn glir iawn yn y tywyllwch.

'Pa ymchwiliad?'

'I lofruddiaeth Lisa Thomas.'

Agorodd y prif arolygydd ei lygaid a phlethu ei freichiau o'i flaen, dros ei fol a dros ei galon a gurai fel Dydd y Farn. Er mwyn dyn, ddim un arall oedd yn dilyn ei drywydd ei hun.

'A sut mae Stylus Security yn ffitio i mewn i'r ymchwiliad hwnnw?'

'Ro'dd y ddau fownser o'dd yn gweithio yn Marine Coast y noson ga'th Lisa Thomas 'i llofruddio yn arfer gweithio i Stylus Security.'

Trodd Matthews i edrych ar Clem. Daliodd yntau ei edrychiad ond ni ddywedodd air na chynnig dim heblaw cyfleu mai cyfweliad Matthews oedd hwn a rhyngddo fe a'i fusnes.

'Do'dd Inspector Owen ddim yn gwbod amdano fe,' ychwanegodd Eifion, gan achub cam y prif arolygydd. 'Rhyw syniad ges i ar ôl clywed adolygiad Inspector Roberts o'r ymchwiliad ddydd Mawrth.'

'Pa adolygiad?' gofynnodd David Peters, a oedd hefyd yn ofni bod cyfnod cythryblus arall o'i flaen.

'Gofynnodd Inspector Owen i Inspector Roberts daro golwg dros yr ymchwiliad i lofruddiaeth Lisa Thomas rhag ofn 'yn bod ni wedi methu rhwbeth.'

'A beth o'dd 'i gasgliad?'

'Mai yn Marine Coast ro'dd hi wedi ca'l 'i llofruddio a bod rhywun wedi symud 'i chorff o'r maes carafanne i Goed y Gaer ar hyd llwybr yr arfordir.'

'Doeddech chi ddim wedi ystyried hynny'n barod?' gofynnodd Peters i Owen.

'Oedden, ro'dd hwnna'n rhwbeth ro'dd Sarjant Lloyd

wedi'i ystyried,' meddai'r prif arolygydd, gan roi rhyw dro bach cadarnhaol i'w ateb, 'ac unwaith ro'n ni wedi gorffen 'da'r profion DNA, ro'n ni wedi bwriadu canolbwyntio mwy ar y posibilrwydd hwnnw.'

'Ond pam ethoch chi i weld Stylus Security?' gofynnodd Matthews i Eifion, gan fethu gweld cysylltiad rhwng casgliad Ken Roberts a'r cwmni.

'Y noson ga'th hi'i llofruddio o'dd y tro cynta i Lisa fynd i un o'r dawnsfeydd o'dd yn ca'l 'u cynnal yn Marine Coast, ond ro'dd hi wedi bod yn gweithio yno yn ystod yr haf, a meddwl o'n i bod fwy o debygrwydd y bydde hi'n gyfeillgar gyda staff y lle na gyda rhywun o'dd yn digwydd bod yn y ddawns.'

'A 'na shwt y cyrhaeddest ti'r bownsers?' meddai Clem Owen a oedd yn dechrau meddwl efallai nad oedd wedi gwir werthfawrogi galluoedd y ditectif gwnstabl.

'Ie. Do'n i ddim yn credu'n bod ni wedi rhoi digon o sylw iddyn nhw ac ro'dd awgrym Inspector Roberts yn dod â nhw fwy o dan amheuaeth.'

'Am 'u bod nhw'n 'i nabod hi?'

'Ac am y gallen nhw fod wedi symud 'i chorff hi o'r gwersyll ar ôl i'r ddawns orffen, pan na fydde neb arall o gwmpas.'

'Ond dwi'n dal ddim yn deall sut arweiniodd hynny chi at Stylus Security,' meddai Matthews.

Ochneidiodd Eifion. 'Alwes i i weld un o'r bownsers ddydd Mawrth, ar ôl clywed yr hyn wedodd Inspector Roberts, a wedodd hwnnw wrtha i fod y ddau ohonyn nhw wedi bod yn gweithio i Stylus Security cyn dod i Marine Coast. Ma'r ail fownser wedi gadel yr ardal erbyn hyn, a gan nad o'dd hwn yn gwbod i ble'r o'dd e wedi mynd, meddylies i falle y bydde 'da Stylus Security gyfeiriad ar 'i gyfer e, a bydden nhw'n gwbod ble'r o'dd e'n byw cyn iddo ddechre gweithio iddyn nhw.'

'Pam na fyddech chi wedi gofyn yn Marine Coast? Bydde hynny wedi arbed siwrne i Lanelli.'

'Am mai yn Marine Coast ga'th Lisa Thomas 'i llofruddio a do'n i ddim ise rhybuddio'r staff 'yn bod ni'n ystyried y bownsers.'

'Ni?'

'Wel, fi, 'te.'

'Sy'n codi'r cwestiwn pam na sonioch chi wrth Inspector Owen am hyn i gyd?'

'Am 'i bod hi'n rhy gynnar. Do'dd dim tystiolaeth bendant 'da fi, dim ond wedi dechre meddwl am y posibilrwydd o'n i. Ro'n i wedi bwriadu gweud wrth Inspector Owen ar ôl bod yn Llanelli, ond erbyn hynny ro'dd llofruddiaeth Andrew Marriner wedi cymryd blaenoriaeth ar bopeth arall a do'dd dim amser 'da fi i neud dim am y peth.'

'Gethoch chi'r cyfeiriad 'da nhw?'

'Naddo, 'na reswm arall pam na wedes i ddim byd wrth Inspector Owen; do'dd 'da fi ddim byd gwerth 'i ddweud wrtho fe.'

'Nago'dd,' meddai Matthews, wedi cael rhywbeth i hoelio'i anfodlonrwydd wrtho o'r diwedd. 'Torri ar draws un o'n hymchwiliade pwysica ni heb ddim cyfiawnhad o gwbwl, a dim byd i' ddangos amdano fe.'

'Hanner munud, Steve,' meddai Clem Owen ar draws cyfiawn lid y prif arolygydd. 'Do'dd Eifion ddim i wbod 'ych bod chi'n ymchwilio i'r cwmni. Dwi'n gwbod bod angen cyfrinachedd arnoch chi, ond uffach, weithie dyw hanner yr Uned Gyffurie ddim yn gwbod beth ma'r hanner arall yn 'i neud.'

'Ond dyw hynny ddim yn newid y ffaith bod misoedd o waith wedi'i wastraffu. Ers ymweliad DC Rowlands ma' ymddygiad Stylus Security, a sawl busnes arall sy'n gysylltiedig â nhw, wedi newid. Ma'n nhw'n fwy tawel, yn llawer mwy gwyliadwrus ac wedi torri 'nôl ar 'u gweithgaredde.'

'Ma'n ddrwg iawn 'da ni am yr effaith ma' hyn wedi'i cha'l ar 'ych ymchwiliade, inspector,' meddai David Peters, 'ond dwi ddim yn credu y gallwch chi feio DC Rowlands am hynny. Wedi'r cyfan, ddim 'u rhybuddio nhw am weithgaredde'r Uned Gyffurie o'dd 'i fwriad e, nage?'

'Diolch yn fawr i chi am ddod i mewn ar fyr rybudd fel hyn, Mr Harris.'

Hanner gwenodd Peter Harris ychydig yn ddiamynedd ac fel petai mewn hanner breuddwyd, ond ymddangosai'n ddigon parod i gydweithredu serch hynny. 'Do's 'da fi ddim byd arall i' neud.'

'Steddwch,' meddai Gareth wrtho, gan gyfeirio at gadair wrth y bwrdd. Aeth yntau i eistedd gyferbyn ag ef, ac eisteddodd Lunwen Thomas yn ymyl ei chyd-weithiwr.

Er gwaethai'i eiriau o anobaith, edrychai Harris yn well na'r tro diwethaf roedd Gareth wedi ei weld; roedd cwsg a phrydau cyson y Dderwen Ddu yn amlwg wedi gwneud lles iddo. Ac yn raddol, wrth i fanion beunyddiol byw fynnu ei sylw unwaith eto, fe ddeuai bywyd ychydig yn haws iddo ddygymod ag ef ar ôl y chwalfa roedd newydd ei phrofi. Fel croen dros glwyf, byddai'r dyfodol yn cau am y gorffennol, er y byddai'r graith yn aros am byth.

'Wel, ry'ch chi wedi bod yn amyneddgar iawn 'da ni ac wedi ateb cwestiyne di-ri yn barod,' meddai Gareth, gan agor y ffeil o'i flaen. 'Ond ma'n siŵr 'ych bod chi'n gwerthfawrogi bod gwybodaeth newydd yn dod i'r wyneb drwy'r amser a bod yn rhaid i ni 'i chymharu â'r hyn sy gyda ni eisoes. Dyna shwt ma' pethe'n gweithio; dau gam ymlaen ac un cam yn ôl,' a gwenodd yn ymddiheurol.

'Ie, wrth gwrs.'

'A dyna pam licen i fynd 'nôl dros rai pethe gyda chi.'

Nodiodd Harris, ac edrychodd o gwmpas yr ystafell gyfweld. Sylwodd ar y peiriant recordio ar bwys y bwrdd, ac yna, fel petai'n dihuno o'i hanner breuddwyd, trodd i edrych ar Gareth.

'Odych chi'n mynd i recordio hyn?'

Siglodd Gareth ei ben. 'Na. Dim ond sgwrs i lenwi bylche yw hon. Odych chi'n hapus 'da 'ny?'

'Odw.'

'Nawr, un peth dwi am fynd 'nôl drosto fe 'da chi yw cwsmeriaid Rites a'u harchebion. Ry'ch chi wedi bod yn help mawr i ni'n barod drwy lunio'r rhestr o bobol o'dd wedi dangos diddordeb yn y cleddyfe ma'r siop yn 'u gwerthu. Ry'n ni'n ddiolchgar iawn i chi am hynny, a dwi'n gobeithio nad o'dd yn ormod o boendod i chi.'

'Na, do'dd hi'n ddim problem.'

'Da iawn. Nawr, pan siaradon ni gynta fe ddwedoch chi mai chi sy'n delio â'r archebion post.'

Nodiodd Peter Harris. 'Ie, fi sy'n gyfrifol am reini.'

'A shwt y'ch chi'n 'u derbyn nhw?'

'Drwy'r post,' meddai Harris, yn amlwg yn synnu bod Gareth wedi gofyn y fath gwestiwn.

'Ai dim ond drwy'r Post Brenhinol?'

'O, nage, drwy e-bost hefyd.'

'Unrhyw ffordd arall?'

Dechreuodd siglo'i ben ond yna dywedodd, 'A dros y ffôn.'

'Tair ffordd: llythyr, e-bost a'r ffôn. Unrhyw ffordd arall?'

'Pobol yn dod mewn i'r siop i archebu rhwbeth ac yn gofyn i ni'i bostio fe iddyn nhw. Ma' llawer o'n cwsmeriaid ni'n byw mas yn y wlad a ddim yn dod i'r dre yn amal.'

'Wrth gwrs. Allech chi ddweud wrtha i shwd ma'r archebion dros y ffôn yn gweithio. Ai chi fydd yn ateb pob galwad ac yn nodi'r archebion?'

'Na, os bydd rhywun yn ffonio archeb fe fydda i neu Andrew . . . fe fydden i neu Andrew – pa un bynnag ohonon ni fydde wedi ateb y ffôn – yn cymryd y manylion.'

'Ac os mai Andrew fydde wedi ateb, yna fe fydde fe'n pasio'r archeb mla'n atoch chi.'

'Bydde.'

'Beth fydde'n digwydd pan fydde rhywun yn ffonio pan o'dd y siop ar gau?'

'Bydde pobol yn gadel yr archeb ar beiriant ateb.'

'Sy wedi'i gysylltu wrth ffôn y siop?'

'Ma' un wrth ffôn y siop ac un wrth ffôn y fflat.'

'Ac ma'r ddau'n ca'l 'u defnyddio ar gyfer gadel archebion?'

'Ma'n dibynnu pa rif ma' pobol yn 'i ddefnyddio. Gallan nhw adel archeb ar unrhyw un o'r ddau.'

'A beth yw'r drefn wedyn?'

'Pan fydden i'n mynd drwy'r negeseuon, os bydde archeb yna, bydden i'n neud nodyn ohoni.'

'Ai chi fydde'n mynd drwy'r tapie bob tro?'

'Nage, os mai Andrew fydde'n mynd drwyddyn nhw, yna fe fydde fe'n pasio'r archeb mla'n ata i.'

'Drwy neud nodyn ohoni ar bapur a rhoi hwnnw i chi?'

'Na, bydde fe'n dweud wrtha i bod archeb ar dâp y peiriant.'

'Wela i. Byddech chi'n cymryd y tâp o'r peiriant er mwyn neud nodyn o'r archeb.'

'Ie, a hefyd er mwyn neud yn siŵr na fydde'r tâp yn ca'l 'i ddefnyddio eto a negeseuon newydd yn ca'l 'u recordio dros yr archeb.'

'Ro'dd hynny'n golygu'ch bod chi'n newid y tapie'n weddol amal.'

'O'dd.'

'Pa mor amal?'

'Ro'dd e'n dibynnu.'

'Bob dydd? Bob yn eilddydd?'

'Ro'dd yn dibynnu a o'dd archeb arno fe neu beidio.'

'Pa mor amal fyddech chi'n derbyn archebion dros y ffôn?'

'Ro'dd e'n amrywio. Dau ddiwrnod yn olynol weithie. Dro arall dim ond un archeb mewn wthnos.'

'Ond fe fyddech chi'n ca'l negeseuon o ryw fath bob dydd; negeseuon oddi wrth ffrindie ac yn y bla'n.'

'Bydden.'

'Ond ddim o angenrheidrwydd archebion.'

'Na, ma' rhai dyddie'n fwy tawel na'i gilydd.'

'Felly byddech chi'n gadel yr un tâp yn y peiriant oni bai fod yna archeb newydd arno fe, ond os o'dd archeb arno, yna byddech chi'n 'i newid yn syth. Odw i'n iawn?'

'Odych.'

'Ac yn rhoi tâp arall yn 'i le yn y peiriant?'

Amrantiad o oedi cyn ateb. 'Ie.'

Ond nid ymddangosai Gareth Lloyd fel petai wedi sylwi ar ei betruster, a newidiodd drywydd yr holi.

'Ma' perthynas dda rhwng y siop a'r cwsmeriaid, on'd o's? Ma'n nhw'n gwsmeriaid ffyddlon ac ry'ch chi'n neud 'ych gore i ga'l popeth ma'n nhw ise?'

'Odyn. Do's dim siop debyg am filltiroedd, ond dyw hynny ddim yn golygu'n bod ni'n cymryd 'yn cwsmeriaid yn ganiataol,' meddai Harris, a oedd yn ddigon parod i ddilyn y newid yn yr holi.

'Na, wrth gwrs. A dyna pam ry'ch chi'n cadw cofnod o'r gwahanol feysydd a nwydde ma'r cwsmeriaid yn ymddiddori ynddyn nhw.'

'Ie.'

'Ac yn 'u hychwanegu nhw at y bas data ar y cyfrifiadur yn rheolaidd.'

'Ie.'

'Chi neu Andrew fydde'n neud 'ny?'

'Y ddau ohonon ni.'

'Felly ro'dd 'da'r ddau ohonoch chi rwydd hynt i agor ac ychwanegu at unrhyw ffeil?'

'O'dd.'

'A dim ond chi'ch dau?'

'Ie.'

'Ac o'r bas data hwnnw y llunioch chi'r rhestr roddoch chi i fi.'

'Ie.'

'Odi'r manylion sy ar y bas data'n gywir?'

'Fe ddylen nhw fod, neu do's dim pwynt cynnal un.'

'Na'n hollol. Ond dwedodd un neu ddau o'r bobol o'dd â'u henwe ar y rhestr ges i 'da chi, nad o'dd 'da nhw ddim diddordeb mewn cleddyfe.'

'O?'

'Ac nad o'n nhw erio'd wedi ymddiddori mewn cleddyfe chwaith.'

'O? Dwi ddim yn deall 'ny. Rhaid bod 'na gamgymeriad.'

'Shwd y'ch chi'n credu y galle hynny fod wedi digwydd os yw manylion y bas data'n gywir?'

Cododd Harris ei ysgwyddau. 'Falle 'mod i wedi rhoi 'u henwe ar y rhestr mewn camgymeriad.'

Nodiodd Gareth Lloyd. 'Odych chi'n nabod Martin Ware?'

'Odw.'

'Shwd y'ch chi'n 'i nabod e?'

'Ma' fe'n ffrind.'

'I chi?'

'I'r ddau ohonon ni; i fi ac Andrew.'

'Ro'dd Andrew yn 'i nabod e hefyd, o'dd e?'

'O'dd.'

'A pryd o'dd Martin Ware wedi dangos diddordeb mewn cleddyfe?'

'Dwi ddim yn gwbod.'

'Ddim chi roddodd 'i enw fe ar y bas data?'

'Nage, dwi ddim yn meddwl,' a chrychodd ei dalcen wrth iddo geisio cofio. 'Na, dwi ddim yn cofio'i neud e, beth bynnag. O'dd e'n un o'r rhai ro'dd 'i enw wedi'i gynnwys ar y rhestr mewn camgymeriad?'

'Pam fyddech chi'n meddwl hynny?' gofynnodd Gareth.

'Wel, am i chi ofyn amdano fe ar ôl dweud bod 'na rai enwe ar y rhestr na ddyle fod arni.'

'O's, ma' un neu ddau o enwe ar y rhestr na ddyle fod arni.'

Edrychodd Harris yn dawel ar Gareth wrth iddo glywed ei eiriau ei hun yn cael eu hailadrodd. Ond cyn iddo allu rhoi trefn ar ei feddyliau newidiodd Gareth drywydd unwaith eto.

'Fyddech chi'n glanhau'r tapie cyn 'u hailddefnyddio?'

'Beth?'

'Ailddefnyddio tapie'r peirianne ateb fyddech chi, neu o's 'da chi stoc o rai newydd, gwag?'

'Em . . . nago's, ailddefnyddio'r hen rai fydden ni.'

'Ar ôl i chi gofnodi'r archebion?'

'Ie.'

'Wedi'u glanhau neu heb 'u glanhau?'

'Heb 'u glanhau.'

'A bydde'r negeseuon newydd yn ca'l 'u recordio dros yr hen rai.'

'Bydden.'

Nodiodd Gareth ei ben yn araf. 'Ond os mai dyna beth o'ch chi'n 'i neud, allwch chi esbonio shwd o'dd y tâp o'dd ym mheiriant ateb ffôn y fflat fore dydd Llun wedi para heb i'r un neges newydd ga'l 'i gadel arno ers dydd Mercher yr wthnos dwetha?'

Os mai eu drysu yw'r cam cyntaf, yna tynnu'r carped o dan eu traed yw'r ail.

'Ac ma'n rhaid i ti gofio, Steve, mai achos o lofruddiaeth ro'dd Eifion yn ymchwilio iddo. Dwi ddim ise cymharu difrifoldeb trosedde, ond do's fawr ddim mwy difrifol na llofruddiaeth, o's e?'

Ond doedd y Prif Arolygydd Steven Matthews ddim yn orawyddus i gydnabod hynny.

'Do'dd e ddim hyd yn o'd wedi cysylltu â heddlu Llanelli,' meddai'n bwdlyd.

'Ddim fel y gnethoch chi yn achos Derek Swanson yn Tyddyn Milwr, ie?' meddai Owen, gan ei atgoffa o un o gyn-ymgyrchoedd blêr yr Uned Gyffuriau.

Rhythodd Matthews arno a chydio yn un o'r lluniau oedd ar y ddesg.

'Ond pam o'dd DC Rowlands yn gadel yr adeilad yn edrych mor hunanfodlon os nad o'dd e wedi ca'l gwybodaeth neu rwbeth gwerthfawr arall yno?'

'Pwy a ŵyr,' meddai Clem Owen yn dawel. 'Falle'i fod e wedi cofio stori ddoniol, yn meddwl am beth o'dd e'n mynd i' ga'l i swper, neu jyst yn edrych mla'n at fynd adre at 'i wraig. Dy'n ni ddim i gyd yn briod i'r job, Steve.'

'Pam?' gofynnodd Matthews i Eifion, gan ddal y llun i fyny o'i flaen. 'Beth o'dd wedi'ch gwneud chi mor hapus?'

'Dwi ddim yn cofio,' meddai Eifion, gan wneud ei orau i gadw rhag gwenu.

'Na? Ma' hynny'n gyfleus iawn, on'd yw e?'

Trodd Eifion at David Peters ac edrych yn ymbilgar arno.

'Dwi ddim yn credu bod 'na fwy i'w drafod, *chief inspector*,' meddai David Peters, gan edrych ar ei oriawr. 'Fel ma' Chief Inspector Owen yn 'i awgrymu, mae ychydig bach o gydweithrediad yn gallu mynd yn bell, on'd yw e?'

'Ie, wel . . .' meddai Matthews gan ddal i deimlo'n hunandosturiol. Estynnodd y llun yn ôl i Sarjant Michael a chodi.

'Prynhawn da i chi, syr. Clem.' A heb edrych i gyfeiriad Eifion gadawodd y ddau'r ystafell.

'Wel, wel,' meddai'r uwch-arolygydd. 'Pwy fydde'n meddwl.'

'Dy'n *nhw* byth yn neud camgymeriad, odyn nhw?' meddai Clem Owen.

'Da iawn, Eifion,' meddai Peters. 'Dangosest ti dipyn o fenter wrth fynd ar ôl y bownsers 'na. Da iawn wir.'

'Diolch, syr.'

'Trueni nad o's amser 'da chi i ddilyn y trywydd i'r pen; mae e'n swnio'n addawol iawn.'

'Ie, syr,' meddai Clem Owen gan godi. 'A trueni bod Cyfyrddin wedi argymell torri 'nôl ar yr ymchwiliad o gwbwl.'

'Wel, falle y gallwn ni ailystyried hynny nawr, yng ngoleuni gwaith da Eifion.'

'Rhowch wbod i ni beth fyddwch chi'n penderfynu, 'te, syr,' a throdd am y drws ac Eifion yn dynn wrth ei sodlau.

Allan yn y coridor arhosodd Clem Owen a throi at Eifion.

'Dwyt ti ddim wedi sgrifennu adroddiad ar dy ymweliad â Stylus Security, wyt ti?'

'Nadw. Fel wedes i, ches i ddim byd o werth gyda nhw i'w roi mewn adroddiad.'

'Paid poeni am hynny, rho rwbeth lawr ar bapur ar gyfer y ffeil. Do's neb yn poeni am y gwaith 'i hunan; ca'l y gwaith papur sy'n bwysig, rhag ofn bydd rhywun pwysicach na Steve Matthews yn galw i'n gweld ni.'

*

Mwmialodd Peter Harris rywbeth na allai Gareth ei ddeall.

'Ma'n ddrwg 'da fi, chlywes i ddim.'

'Falle bod Andrew wedi newid y tâp ar ôl iddo fe gau'r siop nos Lun.'

'Am fod archeb newydd ar y tâp o'dd ynddo fe, chi'n feddwl?'

'Ie.'

'Ma'n bosib,' cytunodd Gareth. 'Ond bydde hynny'n golygu bod 'na dâp arall i' ga'l, gydag o leia un archeb newydd arno a adawyd gan rywun yn ystod dydd Llun. Ond dwi wedi gwrando ar y tapie i gyd, a do's dim archeb newydd ar yr un ohonyn nhw.'

Ni ddywedodd Peter Harris air.

'Falle bod dydd Llun wedi bod yn ddiwrnod tawel heb yr un archeb,' cynigiodd Gareth.

'Ie, falle. Ma' dydd Llun yn gallu bod yn dawel.'

'Ond wedyn pam newid y tâp?' pendronodd Gareth.

Edrychodd Harris arno am ychydig cyn siglo'i ben a chodi ei ysgwyddau. 'Dwi ddim yn gwbod, a dwi ddim yn gweld be sy 'da hynny i' neud â llofruddiaeth Andrew.'

'Na finne,' cyfaddefodd Gareth. 'Ond ma' fe'n gwestiwn sy'n gofyn am ateb a do's 'da fi ddim un.'

'Wel, os mai dyna'r cyfan sy 'da chi . . .'

'Nage, Mr Harris, ma' 'da fi sawl cwestiwn bach arall licen i 'u gofyn. Wedoch chi gynne'ch bod chi'n nabod Martin Ware, yndo?'

'Do.'

'Pryd welsoch chi e dwetha?'

'Dwi ddim yn cofio; rhyw ddau neu dri mis 'nôl, falle.'

'Do'dd e ddim yn ymwelydd cyson â'r siop, 'te.'

'Nago'dd.'

'Ond eto ma'i enw fe ar y bas data ac ar 'ych rhestr chi,' meddai Gareth, gan grychu ei dalcen a churo'i fysedd yn ddiamynedd ar y bwrdd, yn union fel petai'r ffaith fod enw Martin Ware ar y cyfrifiadur yn hollbwysig i'r achos, ond bod y rheswm pam ei fod arno y tu hwnt i'w grebwyll. 'Ond fel wedoch chi, mae e'n gwadu bod 'dag e ddiddordeb mewn cleddyfe.'

'Falle'i fod e'n dweud celwydd.'

'Ar y llaw arall, falle mai mewn camgymeriad y rhoesoch chi'i enw fe ar y rhestr, ac mai am ryw reswm arall o'dd 'i enw fe ar y bas data.'

'Odi, ma' hynny'n bosib.'

'Ond all e ddim fod yn dweud celwydd wedyn, all e?'

Ystyriodd Peter Harris resymu Gareth am eiliad gan chwilio am rywbeth cadarnhaol i afael ynddo. 'Ond . . .'

'Na,' meddai Gareth ar ei draws, gan edrych i lawr ar y papurau o'i flaen. 'Na, dwi'n credu'ch bod chi'n iawn, Mr Harris, pan ddwedoch chi gynne mai mewn camgymeriad y rhoesoch chi enw Martin Ware ar y rhestr, a do's 'dag e ddim byd i' neud â llofruddiaeth Andrew.' Cododd ei ben. 'Beth y'ch chi'n feddwl?'

'Wel . . .' dechreuodd Harris, cyn stopio a'i dynnu ei hun i fyny yn ei gadair, tawelu, a syllu ar ei ddwylo.

Astudiodd Gareth ef. Roedd hi'n amlwg nawr fod Peter Harris am dynnu ei sylw at Martin Ware a bod ganddo reswm dros gadw'r sylw hwnnw arno, er gwaetha'r anhawster cynyddol a gâi i wneud hynny. Ond pam? Dyna'r cwestiwn roedd yn rhaid i Gareth geisio cael ateb iddo. Doedd neb wedi dweud wrtho am garwriaeth Ware a Marriner, ac os na wyddai Peter amdani, pam oedd e mor awyddus i'w lusgo i mewn i'r ymchwiliad drwy gynnwys ei enw ar y rhestr? Ond wedyn, os gwyddai fod y ddau'n gariadon, sut oedd e wedi dod i wybod?

'I ddweud y gwir,' meddai Gareth gan dorri'r tawelwch, 'dwi ddim yn credu bod gyda'r un o'r bobol ar y rhestr unrhyw beth i' neud â'r llofruddiaeth, ac mai arf cyfleus o'dd y cleddyf a dim byd mwy.'

Cododd Harris ei ben. 'Ond fe wedoch chi mai rhywun o'dd yn gyfarwydd â'u defnyddio nhw o'dd y llofrudd.'

'Do fe?'

'Do,' mynnodd Harris.

'Ond dyw Martin Ware ddim yn gyfarwydd â'u defnyddio nhw, felly mae e'n glir, on'd yw e? Na, dwi'n credu bydd raid i ni edrych rywle arall am y llofrudd.'

'Ond . . .'

Torrwyd ar draws gwrthwynebiad Harris gan sŵn curo ar y drws.

'Ie?' galwodd Gareth yn swta.

'Sarj?' meddai'r Cwnstabl Michael Davies, gan daro'i ben o gwmpas y drws. 'Ma' DC Collins am 'ych gweld chi.'

'Nawr?'

'Ie, ma' fe'n gweud 'i fod e'n bwysig.'

Edrychodd Gareth ar Peter Harris a oedd yn astudio'i ddwylo unwaith eto.

'Iawn, dere mewn i gadw cwmni i Mr Harris a WPC Thomas. Os newch chi f'esgusodi am eiliad?' Ac wrth iddo godi o'r gadair, cofiodd am ymyrraeth Ken Roberts pan oedd yn cyfweld Daniel Morgan, a'r helynt a ddilynodd o hynny. Gobeithiai er mwyn popeth nad oedd cawlach tebyg arall wedi digwydd.

*

Tarodd yr Arolygydd Ken Roberts yr allweddi i lawr ar ben y cownter. Doedd dim golwg o neb yn y swyddfa, ond gobeithiai y byddai sŵn yr allweddi'n ddigon i dynnu sylw rhywun. Yr eiliad nesaf ymddangosodd Enid Powell yn y drws a arweiniai i'r swyddfa gefn.

'O, chi sy 'na,' meddai'r wraig nad oedd, fel dwsinau o bobl eraill, wedi cymryd at yr arolygydd.

'Gethoch chi afel ar Mr Ryan?' gofynnodd Roberts, nad oedd yn malio dim am na chroeso na phoblogrwydd.

'Naddo.'

'Dyn anodd i'w ddal, yw e?'

'Ma' Mr Ryan yn ddyn prysur iawn.'

'A finne, a do's dim amser 'da fi i' wastraffu yn 'i gwrso fe. Drychwch, wedes i wrthoch chi ddydd Mercher 'mod i ise gweld y daflen waith a'r anfoneb am y gwaith ga'th 'i neud i'r garafán ddiwedd mis Hydre.'

'A dwi wedi gofyn i Mr Ryan amdano fe.'

'Ond dyw e ddim yn ymddangos yn awyddus iawn i fi ga'l 'i weld e, yw e? Beth am y lleill? Odyn nhw gyda chi?'

'Y lleill?'

'Y papure am y gwaith cynnal a chadw arferol sy'n ca'l 'i neud i'r carafanne ar ddiwedd y tymor ymwelwyr.'

'Gyda Mr Ryan ma'r rheini hefyd.'

'O, ie,' meddai'r arolygydd yn bigog. 'Dwi'n cofio i chi ddweud nawr, 'i fod e'n 'u cadw nhw yn 'i swyddfa.'

'Odi.'

'A do's 'da chi ddim allwedd iddi.'

'Nago's.'

Nodiodd Roberts yn araf a phwyso ar y cownter.

'Wel, shwd ar y ddaear y dethoch chi mas ohoni nawr, 'te? Drwy ddweud, "Drws agora"?'

Hanner trodd Enid Powell i edrych i gyfeiriad y swyddfa gefn, sylweddoli ei chamgymeriad a chochi o gael ei dal mewn celwydd.

'Nawr 'te, Mrs Powell,' meddai Ken Roberts, gan bwyso'n agosach ati. 'Dwi wedi bod o gwmpas y carafanne i gyd ac ma' 'da fi syniad go dda pa rai sy wedi ca'l 'u hadnewyddu'n ddiweddar, ond dwi'n dal ise gweld y taflenni gwaith a'r anfonebe. Ac os na fydd y papure dwi'n chwilio amdanyn nhw gyda'r lleill, bydd hynny'n dweud cyfrole wrtha i – am y garafán ac am Mr Ryan.'

'Be sy 'da ti sy mor bwysig, Wyn?' gofynnodd Gareth wrth iddo gerdded i mewn i'r ystafell CID.

'Ma' 'da fi rwbeth i' ddangos i ti.'

'O?'

'Edrych ar hwn,' a phwyntiodd Wyn Collins y teclyn fideo a ddaliai yn ei law at y teledu ar y bwrdd o'i flaen. Llanwyd sgrin y teledu â llun du a gwyn o orsaf betrol. Nid oedd person na char i'w gweld yn y llun, dim ond rhes o bympiau petrol llwyd, llonydd.

'Ie?'

'Aros.'

Yr eiliad nesaf ymddangosodd car yng nghornel dde uchaf y sgrin. Arafodd ac aros ar bwys un o'r pympiau, yna dringodd dyn ifanc pen golau allan ohono a cherdded at y pwmp.

Craffodd Gareth ar y llun llwyd. 'Alli di fynd yn agosach?'

'Na, a dim ond yr ongl 'ma sy 'da fi. Ma' camera arall tu fewn i'r siop, ond ma' honno ar gau rhwng un ar ddeg y nos a chwech o'r gloch y bore ac ma'r cwsmeried yn talu drwy'r ffenest.'

Gorffennodd y dyn roi petrol yn y car ac aeth i dalu amdano gan gerdded allan o'r llun. Edrychodd Gareth ar y cloc ar waelod y sgrin a nodi'r rhifau symudol. Dim un tri dau ac ugain eiliad: tri deg dwy funud ac ugain eiliad i ddau. Un eiliad ar hugain, dwy eiliad ar hugain . . . Pan gyrhaeddodd y cloc dim un tri pedwar ac un deg saith eiliad, ailymddangosodd y dyn yn y llun. Agorodd ddrws y car, dringo i mewn a gyrru i ffwrdd, gan adael rhes o bympiau petrol llwyd, llonydd.

Estynnodd Gareth am gadair ac eistedd ar bwys Wyn Collins. 'Alli di chware fe 'to?'

Stopiodd Wyn y tâp a'i chwarae'n ôl.

'A ble ma' hyn? Y garej lle o'dd y lladrad?'

'Ie. Rhydioan.'

'Yn orie mân bore dydd Mawrth?'

'Ie.'

Stopiodd Wyn y tâp a'i chwarae. Roedd y car wedi ymddangos erbyn hyn a'r dyn wedi yn dod allan ohono ac yn cerdded at y pwmp petrol. Estynnodd Wyn am y teclyn i'w chwarae'n ôl ymhellach.'

'Na, gad e,' meddai Gareth, gan astudio'r llun. 'Ford Cougar yw'r car?'

'Ie.'

'Beth am y rhif? Alli di'i chwyddo fe?'

'Alla *i* ddim, ond falle y gallan nhw yn Gyfyrddin.'

'Wedet ti mai arian yw lliw'r car?'

'Ma' fe'n lliw gole iawn, beth bynnag.'

'A gwallt gole iawn 'da'r dyn hefyd.'

'Wedi'i liwio, falle.'

Diflannodd y dyn o'r llun unwaith eto.

'Do's dim amheuaeth mai Peter Harris yw e, o's e?'

'Ddim yn fy meddwl i.'

'Na finne chwaith,' a dechreuodd ystyried goblygiadau hynny. 'Allwn ni ddweud o'r llun – lleoliad y pympie a'r ffordd ma'r car yn wynebu – o ba gyfeiriad yrrodd e mewn i'r garej?'

'Gallwn. Mae e newydd adel y draffordd ac yn bwrw am adre. Hanner awr arall ac fe fydd e wedi cyrra'dd – llai na 'ny, falle, amser 'na o'r bore.'

'Sy'n golygu y bydde fe wedi cyrra'dd adre am ddau o'r gloch a ddim am hanner awr wedi naw fel wedodd e wrthon ni. Saith awr o wahaniaeth.'

'Ie.'

'Ac yn ôl Martin Ware ro'dd e yn y fflat tan hanner awr wedi chwech.'

'Ond os o'dd Harris wedi cyrra'dd adre am ddau, fe fydde fe wedi'i weld e.'

Nodiodd Gareth. 'Falle'i fod e. Falle'i fod e wedi gweld y ddau ohonyn nhw, Ware a Marriner, yn cysgu ym mreichie'i gilydd.'

'A beth, lladd dim ond un ohonyn nhw a gadel i'r llall fynd?'

'Nage, ddim bryd hynny,' meddai Gareth, gan deimlo'r darnau'n disgyn i'w lle. Pe na bai'n nodi'r cyfan oedd yn chwyrlïo yn ei ben ar unwaith . . . 'O's 'da ti bapur a phensil?'

Estynnodd Wyn Collins ei lyfr nodiadau iddo a dechreuodd ysgrifennu. Ond ni allai beidio â siarad chwaith. 'Gadawodd e. Do'dd e ddim yn gwbod beth i' neud; ro'dd y cyfan yn gymaint o sioc iddo fe, gadawodd

e. Alli di ga'l gafel ar lunie CCTV'r dre i fi ar gyfer bore dydd Mawrth rhwng hyn . . .' ac fe bwyntiodd at y teledu '. . . a hanner awr wedi naw, gwed? Fe ddyle un o'r camerâu fod wedi'i weld e.'

'Ro'dd 'dag e dipyn o amser i aros nes bod Ware yn gadel y fflat.'

'O'dd, ti'n iawn. Ac os o'dd e wedi aros yn agos er mwyn cadw llygad ar y siop, pam nad o'dd neb wedi'i weld e?'

'Lwc?' cynigiodd Wyn.

'Ie, a'n hanlwc ni. Ond ma' llunie'r garej yn neud celwydd o'i stori mai am hanner awr wedi saith adawodd e Gasnewydd, beth bynnag, ac os allwn ni'i ddilyn e o Rydioan i'r siop, byddwn ni'n gallu'i roi e yn y lle iawn ar yr amser iawn.' Cododd o'r gadair. 'Grêt, Wyn, diolch,' a throdd am y drws, yn awchus am ddychwelyd at Peter Harris. 'O, ie, un peth arall. Shwd dalodd e am y petrol? Alli di holi'r garej am hynny? Os talodd e 'da charden, all e ddim gwadu nad fe o'dd 'na am hanner awr wedi un y bore pan o'dd e i fod yng Nghasnewydd yn cysgu'n dawel.'

Fel arfer ni fyddai Eifion Rowlands yn becso'r dam am bolisi dim ysmygu'r orsaf, ac yn ysmygu fel simdde yn yr ystafell CID, ond ar ôl iddo orffen yr adroddiad o'i ymweliad â Stylus Security, ac yn awchu am sigarét, penderfynodd encilio i ddrws ochr yr adeilad ar bwys y maes parcio cyn tanio.

Sugnodd y mwg cyntaf yn ddwfn i'w ysgyfaint a'i gadw yno am rai eiliadau cyn ei chwythu allan trwy ei drwyn. Er ei fod wedi bod yn ysmygu ers blynyddoedd, byddai hynny weithiau'n dal i'w wneud ychydig yn benwan. A meddyliodd, nid am y tro cyntaf, os oedd sigarét gyffredin yn cael yr effaith honno, sut ergyd a gâi canabis?

Efallai y byddai'n rhaid iddo roi cynnig arno. Yn sicr, roedd yn haeddu rhywbeth i ddathlu ei lwyddiant diweddar. Ni allai gredu sut roedd pethau wedi gweithio o'i blaid. Pan gafodd y wŷs i fynd i weld David Peters a chlywed Margaret Hughes yn dweud wrtho y byddai'n rhaid iddo aros am ychydig gan fod yr Uned Gyffuriau i mewn gyda'r uwch-arolygydd, fe allai fod wedi syrthio'n farw yn y fan a'r lle. Cael a chael fu hi iddo aros yno, a gwendid ei goesau yn hytrach na nerth ei asgwrn cefn oedd yn gyfrifol am hynny. A phan ymunodd Clem Owen â'r cwmni, fe wyddai heb unrhyw amheuaeth mai ef oedd testun y sgwrs yr ochr arall i'r drws.

Ond manteisiodd ar yr amser y bu'n aros i roi trefn ar ei feddyliau a'i stori. Unwaith y sylweddolodd mai Stylus Security oedd ei unig gysylltiad â thiriogaeth yr Uned Gyffuriau, gwyddai eu bod nhw'n cadw llygad ar y cwmni diogelwch yn ogystal â'r clybiau oedd yn ei ddefnyddio.

Ond nid oedd ef i wybod hynny. Fe fyddai'n rhaid iddo gadw'n glir o'r ochr honno a chanolbwyntio ar y cysylltiad rhwng llofruddiaeth Lisa Thomas a Stylus Security, gan obeithio y bydden nhw'n ei gredu. Petai'n gallu glynu at hynny, allai neb wneud dim iddo – oni bai fod yr uned wedi cael caniatâd i recordio sgyrsiau swyddfa'r cwmni. Os oedden nhw, doedd dim gobaith caneri ganddo i grafu ei ffordd allan o'r twll. Dweud y gwir, cyfadde'r cyfan a disgyn ar eu trugaredd fyddai'r peth doethaf, yr unig beth, i'w wneud wedyn. Ond yn y cyfamser, tra oedd llygedyn o obaith, pa mor wan a phŵl bynnag oedd hwnnw, os gallai daflu llwch i'w llygaid, fe fentrai ar hynny.

Mae'n rhaid mentro i ennill. Ac roedd wedi ennill.

Taflodd yr hanner modfedd olaf o'r sigarét i ffwrdd ac estyn i'w boced am y pecyn. Cyneuodd un arall, sugno'r mwg yn ddwfn eto a'i ddal yno cyn ei ollwng allan. Ond ni phrofodd y penwendid y tro hwn, ac unwaith eto daeth i'w feddwl tybed sut ergyd fyddai gan ganabis.

'Ma'n ddrwg 'da fi'ch cadw chi, Mr Harris. Fyddwn ni ddim yn hir nawr.'

'Wel . . .' meddai Peter Harris, gan edrych ar ei oriawr yn awgrymog, 'dwi wedi bod 'ma am yn agos i awr yn barod.'

Eisteddodd Gareth wrth y bwrdd a phlethu ei fysedd.

'Dwi'n gwerthfawrogi hynny,' meddai ar ôl i Michael Davies adael yr ystafell, 'ond ma' 'da fi rai cwestiyne i'w gofyn i chi am yr amser gyrhaeddoch chi 'nôl o Gasnewydd fore dydd Mawrth.'

Ochneidiodd Harris. 'Dwi wedi dweud hyn i gyd wrthoch chi sawl gwaith.'

'Dwi'n gwbod, ond bydden i'n ddiolchgar petaech chi'n mynd trwyddo fe 'da fi unwaith 'to. Nawr, fe ddwedoch chi 'ych bod chi wedi gadel Casnewydd fore dydd Mawrth . . .'

'Am hanner awr wedi saith,' atebodd Harris yn ddiamynedd cyn i Gareth orffen ei frawddeg.

'A chyrra'dd nôl yn y siop am . . . ?'

'Hanner awr wedi naw.'

'Arhosoch chi rywle ar y ffordd?'

'Naddo.'

'Ddim hyd yn o'd am betrol?'

'Naddo.'

'O?' meddai Gareth, gan edrych i lawr ar y tudalennau

papur o'i flaen, cyn codi ei ben a syllu i fyw llygaid Peter Harris. 'Felly nethoch chi ddim aros am betrol yng ngwasanaethe Rhydioan?'

'Beth?' Roedd cryndod yn amlwg yn ei lais, a thyndra i'w weld yn glir yn ei wefusau.

'Ar ôl gadel y draffordd. Arhosoch chi am betrol yn Rhydioan.' Gosodiad, nid cwestiwn.

'Naddo.'

'Na? Beth petawn i'n dweud wrthoch chi fod 'da ni dystiolaeth sy'n dangos yn glir 'ych bod chi wedi aros yng ngwasanaethe Rhydioan am hanner awr wedi un fore dydd Mawrth dwetha?'

'Na. Na, dyw hynny ddim yn wir. 'Nes i ddim gadel Casnewydd tan hanner awr wedi saith.'

'Felly do's dim pwynt i ni edrych ar y fideo o gamera CCTV y garej ar gyfer bore dydd Mawrth.'

'Nago's.'

'Hyd yn o'd i brofi nad o'ch chi yno?'

'Drychwch, be sy 'da hyn i' neud â llofruddiaeth Andrew?'

'Fel wedes i, yr amser. Ma'n bwysig i ni wbod yn union pryd y cyrhaeddoch chi adre er mwyn i ni wbod pryd buodd y llofrudd yno.'

'Ond dwi wedi dweud wrthoch chi pryd y cyrhaeddes i – am hanner awr wedi naw.'

'A pryd o'dd Andrew'n 'ych disgwl chi?'

'Hanner awr wedi naw.'

'Ffonioch chi fe cyn i chi adel Casnewydd?' A'r eiliad honno, wrth iddo ofyn y cwestiwn, sylweddolodd Gareth arwyddocâd newid y tâp yn y peiriant ateb.

'Naddo!' yn rhwystredig. 'Am hanner awr wedi naw gyrhaeddes i adre.'

‘Nage. Fe ffonioch chi Andrew nos Lun, on’do, i ddweud ’ych bod chi’n gadel Casnewydd y noson honno yn lle aros tan y bore.’

‘Naddo.’

‘Ond atebodd Andrew mo’r ffôn, naddo? Felly gadawoch chi neges ar y peiriant ateb yn dweud y byddech chi’n cyrra’dd adre’n gynharach nag yr o’ch chi wedi bwriadu.’

‘Naddo!’

‘A dyna pam ro’dd yn rhaid i chi newid y tâp o’dd yn y peiriant; ro’dd y neges adawoch chi arno fe yn gwrthddweud ’ych honiad mai am hanner awr wedi saith y gadawoch chi Gasnewydd.’

‘Nage! Dwi’n gwbod dim byd am unrhyw dâp.’

‘A phan gyrhaeddoch chi adre am ddau o’r gloch y bore a mynd i fyny i’r fflat, yn dawel fel na fyddech chi’n dihuno Andrew . . .’

‘Nage! Am hanner awr wedi naw gyrhaeddes i adre. Dwi wedi dweud a dweud hynny wrthoch chi. Pam na newch chi ofyn i Edwin Jones yn y siop bapure gyferbyn â Rites. Es i i nôl y papur o’r siop ar ôl i fi gyrra’dd adre, am hanner awr wedi naw. Gofynnwch iddo fe!’

‘Ry’n ni wedi siarad â Mr Jones, ac mae e’n dweud mai am wyth o’r gloch ry’ch fel arfer yn casglu’r papur.’

‘Ie, ond do’n i ddim yna am wyth fore dydd Mawrth; ’na pam gasgles i fe am hanner awr wedi naw. *Ar ôl* i fi gyrra’dd adre!’

‘A pryd alwoch chi yn y siop bapure? Cyn mynd i’r fflat, neu mynd mas wedyn?’

‘Casgles i’r papur cyn mynd i’r fflat.’

‘Ond shwd o’ch chi’n gwbod nad o’dd Andrew wedi’i

gasglu fe'n barod?'

'Am . . .' ond ni allai gynnig rheswm.

'Am fod y siop heb agor?' cynigiodd Gareth drosto. 'Ond wedoch chi mai ar ôl i chi fynd mewn i'r adeilad y sylweddoloch chi nad o'dd Andrew wedi agor y siop. Yr unig ffordd allech chi wbod nad o'dd Andrew wedi casglu'r papur, o'dd am 'ych bod chi'n gwbod 'i fod wedi'i lofruddio.'

'Shwd allen i wbod 'ny?'

'Am mai chi lofruddiodd e.'

'Nage! Martin Ware lofruddiodd e, ddim fi!'

'Martin Ware? Ro'dd e gartre yn Glyn-y-ddôl.'

'Nago'dd, ro'dd e yn y fflat gyda Andrew.'

'Shwd y'ch chi'n gwbod?'

'Weles i fe pan gyrhae ...' ond ni orffennodd y frawddeg.

'Ie? Pan gyrhaeddoch chi adre. Ai dyna o'ch chi'n mynd i' ddweud?'

Ond roedd Peter Harris yn fud.

'Pan gyrhaeddoch chi adre am ddau o'r gloch y bore a dringo'r grisie'n dawel i'ch stafell wely rhag ofn i chi ddihuno Andrew, dyna pryd weloch chi Martin Ware, yntefe? Ro'dd e ac Andrew yn y gwely gyda'i gilydd, on'd o'n nhw? Yn cysgu ym mreichie'i gilydd. Dyna shwd o'ch chi'n gwbod 'i fod e wedi bod yn y fflat. A dyna pryd ddechreuodd 'ych byd chi gwmpo'n ddarne o'ch cwmpas.'

Siglodd Harris ei ben, yn gwrthod derbyn yr hyn roedd yn ei glywed.

'Ond be nethoch chi ar ôl 'u gweld nhw? Dianc o'r fflat neu aros yno? Dianc neu aros, yr unig beth allech chi feddwl amdano o'dd dial.'

'Nage! Nage!' A daliai'r pen i siglo.

'Dial ar Andrew am 'ych twyllo . . .'

'Nage!'

'. . . a bod yn anffyddlon gyda Martin Ware.'

'Nage! Martin laddodd e!'

'Ond pam fydde Martin am lofruddio Andrew? Do'dd dim rheswm 'dag e, o'dd e? Ond ro'dd digon o reswm 'da chi.'

'Ond ro'n i'n 'i garu fe!'

'Ond a o'dd e'n 'ych caru chi?'

Ysigodd ei ysgwyddau a gwyrodd ei ben. 'Ro'n i'n 'i garu fe,' mynnodd yn dawel.

'Oeddech, dwi'n gwbod, a dyna pam laddoch chi fe.'

A thorrodd y cyhuddiad drwy'r celwydd a'r ymwadiad fel llafn llym, gan wahanu'r cariad a'r casineb, y cyfiawnhad a'r euogrwydd, a gadael dim ond y gwirionedd digysur ar ôl. Llifodd y dagrau. Crynodd a chrebachodd ei gorff wrth iddo geisio dynnu'n ôl y cyfan a wnaed, ond roedd hi'n llawer rhy hwyr.

'Peter Harris, rwy'n eich arestio chi am lofruddio Andrew Marriner . . .'

'Ac o fan'ny mla'n fe nath e bopeth alle fe i roi'r bai ar Ware,' meddai Clem Owen.

'Do. Ar ôl iddo weld y ddau ohonyn nhw yn y fflat, ro'dd 'dag e ddigon o amser i feddwl am 'i sefyllfa. Anghrediniaeth yn troi'n ddicter, dicter yn gasineb a chasineb yn ddial. Dwi'n credu mai dyna ma'n nhw'n gweud yw'r drefn arferol.'

'Ac ma'n siŵr 'i fod e'n ofni y bydde Ware yn symud mewn at Marriner ac y bydde fe mas ar 'i din heb unman i fynd ond 'nôl i Gasnewydd at 'i fam. O's 'da ni dystiolaeth bod Marriner a Ware yn bwriadu neud 'ny?'

Siglodd Gareth ei ben. 'Nago's. Ond dy'n ni ddim yn gwbod shwd o'dd pethe rhwng Harris a Marriner mewn gwirionedd, a llai fyth rhwng Marriner a Ware. Yn bendant ro'dd rhwbeth wedi bod rhwng y ddau cyn nos Lun; wedodd Richard Samuel gymaint â 'ny wrthon ni.'

'A dyw Ware ddim yn mynd i weud dim am 'u cynllunie nhw nawr, odi fe, a'i ddyfodol gyda Samuel mor fregus ag y ma' hi.'

'Nagyw.'

Dim ond y ddau ohonyn nhw oedd yn yr ystafell CID. Roedd Gareth newydd ddangos y fideo o Peter Harris yn yr orsaf betrol i'w bennaeth, ac yn olrhain y digwyddiadau tebygol a ddilynodd hynny hyd at yr adeg yr oedd wedi llofruddio Andrew Marriner.

'Ro'dd Harris wedi mynd ati'n hollol fwriadol i droi'r sylw at Ware, on'd o'dd e?'

'O, o'dd. Alle fe neud dim i newid beth o'dd e wedi'i neud cyn iddo ddod i wbod am Marriner a Ware – y ffonio o Gasnewydd a'r aros am betrol yn Rhydioan – felly'r unig beth alle fe'i neud o'dd tynnu sylw at y ffaith bod Ware wedi bod yn y fflat. A thrwy hynny ro'dd e'n gobeithio dial ar y ddau ohonyn nhw; lladd un a cha'l y llall wedi'i gyhuddo o lofruddiaeth. Sylweddolodd Harris fod digon o dystiolaeth fforensig yn cysylltu Ware â'r fflat, ond 'i gamgymeriad o'dd trio'n rhy galed i'n cyfeirio ni ato fe. Cymhlethu pethe heb ise o'dd rhoi enw Ware ar y rhestr gleddyfe, tystiolaeth a'n harweiniodd ni yn y diwedd oddi wrth Martin Ware ac yn ôl ato fe.'

'Am mai newydd ga'l 'i roi ar y cyfrifiadur o'dd 'i enw fe.'

'Ie, ar y bore dydd Mercher, a dim ond Harris alle fod wedi'i ychwanegu fe at y ffeil, pan o'dd e'n neud y rhestr gleddyfe 'na i fi.'

Siglodd Owen ei ben. 'Dan drwyn Scott Parry.'

'Ie. Ond peidiwch bod yn rhy galed ar Scott. Bydd e'n gallu tystio bod Peter Harris wedi defnyddio'r cyfrifiadur y bore hwnnw. A diolch i waith Ian James, all Harris ddim gwadu'r peth.'

'Hy! James!' chwyrnodd y prif arolygydd. 'Bydd 'i wynt e fel persawr ar ôl hyn. Neith David Peters byth gredu nawr 'i fod e wedi ymosod ar Carol,' a disgynnodd ton o rwystredigaeth drosto.

Cadwodd Gareth ei gyngor, fel yr oedd wedi ei wneud byth ers i Clem Owen grybwyll yr ymosodiad gyntaf. Ni wyddai beth i'w wneud. Roedd yn amlwg bod ei bennaeth yn gwbl argyhoeddedig o euogrwydd Ian James, a doedd Carol Bennett ddim yn berson i gyhuddo cyd-weithiwr heb achos. Ond ar yr un pryd, nid oedd gan Gareth reswm dros ei amau; ymddangosai'n ddigon cyfeillgar a chlên. Ac eto ofnai Gareth ei fod ef ei hun yn berson hawdd ei dwyllo; roedd Peter Harris wedi profi hynny.

'Rhaid 'i fod e'n meddwl 'yn bod ni'n dwp,' meddai Clem.

'Pwy?' gofynnodd Gareth, gan hel ei feddyliau.

'Harris, wrth gwrs.'

'Wel, fe dwyllodd e fi, beth bynnag,' cyfaddefodd Gareth. 'Oni bai am y tâp, bydden i wedi bod yn ddigon parod i gredu mai Martin Ware laddodd Andrew Marriner.'

'Ti a fi, Gareth. Ti a fi. Dwi wastad wedi gweud bod mwy o achosion yn ca'l 'u datrys trwy dwpdra troseddwyr na thrwy'n clyfrwch ni.'

Agorodd y drws a daeth Wyn Collins i mewn. Galwodd Clem Owen arno. 'Gwaith da, Wyn.'

'Diolch, syr.'

'Beth am y lladrad o Rydioan? O'dd y fideo o ryw help?'

'O'dd, dwi'n meddwl. Ro'dd dau foi mewn Mondeo tywyll wedi galw 'na deirgwaith yn ystod y chwe awr cyn y lladrad.'

'Rhif?'

'O's, disgwl i'r DVLA ffonio 'nôl odw i nawr.'

'Da iawn. Gobeithio y bydd hwnnw'n arwain at ddiwedd trosedd arall. A sôn am ddatrys trosedde, ma' Ken Roberts yn meddwl 'i fod e wedi dod o hyd i'r garafán lle ga'th Lisa Thomas 'i llofruddio.'

'O?' meddai Wyn.

'Ie, ma' gwaith cynnal a chadw wedi'i neud ar rai ohonyn nhw ac ma' Ken yn siŵr mai un o'r rheini yw hi.'

'Ond a fydd Mr Peters yn barod i dalu am 'u harchwilio nhw am dystiolaeth fforensig?' gofynnodd Gareth.

'Ma' fe'n barod iawn, yn enwedig ar ôl y gwaith ma' Eifion wedi'i neud.'

'Eifion?' meddai Wyn a Gareth yn syn.

'O, ie, dy'ch ddim wedi clywed am hynny, y'ch chi? Wel . . .'

Ond cyn i'r prif arolygydd gael cyfle i ddechrau ar ei stori, torrwyd ar ei draws gan ymddangosiad yr Arolygydd Ken Roberts, a'r Rhingyll Berwyn Jenkins yn glòs wrth ei sodlau.

'Fan hyn y'ch chi.'

'Ie, dere mewn, Ken,' meddai Clem Owen. 'Sôn wrth Gareth a Wyn am y carafanne o'n i.'

'Ie, llongyfarchiade,' meddai Gareth.

'Diolch,' meddai'r arolygydd, a'i wyneb mor ddi-wên ag erioed. Ac ni allai ymwrthod â'r awydd i ychwanegu, 'Gwell hwyr na hwyrach.'

'Berwyn,' meddai Clem Owen er mwyn newid y sgwrs cyn i'w lawenydd suro. 'Ry'n ni i gyd yn barod am ryw ddathliad bach fan hyn, fel ti'n gweld, ond dwi'n ofni nad o's gwin ysgawen 'da ni, chwaith.'

Roedd yr awyrgylch yn debyg i ystafell newid ar ôl gêm lwyddiannus; pawb yn canmol ei gilydd, digon o dynnu coes, a lefel y testosteron yn uwch na'r Wyddfa.

'Doniol iawn,' meddai'r rhingyll a oedd wedi dioddef mwy na'i siâr o dynnu coes eisoes y bore hwnnw. 'Na, cred fi neu beidio, chwilio amdanot ti o'n i. Ma' 'da fi neges i ti oddi wrth heddlu Manceinion. Ma'n nhw newydd arestio dyn am hanner lladd rhywun mewn ffrwgwd clwb nos, a tra o'dd e'n dal yn llawn diod ac edifeirwch fe wedodd e mai fe laddodd Lisa Thomas.'

'Do fe wir? Pwy yw e?'

'Rhywun o'r enw Brian Walter Pressman.'

Trodd Clem Owen at Gareth Lloyd. 'Wyt ti'n gwbod pwy yw e?'

'Nagw, dim syniad.'

'Na finne, chwaith.'

A siglo'u pennau wnaeth Ken Roberts a Wyn Collins hefyd.

'Wel, ma'n nhw'n gweud os y'ch chi ise siarad ag e, bydd raid i chi deithio lan i Fanceinion.'

'Gewn ni weld am 'ny,' meddai Owen. 'Pwy fydde ise mynd lan i Fanceinion.'

'Ie, wel, rhyngthoch chi a'ch busnes, dim ond dod â'r neges . . .'

'Eifion, dere mewn,' galwodd Owen ar draws y rhingyll. 'Dyma un arall sy'n haeddu seren aur heddi, ond peidiwch gofyn i fois yr Uned Gyffurie 'i rhoi hi iddo fe.'

Safodd Eifion yn y drws gan geisio rheoli'r wên ar ei wyneb. Nid oedd wedi teimlo mor boblogaidd ers blynyddoedd.

'Eifion, wyt ti'n ffansïo taith lan i Fanceinion?' gofynnodd Clem iddo.

'I beth?' gofynnodd yn amheus, gan edrych ar y lleill rhag ofn ei fod ar fin cael ei wneud yn gyff gwawd.

'I siarad â Brian Walter Pressman, llofrudd Lisa Thomas. Wel, be ti'n feddwl?'

Trowch y dudalen

i wybod mwy am nofelau

Elgan Philip Davies,

'meistr y nofel dditectif'

RHWNG Y CŴN A'R BRAIN

Elgan Philip Davies

'Shwd wyt ti 'da chyrff?'
'Allen i fyw hebddyn nhw.'
'Ddim yn y jobyn hyn.'

Marwolaeth erchyll ond marwolaeth naturiol. Dyna a gredai pawb a welodd y corff, gan gynnwys y Ditectif Ringyll Gareth Lloyd a oedd yn dechrau blwyddyn newydd mewn rhanbarth newydd.

Ond mae rhai pobl yn fwy o drafferth yn farw nag o'n nhw'n fyw, a phan ddarganfyddir nad o achosion naturiol y bu farw Edward Morgan nid yw'r croeso mor gynnes i Lloyd – yn enwedig o du'r Arolygydd Ken Roberts.

'Bydd rhaid i ti fod yn fwy effro na 'ny os wyt ti ise aros fan hyn.'

Gall ambell berson byw fod yn dipyn o boen hefyd.

ISBN 0 85284 095 0